Bibliothèque
des Sciences humaines

DOMINIQUE SCHNAPPER

LA FRANCE
DE L'INTÉGRATION

SOCIOLOGIE
DE LA NATION EN 1990

*Ouvrage publié avec le concours
du Centre national des Lettres*

GALLIMARD

Ce livre est dédié à la mémoire de mon père. Il a été élaboré au cours des années passées grâce à l'aide de mes étudiants à l'École des hautes études en sciences sociales. Mais il n'aurait jamais été achevé sans les suggestions, les critiques et l'amitié de Serge Paugam, Antoine Schnapper, Michel et Yeza Villac.

L'Express : Quelle serait l'idée de nation la plus proche de votre conception de l'État et de la démocratie?

Emmanuel Levinas : C'est très simple : la France.

L'Express, n° 2035, 6-12 juillet 1990, p. 74.

AVANT-PROPOS

À l'automne de 1986, le garde des Sceaux déposait à l'Assemblée nationale un projet de loi portant réforme du Code de la nationalité dans un sens plus restrictif. Les passions devaient se déchaîner autour de deux des mesures proposées : modifier l'article 37-1 du Code de la nationalité française, qui donne au conjoint étranger d'un(e) Français(e) le droit d'obtenir la nationalité française par simple déclaration, et l'article 44, qui permet au jeune étranger né en France d'acquérir la nationalité française à dix-huit ans, s'il a résidé en France pendant les cinq ans précédant sa majorité. L'article 44, en particulier, devait cristalliser ce qui devint non pas un débat intellectuel ou idéologique, mais l'occasion de campagnes violentes pour et contre le projet gouvernemental. La gauche, revenant sur les jugements hostiles à l'acquisition de la nationalité « automatique » qu'elle avait portés en 1973 et 1981, reprochait désormais au gouvernement de demander à des jeunes qui, par leur présence et leur socialisation en France, appartenaient déjà de fait à la nation de manifester leur volonté d'être français. La droite, elle, reprenait l'argument du respect de la volonté individuelle, historiquement plus souvent invoqué par la tradition de gauche.

Instruit par l'expérience de décembre 1986, qui avait vu des centaines de milliers d'étudiants et de lycéens se mobiliser contre un projet de réforme universitaire, qu'il avait cru anodin, le gouvernement d'alors décidait de retirer provisoirement son projet (les calendriers électoraux démontraient que ce provisoire ne pouvait être que définitif) et confiait, sous la présidence de

M. Marceau Long, vice-président du Conseil d'État, à une commission de sages désignée par M. Albin Chalandon, garde des Sceaux, une « tâche essentielle », pour « qu'une clarification soit faite, qu'une information soit donnée, dans l'espoir de voir chassés les *a priori* ». Sur la suggestion de l'une de mes anciennes étudiantes — pour autant que je sache —, je fus membre de cette commission : six mois de travail intensif et collectif, l'apprentissage du droit de la nationalité et de son application, les auditions télévisées en direct en septembre et octobre 1987, la participation à l'élaboration et à la rédaction du rapport remis au Premier ministre en janvier 1988[1]. L'expérience fut passionnante.

J'ai dit ailleurs comment on peut évaluer ces instances. Je ne reviendrai pas non plus sur l'accueil réservé au rapport, majoritairement favorable, comme le signalait un dessin talentueux et flatteur de Plantu dans *Le Monde*. Mais, assez rapidement, une double critique vint, de l'extrême droite d'abord, puis des « défenseurs des émigrés » par les voix d'Harlem Désir et de Me Terquem. Les suggestions de ces derniers en faveur du « droit du sol simple » m'ont paru simplement déraisonnables. En revanche, M. Le Gallou, membre du Club de l'Horloge, adressa au président de la commission une lettre, où il développait des arguments sérieux contre l'utilisation quelque peu aventureuse que le *Rapport* avait faite du texte célèbre de Renan sur la nation, en le présentant comme le théoricien de la seule nation « à la française ». Le souci de répondre à ces objections me fit poursuivre la réflexion.

---

1. *Être français aujourd'hui et demain*, rapport de la Commission de la nationalité présenté par M. Marceau Long au Premier ministre, Christian Bourgois, « 10/18 », 1988, 2 vol. Il sera désigné par *Rapport* dans cet ouvrage.

INTRODUCTION

La relecture de la conférence de Renan dans ces circonstances a contribué à me faire prendre conscience du décalage, que j'avais senti de manière plus ou moins confuse tout au long de ces six mois de travail, entre la pensée juridique, ferme et structurée, et les limites de la recherche sociologique sur l'immigration et la nation.

La recherche sur le premier thème a toujours été limitée par le fait que la France est un pays d'immigration qui s'ignore. Notre inconscience du processus d'intégration des populations d'origine étrangère tient à l'existence d'une idéologie nationale unitaire, à laquelle ont contribué les historiens, qui, contrairement aux États-Unis, ignoraient jusqu'à une date récente le rôle de l'immigration dans la constitution de la nation [1]. La méconnaissance systématique de l'immigration et des mécanismes d'intégration a été, dans ce cas, l'un des moyens permettant d'entretenir l'unité nationale. Jusqu'à l'ouvrage d'Alain Girard et de Jean Stoetzel, qui utilisaient déjà le terme de «mosaïque» [2], et aux travaux pionniers de Serge Bonnet et de Michèle Perrot dans les années 1960, les historiens traitaient des étrangers, et non de ces anciens étrangers qui constituaient désormais la population française. Le thème est aujourd'hui en train d'acquérir sa légitimité [3].

1. D. SCHNAPPER, «Un pays d'immigration qui s'ignore», *Le Genre humain*, février 1989, pp. 99-111.
2. A. GIRARD et J. STOETZEL, *Français et Immigrés. L'attitude des Français. L'adaptation des Italiens et des Polonais en France*, I.N.E.D.-P.U.F., 1953, p. 39.
3. Voir en particulier G. NOIRIEL, *Le Creuset français*, Le Seuil, 1988, et Y. LEQUIN (éd.), *La Mosaïque France*, Larousse, 1988.

De plus, des facteurs à la fois techniques et politiques constituent un obstacle non négligeable à la recherche. Étant donné
le caractère « ouvert » de notre législation, beaucoup de ceux
que l'on considère socialement comme « immigrés » sont de
nationalité française. Or les statistiques générales de l'I.N.S.E.E.
et de l'I.N.E.D. sont fondées sur la nationalité : elles permettent d'étudier les étrangers régulièrement installés en France,
non les Français d'origine étrangère. Non seulement, dans le
recensement, aucune question n'est posée sur l'appartenance
religieuse (depuis 1872) et sur l'origine nationale, mais aucune
enquête de l'I.N.S.E.E. ne pose de question sur ce qui serait
un premier indicateur acceptable pour isoler les Français d'origine étrangère : le lieu de naissance du grand-père. Dans
l'enquête « Formation/Qualification professionnelle », on interroge sur la profession du grand-père, mais pas sur son lieu de
naissance. Dans l'enquête « Situations défavorisées », on demande
la nationalité d'origine, la nationalité des parents en un seul
item français/étranger et seulement la profession des grands-
parents. On mesure ainsi le poids qui a été donné au concept
de classe dans la recherche statistique et sociologique et l'absence
d'attention accordée aux faits de l'immigration. Rien ne permet de distinguer, à l'intérieur de la population nationale, les
Français selon leurs diverses origines nationales ou religieuses :
les statistiques sont aussi des produits de la vie sociale. Sur le
plan politique, on ne peut que s'en réjouir (il suffit d'évoquer
l'utilisation que le gouvernement de Vichy a faite des fichiers
des récents naturalisés et des étrangers), mais il faut reconnaître que la recherche sur l'immigration contemporaine et l'intégration des populations d'origine étrangère en est rendue
difficile. Les travaux sont bien souvent limités à des enquêtes
de type qualitatif, avec leurs avantages, mais aussi leurs limites. En outre, on ne peut analyser le sens de l'immigration des
Trente Glorieuses en Europe sans une réflexion sur la formation et l'évolution de la nation. Le terme de migration désigne des phénomènes dont la réalité sociale est très différente :
la migration des Européens vers les États-Unis au xixe siècle
n'est pas celle des Africains noirs vers la France en 1980. La
spécificité de l'immigration récente ne peut être précisée sans

une double réflexion sur le procès de modernisation et sur la nation contemporaine.

Il importe de préciser immédiatement qu'il s'agit dans ce livre de la nation moderne ou politique, déjà pensée par les auteurs classiques du xviiie siècle (Montesquieu ou Rousseau), mais symboliquement arrivée sur la scène politique avec la Révolution, non de la nation de l'Ancien Régime, que les historiens ont longtemps appelée « nationalité », plus récemment « proto-nationalisme »[1], et que les anthropologues et sociologues qualifient aujourd'hui d'« ethnie ». Quel que soit le terme utilisé, tous les auteurs en relèvent la double dimension : spécificité culturelle et communauté historique. L'ethnie qui, contrairement à la nation, n'a pas nécessairement d'expression politique, est une collectivité caractérisée par une culture spécifique, la conscience d'être unique et la volonté de le rester, fondées sur la croyance (le plus souvent fausse) d'une ascendance commune.

La confusion entre les deux termes est fréquente. C'est en lui donnant le sens d'ethnie que Jean-Paul II, né dans un pays où la nationalité a longtemps été privée d'expression politique, a évoqué devant l'assemblée générale de l'U.N.E.S.C.O. la valeur culturelle de la « nation ».

> Je suis fils d'une nation qui a vécu les plus grandes expériences de l'histoire, que ses voisins ont condamnée à mort à plusieurs reprises, mais qui a survécu et qui est restée elle-même. Elle a conservé son identité, et elle a conservé, malgré les partitions et les occupations étrangères, sa souveraineté nationale, non en s'appuyant sur les ressources de la force physique, mais uniquement *en s'appuyant sur sa culture*. Cette culture s'est révélée en l'occurrence d'une puissance plus grande que toutes les autres forces[2].

Mais les chercheurs eux-mêmes jouent sur les deux sens de la « nation ». Lorsque John Armstrong écrit sur les *Nations Before*

---

1. E. J. Hobsbawm, *Nations and Nationalism Since 1780, Programme, Myth, Reality*, Cambridge University Press, 1990.
2. Jean-Paul II, *France, qu'as-tu fait de ton baptême?*, Le Centurion, 1980, p. 217.

Nationalism [1], ou lorsque Susan Berger traite des Bretons, Basques, Écossais et autres « nations européennes » [2], il ne s'agit pas des nations, mais des ethnies.

C'est à cause de l'enchevêtrement, à la fois territorial et social, de ces nationalités ou de ces ethnies qu'il a été impossible de reconstruire l'Europe politique en 1919 de manière stable, à partir des revendications nationalistes, sur le principe de l'État-nation, selon lequel l'ethnie se confond avec la nation, au sens moderne et politique du terme. Même si elles avaient été de taille suffisante pour constituer des unités politiquement et économiquement viables, les ethnies n'occupaient jamais seules un territoire clairement dessiné. L'exemple de la Transylvanie, qui peut légitimément être revendiquée à la fois comme le berceau de la nation roumaine et de la nation hongroise, démontre que le principe des nationalités ne pouvait fonder un ordre politique en Europe : par définition, toutes les frontières des nations européennes sont artificielles et la multiplicité des échanges de toute nature a donné naissance à des populations intermédiaires ou « métisses ». Il ne suffisait pas de remplacer le territoire par le peuple, comme le proposaient les austro-marxistes, pour résoudre la « question nationale ».

La connaissance de la nation moderne reste d'abord le fait des historiens, qui ont toujours contribué directement ou indirectement à développer la mémoire nationale. Leur rôle a été particulièrement marqué en France, où la construction de l'idéologie nationale a été plus consciente et volontaire. De Michelet à Bernard Guenée, ils ont étudié la naissance du mot et de l'idée de nation, l'élaboration politique, administrative et culturelle des nations européennes et les conflits qui les ont opposées, la diffusion des idées nationalistes et leur influence en dehors de l'Europe, plus récemment les lieux et les instruments de la mémoire nationale [3]. Depuis les années 1960, historiens et politologues ou anthropologues ont étudié l'émergence des nations anciennement

---

1. J. Armstrong, *Nations Before Nationalism*, Chapel Hill, University of North Carolina Press, 1983.
2. S. Berger, « Bretons, Basques, Scots and Other European Nations », *Journal of Interdisciplinary History*, 1972, 3, pp. 167-175.
3. P. Nora (dir.), *Les Lieux de mémoire*, t. II : *La Nation*, Gallimard, 1986.

colonisées revendiquant leur indépendance contre l'hégémonie politique européenne[1]. Ils ont d'ailleurs été plus nombreux à étudier l'histoire des doctrines nationalistes, de leur contenu et de leur diffusion que la nation elle-même : les textes se prêtent plus facilement à l'analyse que les réalités sociales[2]. Or, comme l'a déjà remarqué Ernest Gellner, les théoriciens du nationalisme, malgré les nuances qui les séparent, loin de nous permettre de comprendre ce que furent effectivement les nations et les nationalismes, nous induisent en erreur, dans la mesure où ils produisent d'abord une idéologie destinée à justifier les revendications nationalistes et à mobiliser les populations. Ainsi, ils prétendent réveiller et protéger les cultures populaires, alors que la nation fonde et entretient son unité en imposant une culture savante[3]. Quant aux philosophes et aux historiens de la philosophie, ils continuent à analyser la manière dont les philosophes du passé — Fichte, Kant ou Hegel — ont pensé la nation, sans trop se soucier des réalités historiques.

C'est aux sociologues que devrait revenir la tâche d'analyser le rapport entre la pensée de la nation et les réalités concrètes. Plus sensible à son appartenance nationale qu'à son appartenance sociale, l'homme Weber a pleinement participé au sentiment national et même nationaliste allemand, il n'a pas été insensible au « pathos » de Heinrich von Treitschke, qui posait le « caractère moral de l'État national » et affirmait que « l'homme se sent d'abord allemand ou français, ensuite seulement homme en tant que tel ». Écrivant son œuvre pendant la période des nationalismes triomphants, le sociologue faisait de la nation et de la puissance de l'État la valeur politique ultime[4]. C'est dans le cadre

1. L'ouvrage classique sur ce sujet, qui a été suivi de bien d'autres, est celui de Cl. Geertz (éd.), *Old Societies and New States, the Quest for Modernity in Asia and Africa*, New York, The Free Press, 1963.
2. On consultera à ce sujet les travaux de R. Girardet sur le nationalisme français (en particulier, *Le Nationalisme français 1871-1914*, Le Seuil, 1983) et, en Angleterre, E. Kedourie, *Nationalism*, Londres, Hutchinson, 1985 (1re éd. 1960).
3. E. Gellner, *Nations and Nationalism*, Oxford, Blackwell, 1983, p. 125.
4. Voir en particulier *Économie et Société*, 2e partie, chap. IV, Plon, 1971, pp. 411-427 (écrit en 1913). Pour une analyse de l'ensemble des textes de Weber sur ce sujet, on consultera W. J. Mommsen, *Max Weber et la politique allemande 1890-1920*, P.U.F., coll. « Sociologies », 1985 (1959).

national qu'il posait le problème de la corrélation tragique entre la puissance et la culture. En revanche, si Durkheim s'est soucié effectivement de la nation lors de ses premiers écrits en 1886[1], elle n'est plus ensuite pour lui qu'une forme historique particulière. Le véritable objet de la réflexion sociologique, ce sont « les sociétés en tant que systèmes de normes ». Même si l'on peut admettre que « la société » est, pour lui, implicitement confondue avec la nation, on assiste, par rapport à ses intérêts intellectuels initiaux, à « un effacement de la science de l'État »[2]. Malgré son patriotisme personnel, il n'a pas analysé le transfert du sacré sur la nation, mais sur la société. Dès lors, en dehors du texte inachevé de Marcel Mauss rédigé après la fin de la Première Guerre mondiale, la nation n'appartient plus guère à la tradition reconnue des sociologues français, lorsqu'ils ne réduisent pas leur ambition intellectuelle à la condamnation de l'État-nation : aucune mention dans un classique Manuel des sciences sociales[3], pas d'entrée dans le *Dictionnaire critique de la sociologie*[4]. Comme pour Durkheim, il ne s'agit plus, pour eux, d'un concept analytique, mais d'une réalité historique.

Jusqu'à la Seconde Guerre mondiale, les sociologues en France ont été tentés de dériver dans une littérature pronationale fortement idéologique et, depuis les années 1950-1960, dans une littérature antinationale, qui ne l'est pas moins. La pensée de la nation est passée de la glorification ou de la commémoration à la condamnation, en négligeant l'effort de connaissance rationnelle.

Le texte de Mauss sur la nation illustre bien le premier cas. Partant d'une description objective, de type historique, il continue, quelques pages plus loin, par un hymne, digne des historiens nationalistes comme von Treitschke, à la beauté des « nations achevées », supérieures à toute autre forme d'organisation sociale :

1. B. Lacroix, « La vocation originelle d'Émile Durkheim », *Revue française de sociologie*, 17, 2, 1976, p. 227.
2. J.-Cl. Chamboredon, « Émile Durkheim : le social objet de science, du moral au politique ? », *Critique*, n° 445-446, juin-juillet 1984, p. 488.
3. R. Pinto et M. Grawitz, *Méthodes des sciences sociales*, Dalloz, 1964.
4. R. Boudon et Fr. Bourricaud, *Dictionnaire critique de la sociologie*, P.U.F., 1982.

Nous entendons par nation une société matériellement et moralement intégrée, à pouvoir central stable, permanent, à frontières
déterminées, à relative unité morale, mentale et culturelle des habitants qui adhèrent consciemment à l'État et à ses lois [...]. En
somme, une nation complète est une société intégrée suffisamment,
à pouvoir central démocratique à quelque degré, ayant en tout cas
la notion de souveraineté nationale et dont, en général, les frontières sont celles d'une race, d'une civilisation, d'une langue, d'une
morale, en un mot d'un caractère national [...]. Dans les nations
achevées, tout cela coïncide. Ces coïncidences sont rares, elles n'en
sont que plus notables et, si l'on nous permet de juger, plus bel-
les. Car il est possible de juger, même sans préjugés politiques,
des sociétés comme des animaux ou des plantes [1].

Bel écho du patriotisme français d'avant 1940 (en même temps
que du souci de la cohésion sociale propre à l'école durkheimienne), qui faisait de la coïncidence entre une culture, une unité
politique et un territoire la forme la meilleure de la société et
célébrait comme un idéal universel le cas français. Mauss, comme
Durkheim, Marc Bloch ou Lucien Febvre, refusait que le concept
d'« ethnique » pût être utilisé à propos de la France, qu'une forme
de collectivité existât en dehors de celle qui s'exprimait par la
nation.

Depuis la Seconde Guerre mondiale, c'est au contraire la critique de l'État-nation, responsable de « colonialisme intérieur »,
des « appareils idéologiques d'État », et l'exaltation des particularismes et des régionalismes de toute nature que les sociologues ont le plus longuement développées.

Divers courants de pensée se sont en effet rencontrés, qui abou-
tissaient à cette critique radicale. Les marxistes, malgré la pensée plus nuancée de l'austro-marxisme, tendaient à considérer
la nation comme une simple fiction juridique et politique, dont
l'idéologie unitaire avait pour fonction d'occulter les vraies identités et les vrais conflits, ceux qui étaient issus de la lutte des
classes, et de démobiliser les populations en émoussant leur
conscience de classe. Les tenants du relativisme culturel, de leur

---

1. M. Mauss, *Œuvres*, t. III : *Cohésion sociale et divisions de la sociologie*, Minuit, coll.
« Le Sens commun », 1969, pp. 584 et 604.

côté, accordaient à toute culture, au sens anthropologique, une valeur égale à celle des cultures savantes et rejoignaient les penseurs du tiers-monde dans leur critique radicale des formes politiques européennes, accusées d'avoir été l'instrument de l'impérialisme politique et culturel, d'imposer une homogénéité niveleuse et de commettre un génocide culturel sur toutes les cultures non européennes. Le relativisme culturel, la revendication du droit à la différence, le combat idéologique contre l'État-nation et sa violence réelle ou symbolique, contre le « racisme », ont successivement ou concurremment contribué à faire de nombreuses entreprises sociologiques une forme de militantisme.

La forme la plus scientifique de ces critiques fut formulée en Grande-Bretagne avec le thème du « colonialisme intérieur »[1]. Selon son auteur, inspiré par la théorie de la dépendance des pays du tiers-monde à l'égard des pays développés, le développement économique britannique a produit une division culturelle du travail de type colonial : les emplois de statut élevé ont été réservés à ceux qui maîtrisaient la culture nationale dominante ; ceux qui ne disposaient que d'une culture « indigène » ont été cantonnés dans les échelons les plus bas de la stratification sociale. Entrepreneurs et banquiers ont été recrutés au centre, où se rassemblaient toutes les formes de l'activité de production et d'échange. L'économie périphérique a été réduite à un rôle de complémentarité. Dépendante des marchés extérieurs, elle a exporté des produits bruts en petit nombre, lesquels accroissaient encore sa dépendance — encore renforcée par les mesures juridiques, politiques et militaires que prenait le centre. Le bas niveau de vie se doublait d'une discrimination fondée sur la langue, la religion et la culture, qui cristallisait le statut inférieur des populations « périphériques ». C'est contre cette situation de plus en plus oppressive que les Irlandais, les Écossais et les Gallois se révoltent aujourd'hui, leurs régions n'ayant connu, à la suite de ce colonialisme intérieur ou de ce « sectionalisme périphérique », qu'une industrialisation marginale.

1. M. Hechter, *Internal Colonialism, The Celtic Fringe in British National Development 1536-1966*, Londres, Routledge and Kegan Paul, 1975.

Dans la littérature de langue française, plus simplement idéologique, on a évoqué pathétiquement, dans un livre qui eut un certain retentissement, le danger d'«uniformisation universelle»[1], les effets de la croissance économique «destructrice de toute diversité», responsable de l'«uniformisation planétaire», du «cosmopolitisme niveleur», de l'«univers concentrationnaire», de la «lutte titanesque» où s'affrontent les «pouvoirs homogénéisants» et les «capacités différentielles»[2], en formulant finalement le vœu pieux d'«articuler le développement matériel et l'affirmation des différences»[3]. Un militant régionaliste a pu aussi écrire avec simplicité :

> Instrument de la liberté dirigé contre l'absolutisme monarchique, la nation va ainsi devenir entre les mains de la bourgeoisie l'instrument totalitaire de l'exercice de son propre pouvoir [...]. Finalement la France fonctionne à l'intérieur de ses frontières comme un véritable empire «ethnocidaire»[4].

Il est vrai qu'il s'agit d'un sujet à propos duquel il n'est pas facile de conserver l'attitude objective. La pensée de la nation risque toujours d'être normative en même temps que descriptive, d'osciller entre l'analyse et l'idéal. L'effort de connaissance rationnelle devient aisément le simple écho du travail de constitution politique et idéologique, par lequel s'est élaborée la nation. Le *Rapport* remis au Premier ministre était un texte à la fois idéologique et juridique. La nécessité de le justifier du point de vue politique — ce que je continue à faire pleinement — m'a longtemps gênée pour adopter un point de vue sociologique sur le sujet. Aujourd'hui, je ne relis pas sans ironie les textes de défense et d'illustration du *Rapport*, que les demandes des uns et des autres m'ont amenée à rédiger dans les mois qui ont suivi son achèvement[5].

---

1. G. MICHAUD (éd.), *Identités collectives et relations culturelles*, Bruxelles, Complexe, 1978, p. 33.
2. *Ibid.*, pp. 19 et 20. Pour une forme plus simple de ces critiques, on pourra voir en particulier P. MAUGÜÉ, *Contre l'État-nation*, Denoël, 1979.
3. *Ibid.*, p. 37.
4. M. NICOLAS, *Histoire du mouvement breton*, Syros, 1982, pp. 15 et 23.
5. En particulier «La nation comme communauté de culture», *Revue française d'administration publique*, n° 47, juillet-septembre 1988, pp. 435-440.

C'est en Grande-Bretagne que la nation a été récemment prise à nouveau comme objet de recherche proprement sociologique, essentiellement grâce à Ernest Gellner[1] et à Anthony D. Smith[2], qui ont proposé une théorie de la nation à l'époque de la société industrielle ou postindustrielle.

Selon Ernest Gellner, la nation moderne, produit des mouvements nationalistes, est la seule forme politique capable de répondre aux besoins d'une société qui se donne pour ambition le progrès économique sans fin. Alors que, dans les « sociétés agraires », la majorité des membres se consacre à la production alimentaire et est exclue à la fois du pouvoir et de la culture savante, confiés à un petit nombre de spécialistes, l'économie moderne dépend de la communication entre les individus et exige qu'ils soient mobiles. Dans cette nouvelle division du travail, tous les hommes doivent être capables d'occuper tous les emplois : ils doivent donc partager la même culture savante. Les exigences de l'économie imposent la création d'un système d'enseignement unique, unifié et centralisé, qui assure la diffusion de la culture nécessaire à la poursuite du projet économique. La centralisation étatique est en étroite interdépendance avec la centralisation culturelle. L'État est seul susceptible d'assurer l'ordre éducatif et la protection nécessaire au développement économique.

> L'infrastructure de l'éducation est trop vaste et coûteuse pour qu'aucune autre organisation que l'État puisse la prendre en charge. Mais en même temps, bien que seul l'État puisse assumer un tel fardeau, seul l'État est assez puissant pour maîtriser une fonction aussi importante et aussi cruciale[3]

en sorte que l'État

> monopolise l'éducation légitime presque autant que la violence légitime, ou peut-être même plus[4].

1. E. Gellner, *op. cit.*
2. A. D. Smith, *The Ethnic Revival*, Cambridge University Press, 1981 ; *The Ethnic Origins of Nations*, Oxford, Blackwell, 1986.
3. E. Gellner, *op. cit.*, p. 37.
4. *Ibid.*, p. 140.

Depuis plus de vingt ans, Ernest Gellner avait jugé que la nation était l'unité politique minimale capable de donner l'éducation nécessaire pour que se maintienne et se développe une société fondée sur la compétence et que la taille de cette unité était moins déterminée par les contraintes de la défense et de l'économie que par les nécessités du processus d'éducation[1].

Pour Anthony Smith, dont l'un des livres porte sur le renouveau des mouvements « ethniques », la réalité première, ce sont les liens et les appartenances ethniques, fondés sur la communauté et l'affectivité :

> La communauté ethnique, ou « ethnie », peut être définie comme un groupe social dont les membres partagent le sentiment d'avoir des origines communes, revendiquent une histoire et un destin communs et spécifiques, possèdent un ou plusieurs caractères spécifiques et ont le sentiment de leur unité et de leur solidarité[2].

L'ethnie comporte la double dimension de la spécificité culturelle et de la communauté historique[3]. Le « noyau dur » de l'ethnie réside dans le complexe de « mythes, souvenirs, valeurs et symboles », ou système « mythico-symbolique », dont l'existence et les formes rendent compte de la permanence de certaines ethnies dans l'histoire. La diffusion dans le monde des nations, nées en Europe de la triple révolution du capitalisme, de la centralisation administrative et militaire et de l'éducation, empêche de percevoir à quel point les nations prolongent les ethnies. Par rapport à la réalité ethnique — Anthony Smith voit dans les mouvements d'*ethnic revival* une constante de l'histoire —, la nation constitue une forme politique récente, qui a utilisé l'existence des liens ethniques pour construire, à partir d'eux, des unités politiques sur un territoire donné. La dimension territoriale distingue les nations des catégories ou des communautés ethniques. Chaque nation se caractérise par l'inégal degré de congruence entre la ou les ethnies, à partir desquelles elle a été créée, et les frontières de l'État.

1. E. Gellner, *Thought and Change*, Londres, Weidenfeld and Nicholson, 1964.
2. A. D. Smith, *op. cit.*, 1981, p. 66.
3. A. D. Smith, *op. cit.*, 1986, p. 22.

> Les nations sont un type récent de formation politique qui utilise une base ethnique et transforme le style et le contenu de liens ethniques beaucoup plus anciens et souvent dormants [...]. La nation représente un effort, souvent vain, pour adapter des liens historiques de culture à certains aspects du changement moderne [1].

En dehors de l'«inclusion des masses»,

> il est clair que les nations modernes et le nationalisme n'ont fait qu'étendre et approfondir les significations et les buts des vieux concepts et des vieilles structures ethniques [2].

La nation, qui se distingue de l'ethnie parce qu'elle dispose d'un État, est organisée sur le modèle de l'organisation socioculturelle de l'ethnicité; les intellectuels, devenus les grands-prêtres de la nation, conservent et transmettent le nouveau complexe mythico-symbolique; la bourgeoisie et les militaires soutiennent la force et l'expansion de la nation, comme les aristocrates le faisaient pour l'ethnie. Adaptée aux besoins de la société moderne, la nation s'oppose aux liens ethniques, comme la *Gesellschaft* à la *Gemeinschaft*. Le rôle de l'État national n'aurait jamais été aussi efficace s'il n'avait pas réactivé des sentiments ethniques préexistants. Il a d'ailleurs, à son tour, créé et cristallisé des éléments ethniques. Mais plus l'État, instrument de la nation, devient, à cause des besoins de l'économie, abstrait, savant et impersonnel (ce dont les projets d'aménagement du territoire, qui nient les spécificités locales au nom d'une rationalité technocratique, sont un exemple privilégié), plus il suscite en contrepartie le renouveau d'une ethnicité restée vivante malgré l'action de l'État national. La vivacité des revendications régionales dans les pays de l'Europe occidentale tient au développement d'un État de plus en plus rationnel et scientifique, qui réactive contre lui un «nationalisme» romantique fondé sur les anciens liens ethniques. Ces derniers préexistaient à la nation et survivent malgré elle. L'excessive rationalité de l'État, le caractère impersonnel de sa gestion

---

1. A. D. Smith, *op. cit.*, 1981, pp. 85 et 52.
2. A. D. Smith, *op. cit.*, 1986, p. 216.

redonnent force à des sentiments proprement communautaires que la nation n'a jamais éliminés. La nation n'a pas réussi à « transcender » l'ethnicité [1].

Je reviendrai sur ces théories. Ce qu'il faut souligner ici, c'est qu'il existe deux points de vue spécifiquement sociologiques de la réflexion sur la nation peu abordés jusqu'ici : l'intériorisation du sentiment national ; les fonctions sociales que joue la nation, à la fois dans sa réalité institutionnelle et dans son idéologie. Sur ces deux thèmes, la sociologie est restée pauvre.

On peut s'étonner que tant d'études aient été consacrées à l'intériorisation de l'appartenance de classe et si peu à celle de l'appartenance nationale : la seconde aurait-elle moins de réalité ou moins de force que la première ? Certes, l'appartenance nationale est aussi irrationnelle que toute appartenance à un collectif. Dans l'immense majorité des cas, le hasard de la naissance (dans la double dimension du *jus sanguinis* et du *jus soli*) la détermine.

> Si je savais une chose utile à ma nation qui fut ruineuse à une autre, je ne la présenterais pas à mon prince, parce que je suis homme avant d'être français (ou bien) parce que je suis nécessairement homme, et que je ne suis français que par hasard [2].

La nation est le produit d'une histoire et d'une construction artificielle comme toutes les productions humaines. Mais le processus par lequel l'individu finit par posséder en soi sa nation n'est pas par nature différent du procès, si longuement analysé par les sociologues et les politologues, par lequel les individus intériorisent les valeurs, les modes de penser et de sentir liés à leur appartenance sociale. Ce n'est pourtant pas un sentiment négligeable que le patriotisme — lien sentimental unissant l'individu à sa nation. Il suscita les mouvements nationalistes et les conflits européens du xixᵉ siècle et conduisit les peuples du Vieux Continent à commencer dans l'enthousiasme une guerre contre leurs voisins et à supporter de vivre ensuite quatre années au milieu de la mort quotidienne, dans la boue et le froid. L'échec, en France, des mouvements régionalistes des années 1970,

1. A. D. SMITH, *op. cit.*, 1981, p. 214.
2. MONTESQUIEU, *Cahiers*, I, 344, édition Grasset, 1941, p. 9.

qui avaient d'ailleurs emprunté les discours, les attitudes et les symboles aux mouvements de revendications nationalistes, montre que l'investissement identitaire et affectif dans la nation n'a pas disparu. Les événements récents de l'Europe de l'Est révèlent que les sentiments nationaux ont persisté malgré la glaciation de l'ère communiste. La perpétuation des « groupes ethniques » dans les grands pays d'immigration, comme les États-Unis ou Israël, ne montre-t-elle pas aussi, d'une tout autre façon, la force de la socialisation italienne, irlandaise ou chinoise ?

Sensibles, avant tout, à deux grands thèmes, celui de la lutte des classes et celui de la faible intégration des sociétés modernes, les sociologues ont négligé la réalité nationale. L'idéologie des chercheurs rend compte partiellement de cette orientation : tout se passe comme si certains sujets étaient légitimes et d'autres pas, comme si le chercheur était assimilé à son objet de recherche. Le social reste valorisé, alors que le national est marqué du péché du national-socialisme, du Front national ou des excès nationalistes, responsables des guerres du xxe siècle. Les relations interethniques sont un objet digne de l'attention des chercheurs, comme le démontre la richesse de la littérature consacrée à l'*ethnic revival*[1], mais pas la nation, qui pourtant leur donne leur sens. Comme le remarque E. J. Hobsbawm, on a plus écrit sur le « nationalisme » gallois ou écossais que sur le nationalisme anglais.

Mais ce manque d'intérêt apparent est aussi dû à ce que trop souvent les chercheurs choisissent leurs méthodes plutôt que leur objet. La prééminence de la sociologie empirique quantitative après la Seconde Guerre mondiale n'a pas favorisé la recherche sur la nation qui n'est pas une réalité observable et mesurable. Seule l'enquête comparative internationale, dont les difficultés matérielles et intellectuelles sont considérables, permettrait d'étudier empiriquement les modes d'intériorisation du sentiment national. Par déformation professionnelle autant que par sensibilité politique, les sociologues se sont plus attachés à étudier les différences et les conflits à l'intérieur de la nation que les liens qui unissent les nationaux malgré ces divisions. Il reste sur-

---

1. On trouvera une bibliographie dans l'ouvrage de A. D. Smith, 1986, déjà cité.

prenant que les sociologues de l'imaginaire ne se soient pas plus penchés sur cette « communauté imaginaire »[1].

Rien, pourtant, ne s'oppose — sinon une conception exclusivement idéologique de la nation — à ce qu'on applique à l'intériorisation du sentiment national les problématiques des sciences humaines. Elles ont en effet souligné non pas l'absence de liberté des hommes, mais les conditions concrètes dans lesquelles elle peut s'exercer. La dialectique de la liberté et du déterminisme qu'elles mettent en évidence peut trouver une synthèse grâce au concept de socialisation, qui désigne le procès par lequel l'individu acquiert les valeurs communes et intériorise les nécessités de la vie de la collectivité, dans laquelle le hasard l'a fait naître. Elle peut s'appliquer à la nationalité : par ce procès, l'individu, né avec une nationalité juridique encore dépourvue de signification, devient lui-même — puisque l'homme, animal social, n'existe pas en dehors de cette socialisation — en devenant membre de l'entité politique où il est né. Le déterminisme est devenu liberté. Il ne s'agit pas d'une simple transmutation intellectuelle : le sentiment national naît de cette intériorisation des valeurs et des modèles, qui définit une identité personnelle indissolublement liée à une identité collective. L'individu trouve sa nation à l'intérieur de soi, même si, comme de toute identité, il n'en prend une conscience claire que par la rencontre, pacifique ou violente, avec l'Autre, à l'occasion des contacts économiques, commerciaux ou touristiques, des manifestations sportives ou des guerres. On comprend dès lors l'affectivité et les passions qui ont longtemps animé le sentiment national.

> L'État, la nation, la patrie, ces êtres collectifs et abstraits sont devenus comme des êtres réels et vivants, objets de respect et d'affection[2].

La recherche est tout aussi courte sur les fonctions sociales que joue la nation, comme réalité institutionnelle et politique, telle

---

1. L'expression est de B. ANDERSON, *Imagined Communities : Reflections on the Origin and Spread of Nationalism*, Londres, Verso ed. and New Left Books, 1983.
2. Fr. GUIZOT, *Mémoires pour servir à l'histoire de mon pays*, Paris, 1858-1867, t. II, p. 14.

qu'elle s'exprime à travers l'État et les institutions collectives, comme système de valeurs collectives et source d'intégration. C'est à cette réflexion que je me propose de contribuer en proposant une *analyse sociologique du fait national,* qui intègre en même temps la pensée et la réalité historique — toujours indissolublement liées l'une à l'autre. C'est à l'intérieur de cette réflexion que je poserai le problème des migrations et des immigrés.

Je m'efforcerai de me situer sur le plan proprement sociologique, à la jonction de l'enquête empirique et de la problématique de la société moderne, autrement dit d'utiliser les acquis de la connaissance empirique pour proposer une analyse de la nation française de l'après-Seconde Guerre mondiale. Je ne me dissimule pas le caractère rapide, qui pourra paraître schématique, de nombre d'analyses, en particulier celles qui sont consacrées aux modes d'intégration. Il faut pourtant, dans la recherche, alterner les périodes de synthèse et les explorations plus précises et profondes. Je n'ai pu citer, parce qu'ils étaient trop nombreux, l'ensemble des travaux dont j'ai consulté les résultats, je me suis toutefois efforcée de mentionner mes dettes les plus criantes[1]. Les développements qui suivent n'en sont pas moins fondés sur ces études et je n'ai pas masqué mes ignorances par mes impressions ou mes sympathies. Il est clair que ces analyses ne concernent pas uniquement la France. Mais, en fonction même de mes interprétations, elles ne peuvent être appliquées telles quelles aux pays voisins. Par ailleurs, pour des raisons évidentes, le détour par l'histoire s'est imposé en de nombreux moments de la recherche.

Il était sans doute difficile de garder l'attitude objective de l'analyste lorsque la nation était l'objet d'un investissement plus profond ou, en tout cas, plus exprimé. Alors qu'elle semble garder toute sa vitalité dans l'Europe communiste et qu'elle a constitué l'idéologie au nom de laquelle les pays colonisés ont obtenu leur indépendance politique, la nation en Europe occidentale n'inspire apparemment plus le même attachement qu'au

---

1. En dehors des références, je n'ai cité qu'une fois les principaux travaux sociologiques sur lesquels mes analyses sont fondées.

temps des nationalismes. Le moment est sans doute favorable pour mener cette double réflexion sur la pensée et sur la réalité concrète de la nation, à l'âge de la construction européenne et de la mondialisation de l'économie.

Première partie

IDÉES, IDÉOLOGIES ET RÉALITÉS

CHAPITRE 1

Deux idées de la nation

Il est désormais universellement admis que les conceptions de la nation se divisent en deux «écoles» ou deux types-idéaux, au double sens du terme. Selon les pays et leurs traditions intellectuelles, selon la formation des chercheurs, les qualificatifs changent, mais le sens reste le même. Le succès du livre d'Alain Finkielkraut réactualisant l'opposition entre la nation «française», fondée sur la volonté des citoyens, et la nation «allemande», issue de la communauté ethnique et culturelle, montre qu'il s'agit d'un schème de pensée profondément ancré dans les esprits [1]. Mais cette opposition traditionnelle qu'avait formulée le xixᵉ siècle a-t-elle encore un sens? Autrement dit, comment pense-t-on aujourd'hui la nation et comment peut-on intégrer cette pensée dans une définition sociologique de la nation contemporaine?

Il ne s'agit pas ici de faire une revue des innombrables écrits consacrés à la nation, moins encore de contribuer à une histoire de la pensée philosophique de la nation, mais de montrer la diffusion et la persistance d'une conception binaire, elle-même liée non seulement à l'histoire des idées, mais à la manière dont s'est constituée la nation et aux comportements démographiques des différents pays européens. Toute la pensée du xixᵉ siècle reste en effet marquée par le combat historique et idéologique entre la Grande Nation, née de la Révolution française, et les «nations», héritées de l'Ancien Régime. C'est par référence à l'expérience révolutionnaire que s'est élaborée la double pensée de la nation

1. A. FINKIELKRAUT, La Défaite de la pensée, Gallimard, 1987.

moderne, l'une fondée sur la légitimité de la volonté des citoyens et l'autre qui, de Herder et Burke aux romantiques allemands, s'affirme passionnément contre la rationalité des Lumières et l'héritage de 1789.

LE «VOLK» ALLEMAND ET LA NATION FRANÇAISE

Depuis la controverse qui, après l'annexion de l'Alsace-Lorraine, a pris les dimensions de la tragédie antique, on oppose la nation «à l'allemande» à la nation «à la française». D'un côté, l'historien Mommsen justifiait l'annexion de l'Alsace-Lorraine au nom de critères ethniques et linguistiques. Par sa langue, par sa civilisation et par ses traditions historiques, l'Alsace était germanique, elle devait prendre la nationalité allemande, quelle que fût la volonté provisoire de ses habitants. De l'autre, Fustel de Coulanges, affirmant que «ce n'est ni la race ni la langue qui fait la nationalité», invoquait le principe de la Révolution

> qui est infiniment plus clair et plus indiscutable que votre prétendu principe de nationalité! Notre principe à nous est qu'une population ne peut être gouvernée que par les institutions qu'elle accepte librement et qu'elle ne doit aussi faire partie d'un État que par sa volonté et son consentement libre.

Douze ans plus tard, Renan prononçait les paroles célèbres :

> Le vœu des nations est, en définitive, le seul critérium légitime, celui auquel il faut toujours revenir.

Mommsen, en 1870, s'inscrivait dans un courant de pensée issu du *Sturm und Drang* et des romantiques allemands de la période révolutionnaire, qui fondait l'idée de nation non dans une histoire politique (contrairement à la France), mais dans une culture. Herder, en 1774, dans une polémique passionnée contre les Lumières et la foi dans le progrès, avait affirmé l'existence première et la valeur de la collectivité, du peuple (*Volk*), l'individu lui-même étant défini dans ses manières d'être, de penser et d'agir

par son appartenance à cette communauté. Prolongeant la mona-
dologie leibnizienne, Herder posait ainsi l'individualité absolue
de chaque nation, qui constitue un univers autosuffisant, fermé
sur lui-même, avec un mode de pensée spécifique, des coutumes,
des idées et une morale impénétrables aux autres.

> Chaque peuple est défini par l'emplacement et donc le rôle que
> lui a assigné le plan divin d'éducation du genre humain [...]. La
> diversité et l'originalité des peuples est donc de droit divin [1].

Cette conception de l'autarcie nationale inspirée par Dieu se
combinait chez Herder avec un humanisme cosmopolite respec-
tueux de tous les génies nationaux ; chaque nation a une égale
dignité.

> Ainsi les nations se modifient selon le lieu, le temps et leur carac-
> tère interne, chacune porte en elle l'harmonie de sa perfection,
> non comparable à d'autres [2].

D'autre part, Herder ne renonçait pas pour autant à l'idée de
l'universel et à la possibilité de communication entre les cultures :

> Toutes les grandes guerres sont essentiellement des guerres civi-
> les, car les hommes sont frères, et les guerres sont un fratricide
> abominable [3].

C'est sans doute Friedrich Schlegel qui, dans ses *Leçons philo-
sophiques de 1804-1806*, donna de cette conception la forme la plus
achevée. Son nationalisme était d'abord ethnique : pour former
une vraie nation (ce qui signifiait pour lui ressembler à une
famille), les individus devaient être liés les uns aux autres par
les liens du sang et descendre d'un même ancêtre. Cette ascendance originelle — source d'un *Urvolk* dont Fichte a aussi retrouvé

---

1. M. Rouché, introduction à Herder, *Idées pour la philosophie de l'humanité*, Aubier,
1964, p. 42.
2. *Ibid.*, p. 275.
3. Cité par A. Renaut, « Les deux logiques de l'idée de nation », in *État et Nation*,
Cahiers de philosophie politique et juridique, n° 14, université de Caen, 1988, p. 17.

l'existence — pouvait seule garantir la persistance des traditions communes et la loyauté à leur égard : plus étroite était la communauté du sang, plus forts l'attachement et la fidélité à la terre natale et aux traditions ancestrales, dont la culture et en particulier la langue commune constituaient le meilleur témoignage. Schlegel ne se posait pas le problème de l'incarnation de cette nation ethnique dans un territoire et dans une forme politique donnés[1].

Alain Renaut a montré que le modèle organiciste allemand comportait deux traditions. Kant et Fichte posent l'analogie de la société ou de la nation avec la nature organisée végétale, non avec l'organisme animal. Dans la plante, il y a une autonomie relative des parties par rapport au tout, et, sous certaines conditions, la greffe est possible : la partie (ou l'individu) ne se fond pas totalement dans la totalité. Dans l'organicisme qui se réfère à l'animal, au contraire, la greffe est impossible, le membre (ou l'individu) n'a pas d'existence en dehors du collectif[2]. Mais cette distinction, fondée dans l'ordre de la pensée philosophique, n'a pas empêché l'organicisme de dominer la pensée allemande — en partie pour des raisons historiques —, avec des formes variées selon les auteurs, en particulier ceux de l'école géographique de Ratzel, qui ont insisté sur le sol, en utilisant la célèbre formule *Blut und Boden*. Pour tous, la nation organique ou ethnique s'impose à la volonté des individus. Contre la conception politique, rationaliste et volontariste des Français, héritée des Lumières et de l'élan révolutionnaire, l'Allemagne romantique a élaboré une conception organiciste, fondée sur la communauté d'un peuple originel *(Urvolk)*, issu d'une même descendance, partageant la même culture et le même passé. Le *Volk* allemand s'oppose à la nation française.

L'anti-individualisme et la préférence donnée à la communauté ou *Volk* se sont prolongés en Allemagne jusqu'au xxᵉ siècle[3].

---

1. H. Kohn, *Prelude to Nation-State, the French and German Experience, 1789-1815*, New York, D. Van Nostrand, 1967, pp. 181 *sqq.*
2. A. Renaut, *Le Système du droit, philosophie et droit dans la pensée de Fichte*, P.U.F., 1986, p. 428.
3. Les précisions qui suivent sont empruntées à J. Stark, « Ethnien, Völker, Minderheiten », *Jahrbuch für Ostdeutsche Volkskunde*, Band 31, 1988, pp. 1-55.

Pour Max Hildebert Boehm, en 1932, le peuple signifiait bien cette communauté spirituelle qui conditionnait le « centre de la personnalité » de chaque individu :

> La communauté populaire se réalise dans la coutume et dans le droit et imprime à chaque contemporain une certaine manière d'être, tenant à ce que dans la langue populaire on appelle le « sang » et le « naturel » [1].

En dépit de la forme pathologique que le nazisme a pu donner à ces thèmes, Othmar Spann, en 1967, définit le peuple comme une communauté culturelle ou spirituelle et souligne la différence entre les nations politiques *(Staatsnationen)* et les nations culturelles *(Kulturnationen)*. Ces dernières constituent les seules nations authentiques. Theodor Veiter, récemment encore (1970), retrouve sous une forme atténuée la même conception romantique du peuple, défini comme une communauté ontologique et organiciste.

> Le peuple au sens ethnique est [...] une communauté d'origine (ouvrage des générations), élément naturel auquel s'ajoute l'élément d'une communauté spirituelle [2].

La pensée dominante en Allemagne s'est trouvée en affinité avec la pensée contre-révolutionnaire dont E. Burke a donné l'une des formes les plus fortes et les plus passionnées. Les *Réflexions sur la Révolution française,* publiées dès 1790, ont connu un immense succès en Allemagne. Fondée sur l'idée de la supériorité de la nature, c'est-à-dire de l'histoire, sur la volonté et l'abstraction, la célèbre philippique condamne le projet révolutionnaire :

> Je ne puis concevoir comment des hommes peuvent en arriver à ce degré de présomption qui leur fait considérer leur pays comme une simple *carte blanche* où ils peuvent griffonner à plaisir [3].

1. ID., *ibid.,* p. 19.
2. ID., *ibid.,* pp. 19-20.
3. E. BURKE, *Réflexions sur la révolution de France,* Paris, Hachette, 1989 (préface de Ph. Raynaud), p. 200.

C'est pourquoi la nation et le sentiment national ne peuvent être que l'aboutissement d'une longue histoire, où des liens fragiles et délicats se sont progressivement tissés pour construire une véritable communauté, profonde et affective.

> C'est au sein de nos familles que commencent nos affections publiques et l'on peut dire qu'un homme insensible aux liens de parenté ne fera jamais un citoyen dévoué à son pays. De nos familles nous passons au voisinage, aux gens que nous fréquentons et aux séjours que nous aimons dans notre province. Ce sont, pour nos sentiments, autant de lieux d'accueil et de repos. Ces divisions anciennes de notre pays, qui sont le fruit des siècles et non le produit d'un acte soudain d'autorité, sont autant de petites images de notre grande patrie qui nous réchauffent le cœur, sans que jamais ces inclinations subordonnées nuisent à l'amour que nous portons au pays en son entier. Peut-être cette tendresse particulière nous prépare-t-elle au contraire à ces sentiments plus élevés et plus vastes qui peuvent seuls conduire les hommes à prendre à cœur, comme s'il s'agissait de leurs intérêts personnels les plus chers, ceux d'un royaume aussi étendu que l'est la France[1].

Burke ne nie pas l'existence de principes rationnels et universels ; il affirme qu'ils se présentent toujours sous une forme particulière, qu'ils sont le produit d'une histoire spécifique. Le respect de la tradition n'implique pas la justification de tout le passé en tant que tel. L'ordre traditionnel doit être maintenu, non parce qu'il a existé, mais parce que le passé se prolonge dans le présent sous forme de croyances, de préjugés et de dispositions morales, parce que l'ancienneté des traditions démontre leur sagesse. Mais la tradition doit être vivante et dynamique : c'est dans la mesure où elle s'adapte à l'évolution des mœurs et se réforme continuellement pour répondre aux transformations politiques et économiques qu'elle doit être maintenue. Burke insiste sur la nécessité des réformes. La sagesse des gouvernants consiste à s'appuyer sur la tradition, à ne pas la brutaliser ou chercher à l'éradiquer, mais à l'adapter aux exigences du présent[2].

---

1. ID., *ibid.*, pp. 252-253.
2. J.-Fr. SUTER, « Tradition et évolution chez Edmund Burke », *Revue suisse d'histoire*, VIII, 4, 1958, pp. 450-469.

Burke souligne la fragilité des liens formés par un projet abstrait. Lorsque la religion ne relie plus les individus, lorsqu'on s'interdit de recourir aux leçons de l'expérience héritée de pratiques séculaires, il ne reste

> plus rien de stable dans les divers modes de détention de la propriété ou d'exercice d'une fonction, servant de point d'appui aux parents qui se soucient de l'éducation à donner à leurs enfants ou du choix de leur futur établissement dans le monde[1].

En cette absence de principes directifs, on verrait

> la république elle-même se décomposer, se réduire peu à peu à la poussière et à la poudre de l'individualité, et enfin se disperser à tous les vents de l'univers[2].

Joseph de Maistre, en 1797, dans des termes voisins, insiste aussi sur le rôle de la religion pour maintenir le lien social et constate que, la philosophie des Lumières ayant « rongé le ciment qui unissait les hommes, il n'y a plus d'agrégations morales »[3] :

> Tout ce qui reste de la délibération commune est la chose du monde la plus fragile : on ne saurait réunir plus de symptômes de faiblesse et de caducité[4].

Les deux penseurs se rejoignent pour dénoncer la faiblesse et l'instabilité intrinsèques des nations politiques.

L'opposition entre une nation organique et une nation-contrat, formulée par la philosophie classique de Locke à Rousseau, a en effet été clairement élaborée dès le xviie siècle, mais c'est la Révolution qui lui a donné un sens historique à la fois concret et épique. La célèbre définition de Sieyès (« Un corps d'associés vivant sous une loi commune et représenté par la même législature »), par sa simplicité et l'écho qu'elle a rencontré, a définiti-

---

1. E. Burke, *op. cit.*, p. 121.
2. Id., *ibid.*, pp. 121-122.
3. J. de Maistre, *Considérations sur la France*, rééd. Garnier, 1980, p. 61.
4. *Ibid.*, p. 70.

vement évacué l'acception médiévale de la nation, selon laquelle la Sorbonne comptait quatre « nations », « l'honorable nation de la France, la fidèle nation de Picardie, la vénérable nation de Normandie et la constante nation de Germanie », pour lui donner une fois pour toutes son sens moderne, c'est-à-dire politique. La Révolution a montré au monde la volonté du peuple en action et l'expérience philosophique et collective de la naissance de la Nation comme source de la légitimité politique. Les événements de 1789 donnèrent à la nation sa charge révolutionnaire. Dès le mois de septembre apparaît la devise « La Nation, la Loi, le Roi ». L'article 3 de la Déclaration des droits de l'homme fonde la souveraineté de la nation :

> Le principe de toute souveraineté réside essentiellement dans la nation. Nul corps, nul individu ne peut exercer d'autorité qui n'en émane expressément.

C'est la nation — expression de la volonté générale selon Rousseau — qui désormais décide, commande, rédige la Loi, c'est elle qui, après avoir abattu le roi, substitue son pouvoir au sien, en éliminant la légitimité des corps intermédiaires. Elle fait désormais l'objet d'un véritable culte, inspiré des pratiques catholiques, à la fois patriotique et révolutionnaire. « Le culte de la nation apporte dans la politique une innovation fondamentale [1]. »

Par la suite, la conception révolutionnaire s'est trouvée réactivée par la nécessité de faire appel à la main-d'œuvre étrangère et par l'amputation de 1870. Le désastre militaire, l'annexion de l'Alsace-Lorraine ont suscité une nouvelle réflexion sur l'idée de nation, qui s'est trouvée ainsi organisée en un véritable corps de doctrine. Dès le début des hostilités, sous la forme d'une « Lettre adressée au peuple italien », Mommsen avait affirmé la germanité de l'Alsace à partir d'arguments linguistiques et ethniques. Au lendemain de la guerre, Fustel de Coulanges évoque le principe fondamental, issu de la Révolution, du droit des peuples à disposer d'eux-mêmes. La réflexion italienne tire aussi ses arguments de l'exemple alsacien. Le rôle qu'a joué l'annexion de l'Alsace-Lorraine dans l'histoire de la formulation de l'idée de

---

17. B. DE JOUVENEL, *Les Débuts de l'État moderne, une histoire des idées politiques au XIXᵉ siècle*, Fayard, 1976, p. 92.

ⁿation en Allemagne, en France et en Italie montre combien ces conceptions sont indissolublement analytiques et polémiques. On ne saurait examiner les idées de la nation comme si elles étaient nées dans l'empyrée de la pensée abstraite, indépendamment des conditions historiques dans lesquelles elles ont été élaborées. Les conceptions de la nation ont été aussi des instruments de la conscience nationale au temps des nationalismes, des rivalités et des conflits européens. C'est au cri de « Vive la nation » que Kellerman charge à Valmy. Ce sont les principes de la Grande Nation que Bonaparte prétend imposer à toute l'Europe. Malgré la force intellectuelle des écrits contre-révolutionnaires, de Bonald à de Maistre, la pensée la plus diffusée restera marquée par la dimension politique et le souvenir de la Révolution, mythe fondateur de la nation française et de l'imaginaire politique de tout le XIXᵉ siècle.

Mais, en s'opposant de manière absolue à la tradition monarchique, la Révolution dressait, face à face, deux légitimités nationales : celle que les huit siècles de monarchie et les liens privilégiés avec l'Église catholique avaient léguée, celle que fondait désormais la Révolution. Dans les années 1930, les penseurs allemands étaient encore frappés par l'existence de cette double France :

> Il existe entre la France et le catholicisme un lien vital d'un caractère exceptionnel — certains vont jusqu'à dire, d'un caractère surnaturel [...]. C'est de la France que sont parties les attaques les plus violentes contre la religion [...]. La France, asile de la foi catholique, la France combattante avancée de la libre-pensée : ces deux thèses irréductiblement opposées sur les rapports de la civilisation française et de la religion sont bien difficiles à concilier et demeurent un objet de perpétuelles discussions[1].

À la conception politique héritée de 1789 s'est toujours mêlée l'idée, issue du Moyen Âge, de la France paysanne et enracinée, fille aînée de l'Église. Chacune faisait appel à la Nation par excellence. Cette opposition interne et fondamentale, ce conflit irréductible ont été des facteurs d'intégration nationale, jusqu'à ce

1. E. R. CURTIUS, *Essai sur la France*, Grasset, 1931, pp. 208-209.

qu'un panthéon commun réunisse dans les livres d'histoire de la IIIᵉ République Vercingétorix, Jeanne d'Arc et les soldats de l'an II[1].

La position de Renan, toujours présenté comme le penseur de la conception volontariste, opposée à la conception allemande, ne se résume pas par la seule expression d'une volonté pure, d'une adhésion volontaire qui ne retiendrait rien des traditions ou de la culture nationales, qui serait une ouverture absolue, risquant de conduire à une perte d'identité[2]. Il faut reprendre le célèbre texte de Renan, toujours incomplètement cité. Le consentement fondateur de la nation, « le désir clairement exprimé de continuer la vie ensemble », ce fameux « plébiscite de tous les jours » sur lequel le *Rapport*, après tant d'autres, avait mis l'accent, n'en est pas moins fondé, dans la pensée de Renan, sur la transmission d'un « long passé d'efforts, de sacrifices et de dévouements », car, comme le reconnaissent sur des modes différents les tenants de l'une et l'autre conception, « les ancêtres nous font ce que nous sommes ». Ce qui fonde l'adhésion du présent et la volonté tendue vers un avenir commun, ce n'est pas la seule volonté, mais le fait de connaître et d'adopter l'héritage du passé, « l'héritage de gloire et de regrets à partager ». Renan n'avait pas fait la théorie de la volonté pure, mais de la volonté forgée dans et par des conditions sociales particulières. Reste que c'est la volonté commune, enracinée dans cet héritage commun, qui, en définitive, justifie l'existence de la nation.

L'opposition entre les deux conceptions a été accentuée et stylisée par les conflits politiques intra-européens. La France n'a pas ignoré la pensée contre-révolutionnaire — encore une fois ni Chateaubriand, ni Bonald, ni Joseph de Maistre ne sont des penseurs négligeables — et les penseurs allemands n'ont pas tous la même conception de la communauté organique. Une histoire de l'idée philosophique de nation introduirait bien des nuances et montrerait que chaque tradition est, d'une certaine façon, « double ».

---

1. P. NORA, « Nation », *in* F. FURET et M. OZOUF (éd.), *Dictionnaire critique de la Révolution française*, Flammarion, 1988, p. 809.
2. E. RENAN, « Qu'est-ce qu'une nation ? », in *Œuvres complètes*, Calmann-Lévy, 1947, t. I, pp. 887-906 (conférence prononcée le 11 mars 1882).

Mais il s'agit ici de souligner les pensées dominantes telles qu'elles se sont diffusées dans les deux pays et ont contribué à orienter les modes de pensée, les idéologies nationales et les pratiques sociales, en particulier les dispositions juridiques.

Allemands et Italiens, Européens de l'Ouest et de l'Est, Britanniques et Américains

L'opposition entre la nation « à la française » et la nation « à l'allemande » recouvre d'ailleurs celle que font les penseurs italiens, qui opposent leur propre conception, élaborée depuis le début du XIXe siècle, à celle des Allemands, en revendiquant l'antériorité sur Renan[1] :

> Il y a deux manières de considérer la nation : la manière naturaliste, qui débouche fatalement sur le racisme, et la manière volontariste[2].

Dès 1835, Mazzini avait formulé les termes d'une conception spirituelle et volontariste de la nation :

> Une nationalité comprend une pensée commune, un droit commun, une fin commune : tels en sont les éléments essentiels [...]. Là où les hommes ne reconnaissent pas un principe commun, en l'acceptant dans toutes ses conséquences, là où il n'y a pas identité d'intention pour tous, il n'existe pas de Nation, mais une foule et un rassemblement fortuits que la moindre crise suffira à dissoudre[3].

Mancini est encore plus net :

> Les conditions naturelles et historiques, la communauté de territoire, d'origine et de langue ne suffisent pas à définir la nationalité au sens où nous l'entendons [...]. Multipliez autant que vous le voulez les points de contact matériel et extérieur au sein d'un

---

1. F. Chabod, *L'Idea di nazione*, Bari, Laterza, 1961, p. 55.
2. Id., *ibid.*, p. 58.
3. Cité par F. Chabod, *op. cit.*, p. 61 (trad. J.-L. Pouthier).

rassemblement d'hommes : ceux-ci ne formeront jamais une Nation sans l'unité morale d'une pensée commune, d'une idée prédominante qui fait d'une société ce qu'elle est parce qu'elle se réalise en elle[1].

Pour ces auteurs, la nation fondée sur la volonté des individus est une idée italienne, qui s'oppose à l'idée organiciste et déterministe de la pensée allemande.

Analysant les travaux de Hans Kohn, qui avait noté que

la liberté pour les Allemands était fondée sur l'histoire et le particularisme, et non, comme en France, sur la raison et l'égalité[2],

Eric Weil a résumé les termes selon lesquels la tradition politique, universelle et libérale de l'Europe occidentale s'opposerait à celle de l'Europe de l'Est, particulariste, sentimentale et idéologique :

Nationalisme occidental de caractère politique, préoccupé de la libération de l'individu, cosmopolite dans ses intentions, affirmant la pluralité des valeurs sous celle, suprême, de la liberté de pensée et d'expression, ayant ses racines dans une société évoluée, vivant sous une loi librement acceptée (du moins en principe) — nationalisme de l'Est, expression d'un sentiment d'infériorité de groupes linguistiques ne possédant pas d'organisation politique à eux, se constituant dans le mythe d'une valeur *naturelle*, dans une préhistoire idéalisante, dans une «conscience de soi» qui ne comporte que des droits (toujours méconnus par les autres), dans une idéologie qui n'est pas destinée à justifier une réalité, mais à transformer celle devant laquelle ils se trouvent : ces caractères n'ont pas encore perdu toute efficacité, et l'on a vu, par exemple, dans le cas de l'Allemagne, ce qui en résulte si la vieille idée de l'Empire s'empare de ces idées-sentiments, essentiellement et nécessairement antirationalistes et antiuniversalistes[3].

Anthony Smith évoque, de son côté, la nation «ethnico-généalogique», ou orientale, qui prolonge directement l'ethnie pré-

1. *Ibid.*, p. 63 (trad. J.-L. Pouthier).
2. H. Kohn, *op. cit.*, p. 187.
3. E. Weil, *Essais et Conférences*, t. II, Plon, 1971, p. 156.

existante. Les liens ethniques sont réélaborés en liens nationaux par un triple effort de « mobilisation, territorialisation et politisation ». Les coutumes, la généalogie, le folklore et les dialectes sont invoqués pour construire la nation. En revanche, dans la nation « civico-territoriale », ou occidentale, la citoyenneté fixe les droits et les devoirs des individus dans une société fixée sur un territoire défini par des frontières claires. Les nations territoriales s'efforcent aussi de devenir des communautés culturelles, en entretenant l'homogénéité de la population[1]. Lorsqu'on parle de « trois Europes », c'est pour analyser la « troisième » (Bohême, Hongrie, Pologne), écartelée entre un type occidental et un modèle « est-européen »[2].

Les politologues américains, ignorant, semble-t-il, les débats des pays du continent européen, retrouvent la même opposition à l'intérieur de la pensée anglo-américaine[3]. Selon eux aussi, il existe deux définitions de la citoyenneté. L'une est fondée sur le déterminisme, l'appartenance juridique est déterminée par les circonstances objectives *(ascription)*; l'autre sur les volontés individuelles *(consent)*. Dans la première ligne de pensée, élaborée aux xviiᵉ et xviiiᵉ siècles pour accompagner et légitimer le travail de centralisation politique menée à bien par la monarchie anglaise, Coke et Filmer ont fondé l'identité politique des individus par les liens d'allégeance perpétuelle que crée la naissance, les sujets devant service et obéissance au roi, qui, en contrepartie, doit les protéger. Dans cette conception médiévale, selon laquelle la société conçue comme un organisme vivant impose aux sujets des devoirs justifiés par la nature et la religion, l'individu se voit imposer une condition et une obéissance aussi évidentes et aussi naturelles que celles du fils à l'égard de son père. C'est Locke qui, selon eux, dans la tradition anglo-saxonne, a remis en question cette conception d'une hiérarchie naturelle et organique et a été à la source de la deuxième ligne de pensée, celle qui voit dans la nation le fruit de la volonté d'individus rationnels et responsables. Pourtant, l'Angleterre restera long-

1. A. D. Smith, *op. cit.*, 1986, pp. 134-138.
2. J. Szûcs, *Les Trois Europes*, L'Harmattan, 1985.
3. P. H. Schuck and R. M. Smith, *Citizenship Without Consent*, New Haven et Londres, Yale University Press, 1985.

temps fidèle à la conception de l'allégeance perpétuelle. C'est aux États-Unis que la société contractuelle aurait pris sa forme historique privilégiée dans le mouvement d'indépendance des sujets britanniques et l'établissement d'une république de citoyens.

Selon Locke, l'accident du lieu de naissance ne peut en effet créer par soi des obligations à un individu qui, une fois adulte et responsable, pourra choisir d'adhérer à tel ou tel corps politique. L'autorité ne peut avoir d'autre source que la libre volonté des individus (*consent*). C'est la raison profonde pour laquelle, dans un texte récemment redécouvert et publié, il se prononce logiquement en faveur d'une législation libérale de la naturalisation, démontrant le lien nécessaire entre les conceptions de la nation et les droits de la nationalité[1]. Pour lui, la naturalisation n'est pas seulement l'expression du droit de l'individu. Elle n'est pas non plus le moyen d'augmenter la puissance nationale en recrutant des soldats ; c'est d'abord l'occasion de trouver des bras pour accroître la force de travail et favoriser le développement économique et commercial. Locke était ainsi engagé dans la nouvelle économie politique, qui fondait la richesse non plus sur les terres, mais sur l'activité des hommes : « C'est le nombre du peuple qui fait la richesse d'un pays. » Godwin poussera plus loin encore la logique de la théorie volontariste de la nation, en refusant la distinction faite par Locke entre le consentement implicite et explicite et en justifiant la possibilité constante de la remise en question par l'individu de ses liens d'allégeance.

Alors que les penseurs marxistes en général n'ont vu dans l'idéologie nationale qu'un instrument de l'occultation des réalités sociales et des conflits de classe, ceux d'entre eux, originaires de l'Empire austro-hongrois, qui se sont interrogés sur les nationalités s'opposent selon les mêmes lignes. Le conflit à l'intérieur de l'austro-marxisme entre Karl Kautsky et Otto Bauer, dans les années 1907-1908, peut s'interpréter ainsi. Comme l'a écrit sommairement Lénine, la conception du premier était « psychologico-culturelle ». Dans la critique qu'il a écrite du livre d'Otto Bauer,

---

1. D. REZNICK, « John Locke and the Problem of Naturalization », *The Review of Politics*, été 1987, pp. 368-388.

Karl Kautsky a en effet affirmé que la langue est « le trait distinctif de la nation », que « la communauté nationale est une communauté linguistique », en sorte que, selon lui, Otto Bauer, « aussi bien en ce qui concerne la nation que l'État, n'a pas suffisamment pris la langue en considération ». Dans la conception d'Otto Bauer, en revanche, la nation était d'abord « historico-économique ». Définie comme « l'ensemble des hommes liés par une communauté de destin en une communauté de caractère », elle était conçue comme le produit historique du développement économique, de la modification de la structure sociale et de la division de la société en classes [1]. Contrairement à la conception de Karl Kautsky, d'abord culturelle (la langue), la nation, selon Otto Bauer, se trouve inscrite dans la tradition de pensée qui insiste sur la volonté politique, même si, pour lui, le matérialisme dialectique réduit le rôle et le sens de la volonté des hommes.

Dans sa comparaison des idéologies du monde occidental et du monde non occidental et en particulier indien, Louis Dumont analyse la nation comme « le groupe socio-économique moderne correspondant à l'idéologie de l'individu ». Mais, à l'intérieur de l'idéologie de la nation, il retrouve à son tour « les deux idéologies nationales prédominantes ». Selon lui, l'idéologie française insiste sur l'individu seul face à l'État et l'idéologie allemande sur la nation comme individu collectif face à d'autres nations. En sorte que,

> finalement, au-delà de leur opposition immédiate, l'universalisme des uns, le pangermanisme des autres ont une fonction ou une place analogues. Tous deux expriment une aporie de la nation qui est à la fois collection d'individus et individu collectif, tous deux traduisent dans les faits la difficulté qu'a l'idéologie moderne à donner une image suffisante de la vie sociale (intra- et intersociale) [2].

1. G. Haupt, M. Lowy, Cl. Weill, *Les Marxistes et la question nationale (1848-1914)*, Maspero, 1974.
2. L. Dumont, *Essais sur l'individualisme*, Le Seuil, 1983, pp. 130-131.

Deux types-idéaux et deux idéologies

Quelle que soit la tradition — nationale —, quels que soient
le système conceptuel ou les références historiques, tous les
auteurs finissent par opposer, même si c'est dans un vocabulaire
différent, selon le mode binaire, la conception française ou italienne à la conception allemande, celle de l'Europe occidentale
à celle de l'Europe orientale, l'idée américaine à l'idée anglaise,
les données subjectives aux critères objectifs, le volontarisme au
naturalisme, le rationalisme aux forces de l'inconscient, le peuple des citoyens au peuple des ancêtres, la volonté politique à
la nature organique, la nation élective à la nation ethnique, la
nation-contrat à la nation-génie, le civisme de la nation occidentale à l'appel populiste de la nation orientale, la nation comme
cadre de l'émancipation de l'individu à la nation comme individu collectif, les Lumières au romantisme, la liberté au déterminisme.

Cette opposition s'enracine dans toute la réflexion du XIXᵉ siècle sur la société issue de la double révolution industrielle et politique et même, plus généralement, sur l'essence de la politique
moderne, qui ne fonde plus la légitimité de son pouvoir sur la
tradition, mais sur la volonté de l'homme. Comme l'a montré
Robert A. Nisbet, la pensée de la société entre 1830 et 1900 a
été marquée, dans l'élaboration et l'utilisation de ses concepts
fondamentaux, dans ses thématiques essentielles, par l'opposition entre les tenants du traditionalisme et ceux du modernisme,
et nous continuons à penser à l'intérieur de cette problématique[1]. Pour les premiers, la communauté établit entre les individus des liens directs, profonds et affectifs; l'autorité morale,
la hiérarchie fondée sur la nature biologique et historique règlent
les relations sociales; le sacré comme valeur ultime contribue à
orienter les conduites. Pour les autres, l'individu constitue la référence et la valeur suprêmes, d'où l'accent porté sur l'égalité civile,
juridique et politique, la libération des mœurs contre les « pré-

---

1. R. Nisbet, *La Tradition sociologique*, P.U.F., coll. « Sociologies », 1984, *passim*, et
en particulier « Avant-propos » et chap. I (1ʳᵉ éd. en langue anglaise, 1966).

jugés», la rationalité des organisations et du pouvoir politique. Les couples de la *Gesellschaft* et de la *Gemeinschaft* et de la «communalisation» et de la «sociation» chez Max Weber sont les formules les plus célèbres par lesquelles on résume ce mode de pensée binaire. Sensibles, comme Edmund Burke et Joseph de Maistre, au risque d'atomisation d'une société individualiste et utilitariste, les sociologues «classiques» se sont donné pour objet de formuler les conditions des nouvelles formes de communauté morale et sociale, nécessaires pour que se maintiennent l'unité et l'intégration des sociétés modernes menacées par l'individualisme et l'utilitarisme des relations sociales. Comte, Durkheim ou Pareto étaient également tentés

> de croire que la société ne pouvait garder structure et cohérence qu'à la condition qu'une foi commune pût réunir les membres de la collectivité[1].

On sait que Durkheim attribuait aux corporations le rôle de ranimer la solidarité organique, en d'autres termes de recréer une véritable communauté. C'est à l'intérieur de cette «tradition sociologique» — qui reprenait d'ailleurs, sous une autre forme, la vieille opposition des Anciens et des Modernes — que s'est aussi inscrite la pensée binaire de la nation, marquée par la conscience de la rupture fondamentale qu'introduisait dans l'histoire la modernité, symbolisée par la Révolution.

Plus profondément, le pensée de la nation se fonde aussi dans un choix de nature philosophique : la nation «à l'allemande» rejoint une conception selon laquelle l'homme est fortement conditionné, sinon déterminé, par son appartenance à un groupe, qu'il soit défini en termes de race ou de culture; la nation «à la française» insiste sur la liberté que garde l'individu dans la maîtrise de son destin, malgré son insertion dans une société particulière.

Cette double tradition intellectuelle explique la force que garde cette opposition dans les esprits. Mais on peut s'interroger sur sa signification. Trop souvent, la pensée sur la nation

1. R. Aron, *Les Étapes de la pensée sociologique*, Gallimard, 1972, p. 310.

mêle le niveau des idées et celui des réalités concrètes, confond l'analyse historique et l'idéologie. Dans la réalité, comme on l'a déjà remarqué, il est impossible de pousser ces deux idées à leur terme logique[1]. L'idée de nation-génie, ou nation «à l'allemande», ferme la communauté nationale à l'avenir. La nation tout entière contenue dans son passé nie la possibilité de renouvellement et refuse la liberté des individus, inscrits par leur naissance dans une communauté qu'ils n'ont pas choisie. Un modèle fermé de ce type risque de devenir totalitaire, comme l'histoire allemande du XXe siècle en a donné l'exemple le plus récent et le plus tragique. La nation-contrat comporte des dangers inverses et symétriques. Elle ferme la nation au passé, rompt les liens entre les individus créés par une identité, une culture, des traditions communes et ne peut manquer d'affaiblir à l'extrême le lien social jusqu'à risquer de le dissoudre. D'ailleurs, Rousseau plaidait pour que la «république», fondée sur la volonté des citoyens, restât petite :

> Je ne vois pas qu'il soit désormais possible au souverain de conserver parmi nous l'exercice de ses droits si la cité n'est pas très petite[2].

La démocratie grecque refusait la citoyenneté aux étrangers, qui risquaient de mettre en péril l'homogénéité considérée comme nécessaire à la vie des républiques. Locke, tout en fondant l'ordre politique sur la libre volonté des individus, citoyens responsables, ne cachait pas que, dans les faits, cette volonté s'exprimait à l'intérieur de communautés politiques où s'étaient élaborés les liens linguistiques, ethniques, religieux et familiaux. Il ne pouvait s'agir d'une volonté pure, mais d'une liberté-en-situation, conditionnée par l'histoire de chaque individu, membre, dès sa naissance, d'une communauté particulière.

Les deux idées de la nation ne sont, au sens vrai, que des idées. Toute nation historique combine des traits empruntés à l'une et à l'autre tradition. Toute nation a incorporé et réinterprété

1. A. Renault, art. cité, 1988, p. 21.
2. J.-J. Rousseau, *Le Contrat social*, livre III, chap. VIII.

des éléments ethniques préexistants; elle suscite à son tour et cristallise des liens de type communautaire entre ses membres[1]. La réflexion sociologique doit s'attacher à les comparer aux formes historiques et à analyser les formes et le sens des compromis inévitables. Pour éviter de mêler le plan des réalités et celui des idéologies, je vais confronter les deux conceptions de la nation à leur application concrète à travers les droits de la nationalité. J'adopterai ainsi une démarche inspirée par les règles qu'a formulées Durkheim pour mener l'« observation des faits sociaux », qui consiste à analyser les normes de la vie sociale à partir de leur cristallisation en règles de droit positif.

> Ce qui nous est donné [...], ce n'est pas telle ou telle conception de l'idéal moral; c'est l'ensemble des règles qui déterminent effectivement la conduite.

À ce titre, le droit de la nationalité constitue bien « un système d'idées objectivées »[2], à travers lequel on peut analyser l'« idéal moral » d'une nation. C'est le droit qui a matérialisé la conception « française » de la nation.

LES DROITS DE LA NATIONALITÉ

Le droit de la nationalité, qui définit le lien juridique entre l'individu et l'État, instrument de la régulation nationale, est en effet la traduction, dans l'ordre des réalités concrètes, de la conception de la nation. La meilleure preuve en est qu'il est directement né de l'invention de la nation par la Révolution : l'allégeance à la personne du roi était désormais remplacée par un lien juridique entre une personne définie par un ensemble de droits et de devoirs et l'entité abstraite que constituait la nation. Dès 1791, la première constitution révolutionnaire fixait dans les articles 2, 3 et 4 du titre II les conditions de la nationalité française, qui furent ensuite reprises et consacrées par le Code civil de 1804.

---

1. A. D. SMITH, *op. cit.*, 1986, p. 17.
2. E. DURKHEIM, *Les Règles de la méthode sociologique*, Alcan, 1901, pp. 35 et 176.

L'examen, même superficiel, des droits de la nationalité dans les sociétés libérales montre qu'aucun d'entre eux n'est parfaitement conforme à l'une ou l'autre conception, également impossibles à concrétiser dans leurs ultimes conséquences. Aucune nation n'est le fruit de la pure volonté ni l'expression simple d'une unité organique. La revendication nationale se fonde et s'affermit dans la conscience d'une communauté de culture, le sentiment d'une unité collective conduit, dans certaines circonstances historiques, à revendiquer une expression politique. Tout droit de la nationalité constitue un compromis entre les deux principes et il n'apparaît pas qu'il puisse en être autrement. La relativité des législations de la nationalité, en fonction des histoires politiques, économiques et démographiques, n'empêche pas les États d'utiliser, selon les moments et les besoins, des dispositions issues les unes d'une conception plutôt déterministe, les autres d'une conception plutôt volontariste, l'accent étant inégalement porté sur l'une ou sur l'autre, selon les sources de la légitimité politique et les nécessités de la vie économique.

L'application du droit

Dans l'abstrait, appliquer les principes déterministes est simple : la prévalence du droit du sang, à laquelle s'ajoute une législation très restrictive de la naturalisation, permet de traduire la conception organiciste dans le droit positif. Le principe de l'allégeance perpétuelle dans les droits maghrébins en constitue un autre moyen. Mais appliquer ces principes se révèle difficile : à l'âge de la mobilité des populations et des échanges économiques, des mariages entre conjoints de nationalité différente, un droit de la nationalité très « fermé » ne peut manquer de créer d'innombrables problèmes juridiques et sociaux.

Les problèmes posés par l'application du principe de la nation-contrat sont autres. Il apparaît plus conforme aux valeurs et au modèle de la démocratie. Mais la traduction du respect de la volonté en règles de droit risque d'affaiblir le sentiment de l'appartenance nationale. On peut d'ailleurs se demander si le droit français, particulièrement « ouvert », garantit aujourd'hui l'adhésion des nouveaux citoyens à la nation. Plus du tiers des postulants à la naturalisation mettent en avant des raisons économiques; seuls les réfugiés politiques (10 % des postulants) évoquent des raisons politiques, le désir de fuir les persécutions et de s'installer dans un pays de liberté[1]. D'autre part, l'application générale du principe de la volonté pose aussi des problèmes concrets. Comment définir et surtout vérifier l'expression de la volonté des individus? La possibilité de remettre continuellement en question l'appartenance nationale conduirait rapidement à l'anarchie. Imagine-t-on que chaque individu puisse à tout moment renoncer à sa nationalité pour en adopter une autre? On ne peut qu'étendre à la nationalité l'un des principes de l'application du droit, celui de présomption, selon lequel les contrats sont tacitement reconduits.

Enfin, ce principe ne garantit pas, par lui seul, que les valeurs sur lesquelles il est fondé soient respectées. Dans l'histoire américaine, l'argument de la volonté a été utilisé pour éliminer de la citoyenneté les Noirs, les Indiens, puis les Chinois et les Japonais[2]. L'un des arguments qu'utilisa, en 1857, le président de la Cour suprême Roger B. Taney pour refuser la citoyenneté aux Noirs nés sur le sol américain fut qu'ils n'avaient pas été partie constituante du contrat social, fondateur des États-Unis. Le pacte originel avait été fondé par les Blancs, qui seuls avaient ratifié la Constitution — d'où le rôle du serment dans la vie américaine —, et en particulier au moment de la naturalisation. Les opposants au projet de loi de la nationalité qui avait été élaboré en 1987 par le gouvernement dirigé par Jacques Chirac concevaient les mêmes soupçons : demander aux jeunes d'origine étrangère de manifester leur volonté de devenir français risquait, selon eux, d'offrir à l'administration un prétexte pour éliminer de la nationalité française un certain nombre d'individus jugés indésirables.

1. J. COSTA-LASCOUX, J. CHARLEMAGNE et B. GENINET, *La Procédure et les Critères de naturalisation*, convention de recherche, ministère des Affaires sociales, université de Paris-II, janvier 1984 (dactyl.).

2. P. SCHUCK et R. SMITH, *op. cit.*, pp. 63 *sqq.*

Les limites du principe de la volonté

Quel que soit le principe dominant, droit du sol ou droit de la filiation, dans tous les pays, l'immense majorité des citoyens ont acquis leur nationalité sans avoir manifesté de volonté. Le fait est évident dans les pays musulmans, qui appliquent le principe d'allégeance perpétuelle qu'établit la filiation : les ressortissants d'Algérie ou du Maroc gardent leur nationalité d'origine, même lorsqu'ils en acquièrent une autre, par leur volonté ou malgré elle. Mais, aux États-Unis aussi, le pays qui, selon Peter Schuck et Rogers Smith, affirme le principe de la citoyenneté consensuelle, l'application très rigoureuse du droit du sol — est américaine toute personne née sur le sol des États-Unis — détermine la nationalité de l'immense majorité de la population. Bien que la révolution américaine ait eu l'ambition de fonder une citoyenneté nouvelle, qui ne soit plus celle de la sujétion à la Couronne britannique, mais un contrat entre des citoyens libres et indépendants, le droit américain, dans les faits, a constitué un compromis entre le déterminisme et le principe de la volonté, dans lequel le premier est prépondérant. Dans la mesure où l'Allemagne applique de manière très rigoureuse le droit du sang, la part des individus qui ont acquis la nationalité par choix ou par volonté est réduite au petit nombre de ceux qui, malgré des conditions exigeantes (durée de la présence en Allemagne, connaissance de la culture et des valeurs démocratiques, coût élevé), ont réussi à obtenir d'être naturalisés, soit en moyenne 10 000 personnes par an entre 1973 et 1986. En dehors d'eux, les citoyens allemands n'ont pas eu la possibilité de choisir leur nationalité.

C'est en France que fut proclamé plus qu'ailleurs le principe de la volonté comme fondement de l'idée de nation. L'exemple du droit français démontre ainsi mieux que tout autre les limites inévitables de la volonté des individus dans l'obtention ou l'acquisition de la citoyenneté. La part de ceux qui ont l'occasion de manifester cette volonté est en effet très faible : 89 % des enfants nés en France sont français par filiation, parce qu'ils sont nés d'au moins un parent français (article 17 du Code de la nationalité française). Il faut ajouter les enfants nés en France, dont un des parents y est lui-même né (double *jus soli*, article 23 du C.N.F.; plus de 20 000 enfants). Plus de 90 % des enfants nés en France sont nés français, sans que puisse s'exprimer leur volonté ou celle de leurs parents. Même parmi ceux qui acquièrent la nationalité française après leur naissance, certains deviennent français pendant leur minorité par déclaration de leurs parents ou, lorsqu'ils ont entre 16 et 18 ans, avec l'autorisation de leurs parents (articles 52 et suivants du C.N.F.; un peu plus de 6 000 cas en 1986). Enfin, les enfants mineurs de ceux qui acquièrent la nationalité française par naturalisation ou réintégration, saisis par l'«effet collectif» de ces mesures, deviennent français sans en manifester la volonté (article 84 du C.N.F.; environ 10 000 personnes en 1986).

La législation française fait aussi une place aux mécanismes semi-automatiques d'acquisition de la nationalité. Tout individu né en France de parents étrangers acquiert la nationalité française si, à sa majorité, il a en France sa résidence et s'il a eu sa résidence habituelle en France pendant les cinq ans précédant sa majorité (article 44 du C.N.F.). Il peut décliner ce droit au cours de l'année précédente, mais on en voit peu d'exemples (1 683 en 1986). Chaque année, de 15 000 à 20 000 jeunes deviennent français sans formalité en fonction de cet article (17 949 en 1986).

L'expression de la volonté intervient pour ceux qui acquièrent la nationalité française par déclaration : dans ce cas, le requérant a droit à la nationalité française s'il remplit les conditions fixées par la loi. Il s'agit des conjoints étrangers de nationaux français, après six mois de mariage, si la vie commune n'a pas cessé à cette date et si le conjoint est resté français (article 37-1, environ 15 000 personnes en 1986), et des individus demandant à être réintégrés dans la nationalité française (articles 59 et 97-3 du C.N.F., environ 23 000 personnes en 1986). Enfin, elle intervient dans le cas de la naturalisation, où le postulant fait une demande. La loi française est généreuse par rapport à celle des autres pays européens. Les conditions de recevabilité d'une demande de naturalisation sont au nombre de cinq : être âgé de 18 ans au moins; résider de manière stable et permanente en France depuis au moins cinq ans; ne pas être ou avoir été, durant le stage en France, sous le coup d'un arrêté d'expulsion ou d'assignation à résidence, être de bonne vie et mœurs et ne pas avoir subi l'une des condamnations prévues à l'article 79 du Code pénal; être assimilé à la communauté française, notamment par une connaissance suffisante de la langue française «selon sa condition». L'application de la loi est aussi généreuse. Contrairement à la majorité des pays d'immigration, le postulant n'est pas soumis à des questions sur l'histoire et les institutions, ni à un test linguistique. Les frais sont minimes. Seulement 10 % des demandes font l'objet d'un ajournement ou d'un rejet, dont plus de la moitié seront finalement acceptées.

Tous ceux qui sont nés français n'ont pas choisi leur nationalité, et, parmi ceux qui l'acquièrent après leur naissance, 60 % l'obtiennent sans formalité. Pour l'immense majorité, la nationalité est le résultat de caractéristiques objectives : la filiation ou/et le lieu de naissance. Les effets des volontés individuelles sur la nationalité, dans toutes les législations, ne concernent que les populations marginales : d'où la théorie, formulée notamment par Renan, selon laquelle le fait pour les citoyens de participer à la vie quotidienne de la nation équivaut à affirmer quotidiennement sa nationalité. C'est la théorie du consentement implicite ou du «plébiscite de tous les jours».

Encore le droit français est-il de tous les droits européens le plus «ouvert», pour des raisons à la fois de légitimité politique (la nation née de la Révolution est dans son principe ouverte à tous ceux qui partagent ses valeurs et qui, en particulier, adhèrent aux droits de l'homme) et démographiques (la révolution démographique a entraîné la nécessité de faire appel aux étrangers et le centralisme culturel d'adopter une politique de francisation). Il va de soi que le caractère limité de l'expression de la volonté dans la nationalité est encore plus marqué, quand la naturalisation est plus difficile à obtenir et plus coûteuse.

On aurait tort de s'en étonner ou de s'en indigner. Peut-on imaginer des sociétés où chacun pourrait acquérir et perdre sa nationalité sur sa simple déclaration (seule expression claire de volonté), étant donné les droits qui lui sont attachés et la difficulté d'obtenir une autre nationalité ? Si les étrangers en situation régulière disposent des droits sociaux directement liés à l'activité professionnelle (transferts financiers ou droits civiques à l'intérieur de l'entreprise), seuls les citoyens disposent des droits politiques, du droit de voter et d'être élu, d'entrer dans la fonction publique. Le contrôle que l'État exerce dans tous les pays démocratiques sur l'accès à la nationalité constitue une nécessité pour assurer la permanence de la vie collective à travers la succession des générations. La nationalité constitue une exception à l'idée que la société moderne se caractérise par un accroissement continu des statuts acquis par rapport aux statuts hérités. Mais ce fait montre le caractère utopique (ou proprement idéal) de l'idée de consentement des individus comme source effective de la nation dans sa réalité historique. Aucune nation ne fonde son existence, son unité et sa permanence sur la volonté libre d'individus s'engageant par un contrat, toujours à renouveler, et ne traduit dans le droit cette conception extrême. C'est pourquoi il me paraît trop simple d'avancer, comme le font Peter Schuck et Rogers Smith, que l'histoire du droit de la nationalité révèle la progression de la conception volontaire aux dépens de la définition plus déterministe. Ils font preuve, dans ce cas, de cette idéologisation dont la réflexion sur la nation a tant de peine à se défaire. Outre que cette proposition ne serait valable, à la rigueur, que dans les démocraties libérales, l'histoire semble plutôt montrer des oscillations entre deux principes impossibles à appliquer dans toutes leurs conséquences, en fonction des conditions politiques et économiques. On a fait justement remarquer que la nationalité imposée par le sol et le sang ignore les nouvelles « situations internationales », que crée la mondialisation de certains marchés économiques et même culturels : entrepreneurs, gestionnaires et ingénieurs des entreprises multinationales ou artistes célèbres. On constate, d'autre part, l'élaboration progressive dans les droits européens d'une personnalité juridique plus « déliée » et plus « élective », « moins soumise aux origines ethniques ou aux parentèles, soucieuse d'affirmer ses opinions et ses choix, sa capacité à agir et sa responsabilité », conduisant à « ordonner des espaces juridiques plus ouverts que les États-nations »[1].

---

1. J. Costa-Lascoux, « Une citoyenneté au-delà du sol et du sang », communication au colloque du C.E.R.I., avril 1988.

Mais cette évolution ne concerne encore qu'une faible partie de
la population européenne, de niveau social élevé, pour laquelle
le droit vient consacrer des pratiques déjà établies, non la masse
de la population, en particulier celle d'origine étrangère. L'aris-
tocratie a toujours dépassé le cadre national.

La relativité des droits

Malgré son caractère idéologique (toute idéologie comporte des
éléments que retrouve l'analyse qui s'efforce d'être objective),
l'opposition entre l'idée de la nation-contrat et celle de la nation-
génie ou de la nation «à la française» et de la nation «à l'allemande» garde encore son sens, comme le montre la comparaison entre le droit français de la nationalité et le droit allemand :
les idées appartiennent à la réalité la plus objective. Pour rappeler un exemple suggestif, il naît chaque année en Allemagne fédérale environ 40 000 enfants de parents turcs ; un millier d'entre
eux, dans l'état actuel de la législation, deviendront allemands,
alors que, sur les 30 000 enfants nés en France de parents étrangers, moins de 2 000 ne deviendront pas français à leur majorité
au titre de l'article 44 du C.N.F. Les demandes du Club de l'Horloge pour la France restent en deçà de la législation allemande
actuelle.

En Allemagne, on l'a vu, la part des individus qui ont acquis
la nationalité par choix ou par volonté est encore plus réduite
qu'en France. Les 10 000-12 000 naturalisés annuels sont les seuls
Allemands dont la nationalité est le produit d'une volonté ou d'un
choix ; les autres le sont par le seul effet de leur filiation. L'acquisition de la nationalité par déclaration, qui donne à certains individus le droit d'obtenir la nationalité sans que l'État puisse s'y
opposer, n'existe plus depuis 1969. Les mécanismes de choix
semi-automatique, comme celui que met en place l'article 44 en
France, y sont inconnus. Le mariage avec un national allemand
ne donne que le privilège d'une naturalisation un peu moins exigeante. Il n'existe pas de droit à la naturalisation, qui reste la
prérogative des autorités. Les frais sont élevés, ce qui permet
d'écarter nombre de candidats, en particulier parmi les *Gastarbeiter*. De plus, les conditions posées sont particulièrement exi-

geantes et en même temps susceptibles d'interprétations par les autorités chargées de les appliquer. Le postulant doit en effet faire la preuve d'une résidence légale et continue, prouver qu'il est en possession d'un logement convenable, qu'il peut assurer sa subsistance et celle de sa famille au moment de sa demande et dans l'avenir prévisible, qu'il jouit de tous ses droits civiques sans restriction, qu'il est de bonne moralité. Les directives ministérielles indiquent que la décision doit prendre en compte les comportements irréguliers en ce qui concerne le respect des règlements de la circulation, de la résidence et du commerce, que la naturalisation suppose que le postulant a une attitude positive à l'égard de l'ensemble de la culture allemande (ce qui exclut la participation à une association politique d'étrangers), qu'il a acquis une connaissance de base de la Constitution et manifeste son allégeance aux principes démocratiques, qu'il maîtrise l'allemand écrit et parlé selon son niveau social, et qu'il est intégré au mode de vie allemand. Cette dernière condition ne peut être remplie que si le postulant est légalement installé depuis plus de dix ans. De plus, les représentants de la communauté locale et les organismes de sécurité sociale sont consultés avant la décision. Les directives ministérielles stipulent enfin que la naturalisation est accordée en fonction de l'intérêt économique, politique ou culturel du pays. La naissance en Allemagne ne donne aucun avantage particulier et l'adoption de la culture allemande — définie, au-delà de la scolarisation, par le fait de partager une même conception du monde liée à une appartenance ethnique — reste la condition de l'accès à la citoyenneté, quand elle n'est pas acquise par la filiation. La naturalisation, dans son principe, consacre une assimilation culturelle déjà acquise : le nouveau citoyen est alors comme incorporé à la collectivité.

Le respect du droit du sang, inspiré par la conception organiciste de la nation, continue à dicter des mesures juridiques, dont l'effet est d'accorder à la population étrangère durablement installée sur le sol de la République fédérale un statut d'étranger plutôt que de la préparer à l'entrée dans la citoyenneté allemande. En revanche, l'Allemagne fédérale a accueilli en nationaux non seulement les Allemands de l'Est (les *Übersiedler*), qui ont toujours été potentiellement citoyens de la R.F.A., mais les petits-enfants de ses émigrés de la Silésie ou de la Poméranie, en Pologne (qualifiés d'*Aussiedler*), qui ignorent la langue de leurs grandsparents, les descendants des Saxons qui s'installèrent au xiiᵉ siècle dans la Transylvanie, aujourd'hui soumise à l'autorité de Bucarest, ou les fameux Allemands de la Volga.

À plusieurs reprises, des voix se sont élevées pour réclamer une modification de la législation et favoriser l'acquisition de la nationalité pour les « deuxième » ou « troisième » générations par des mesures d'acquisition quasi automatique, sur le modèle de l'article 44 du C.N.F. De longs débats parlementaires, en 1982, n'avaient abouti à aucune décision. À une question parlementaire de nombreuses personnalités politiques et du groupe du S.P.D., le ministre de l'Intérieur avait encore répondu, le 18 août 1988, que le droit de la nationalité ne pouvait être modifié tant qu'une nouvelle loi sur les étrangers n'était pas adoptée. Celle-ci a été finalement votée en mai 1990 et appliquée depuis le 1ᵉʳ janvier 1991. Elle donne droit à une naturalisation facilitée aux étrangers installés de manière régulière depuis plus de quinze ans et aux enfants étrangers nés en R.F.A., qui y ont vécu plus de huit ans et ont fréquenté pendant quatre ans un établissement scolaire. Il s'agit là d'une véritable rupture dans la conception allemande de la nation [1].

On a vu comment, en France, les mesures d'acquisition automatique ou semi-automatique de la nationalité, la place faite à la déclaration et à la réintégration qui donnent des droits aux individus face à l'État, le faible coût de la démarche et l'application libérale du droit continuent à ouvrir la nationalité française très largement, non seulement aux individus nés et scolarisés en France, mais à presque tous les étrangers durablement installés qui en font la demande. La naturalisation accélère leur intégration à l'ensemble national, qui n'exige pas une « assimilation » préalable. Les autres grands pays d'immigration (Canada, États-Unis, Suède, Grande-Bretagne) transforment aussi progressivement, selon des modalités variables, les populations étrangères en citoyens : par rapport à eux, la spécificité allemande demeure.

1. Voir *infra*, chap. ix, p. 356.

La construction de la nation

La conception ethnique et culturelle de la nation allemande, élaborée au temps de la Révolution française et contre elle, fondée sur une communauté organique et sur des traditions historiques héritées de l'époque médiévale, préexistait en effet à la centralisation politique, à la constitution d'une entité politique. L'État-nation allemand est né cinq générations après la naissance du mouvement nationaliste. Suivant l'expression forgée par Helmuth Plessner, c'est une nation « tard venue » *(eine verspätete Nation)*, qui n'a d'ailleurs jamais rassemblé l'ensemble du peuple allemand. À la fusion de la royauté, puis de la Révolution et de la République avec la nation, en France, s'opposent, dès le Moyen Âge, la pluralité des États allemands et le rêve impérial du « Saint Empire romain de nation allemande ». L'éclatement culturel, à la suite de la Réforme, a renforcé les frontières entre États regroupés autour de leur identité confessionnelle. Bismarck lui-même et les milieux conservateurs de son temps ne voyaient pas de contradiction dans le fait que le caractère national allemand s'exprimait à travers l'existence d'une multiplicité d'États allemands : l'histoire allemande se caractérisait, selon eux, par la pluralité des États[1]. Dans la conscience allemande, l'ordre politique est séparé de l'ordre national et culturel. Cette conception continue à être vivante aussi bien dans le droit que dans la conscience collective, puisque, de la fin de la Seconde Guerre mondiale à 1989, les citoyens de la République démocratique allemande appartenaient à la nation allemande : ils n'avaient pas la citoyenneté de la République fédérale, mais ils ont toujours eu le droit d'obtenir la naturalisation dans des conditions favorables, alors que les enfants nés de parents étrangers sur le sol de l'Allemagne fédérale et scolarisés dans ses écoles ne font pas partie du peuple allemand. L'article 116 de la loi fondamentale stipule en effet que,

---

1. H. HOLBORN, *A History of Modern Germany, 1840-1945*, Londres, Eyre and Spottiswood, 1968, p. 151.

sous réserve de tout autre disposition légale, est allemand au sens de la présente loi fondamentale quiconque possède la nationalité allemande ou, en qualité de réfugié ou d'expulsé d'appartenance ethnique allemande, de conjoint ou de descendant de ce réfugié ou de cet expulsé, a trouvé accueil sur le territoire du Reich allemand tel qu'il était défini le 31 décembre 1937[1].

C'est en fonction de cette disposition que les réfugiés de l'Allemagne de l'Est ou de la Pologne devenaient des nationaux dès leur arrivée en République fédérale. C'est aussi sur la base de l'article 116 que 218 932 naturalisations ont été obtenues entre 1973 et 1986, soit plus que les naturalisations d'étrangers (141 613)[2]. Ce n'est pas un hasard si l'Allemagne a imposé avant la signature de l'Acte unique européen que le statut des étrangers reste du domaine exclusif de la souveraineté nationale. Il paraît pourtant difficile qu'à long terme la construction européenne n'impose pas un certain rapprochement entre les divers droits de la nationalité.

La nation française, tout au contraire, est le fruit d'une volonté politique mise en œuvre pendant des siècles par l'État central, qui s'est efforcé de constituer autour de lui, inscrite sur le sol national, une nation que son action séculaire a unifiée culturellement et politiquement. Selon la formule célèbre de Bernard Guenée, l'État a précédé et créé la nation. L'idée nationale a émergé au Moyen Âge, entre le xe et le xiie siècle ; elle s'est affirmée progressivement avec l'absolutisme monarchique jusqu'à ce que la Révolution lui donne son sens moderne. De ce fait, l'appartenance nationale peut être le fruit de l'appartenance culturelle et de la volonté politique de l'individu : c'est la source profonde de la conception élective de la nation. Sans doute par son ambition universelle et abstraite, la Révolution impliquait que pussent être membres de la nation tous ceux qui adhéraient à ses valeurs et en particulier aux droits de l'homme. Les révolutionnaires voyaient d'un œil favorable la naturalisation, acte de volonté, des étrangers ayant «mérité de l'humanité et de la

1. M. Ruby, *L'Évolution de la nationalité allemande d'après les textes, 1942-1953*, Baden-Baden, Wervereis, 1954, p. 326.
2. *Deutscher Bundestag, Drucksache 11/2795*, 18 août 1988.

République ». Mais les valeurs de la Révolution étaient aussi étroitement liées à l'histoire même de l'établissement de la nation française par la monarchie française et au lien vital qu'elle avait établi
avec le catholicisme.

> La France est catholique en ceci qu'aujourd'hui encore elle ne dis-
> tingue pas entre les races. On peut devenir français comme on se
> fait baptiser. On entre dans la nation française comme dans une
> communauté religieuse constituée non par le sang mais par l'esprit,

notait encore un observateur allemand en 1930[1].

Dans aucun autre pays européen, on ne trouve aussi bien réalisée cette pénétration entre l'État et la nation : contrairement
à l'Allemagne, contrairement à la Grande-Bretagne, où l'unité
du Royaume-Uni, puis de l'Empire a été assurée par l'allégeance
personnelle à la Couronne, la France est en Europe le pays qui
se rapproche le plus de l'idée de l'État-nation. Dans le droit français, nationalité et citoyenneté sont assimilées.

Cette opposition entre les deux conceptions conduit à des attitudes différentes à l'égard de l'étranger. On entre difficilement
dans un groupe fondé sur des liens de nature d'abord biologique,
alors que, par son principe même de légitimité, l'appartenance
à la nation française est ouverte (au moins dans l'idéal) à tous ceux
qui sont prêts à adopter ses valeurs. L'identité nationale n'y est
pas un fait biologique, mais politique : on est français par la pratique d'une langue, par l'apprentissage d'une culture, par la volonté
de participer à la vie économique et politique.

La dimension démographique

On ne saurait expliquer seulement par les variables historiques
et politiques les différences entre le droit allemand et le droit
français ; il faut faire intervenir les conditions démographiques
au cours du XIXᵉ siècle. Entre l'époque napoléonienne et la
Seconde Guerre mondiale, la population allemande a quadruplé,
pendant que la population française n'augmentait que de la moitié

1. F. SIEBURG, *Dieu est-il français ?*, Grasset, 1930, p. 76.

à peine. Le peuple allemand a vécu alors dans la hantise du sur-peuplement. L'État n'a jamais rassemblé tout le peuple, resté dispersé dans les pays voisins (les fameuses minorités en Pologne, Tchécoslovaquie, Autriche-Hongrie, etc.) ou qui s'expatriait outre-Atlantique. L'Allemagne n'est devenue un pays d'immigration massive qu'à partir de 1960. Au contraire, de 1850 à 1940, la France a été le seul pays en Europe qui a importé des hommes, alors que les autres en exportaient. La révolution démographique a suivi la révolution politique, sans que les historiens puissent éclaircir de manière convaincante les liens entre les deux. L'enracinement de la paysannerie, par l'achat des biens nationaux, a retardé l'exode rural et imposé de recruter la main-d'œuvre industrielle à l'extérieur des frontières. Dans ces conditions, le droit de la nationalité a constitué l'un des moyens d'encourager et de consacrer le processus de francisation des enfants d'immigrés, nécessaire à la vie nationale et même à la politique coloniale. Le nombre était en question, mais aussi la qualité : selon les périodes, la France a eu besoin d'ingénieurs, de main-d'œuvre non qualifiée, de soldats ou de colons en Algérie. Le rapporteur de la loi sur le « double *jus soli* » du 26 juin 1889 ne cachait d'ailleurs pas la justification militaire de la nouvelle loi.

> Cet individu, dont l'origine étrangère est le plus souvent ignorée, ne songe, en fait, qu'à la revendiquer le jour où il est appelé sous les drapeaux pour échapper à la charge la plus lourde qui pèse sur nos nationaux, à l'impôt du sang. Notre commission pense, comme la Chambre des députés, qu'il convient dans ce cas de donner une plus grande extension au *jus soli*. Elle croit que l'individu né en France d'un étranger qui lui-même y est né se trouve dans les conditions voulues pour devenir un bon citoyen et qu'en présence des exigences nouvelles de la loi militaire il faut le soustraire à la tentation de vouloir les éluder. Elle vous propose donc d'adopter la modification votée par la Chambre et d'enlever à cet enfant le droit d'option que vous lui aviez d'abord reconnu[1].

Mais elle avait aussi pour effet de franciser les colons d'origine italienne, espagnole ou maltaise installés en Algérie, alors que

1. Cité dans *Rapport*, t. II, pp. 23-24.

le décret Crémieux, en 1870, avait déjà transformé les juifs «indigènes» en citoyens français.

Après 1945, il s'agissait de trouver des ouvriers pour assurer la reconstruction après les années de guerre. La France, étant donné ses besoins économiques et militaires, a été ainsi conduite à élaborer successivement les divers articles tendant à englober dans la nationalité française les individus nés en France de parents étrangers (en particulier, les articles 23, 44, 52, 84) ou ayant un conjoint français (article 37-1).

Il ne faut pas toutefois interpréter l'idéologie de la nation française comme la simple justification des besoins économiques et militaires. Depuis la Révolution, la France s'est pensée comme un exemple politique et moral, comme le pays des droits de l'homme et de la liberté, comme une puissance impériale chargée de répandre les bienfaits de la civilisation. Les Français ne doutaient pas de la supériorité de leur génie national et du bonheur que ne manqueraient pas de connaître ceux qui obtenaient la nationalité française et pourraient ainsi participer à un destin collectif glorieux. La proclamation des idéaux révolutionnaires et l'universalité de la référence à la nation française (tout homme participant des valeurs révolutionnaires a un droit implicite à appartenir à cette nation, s'il en manifeste la volonté) gardaient leur efficace propre, l'idéologie nationale et politique dominante n'était pas la simple expression des nécessités matérielles. Au particularisme de la définition du peuple allemand s'opposait l'ambition universelle de la nation française : pour Lavisse, «instituteur national», «la Révolution a fait de la France une nation à part, exemplaire, hors du commun, bref, universelle»[1].

Le continuum

Quelles que soient les différences des droits de la nationalité et des conceptions de la nation, l'opposition porte plus sur les idées limites que sur leur application au niveau du droit. Le droit français, par son ouverture (perçue parfois par les étran-

1. P. Nora, dans *Les Lieux de mémoire*, t. I, Gallimard, 1984, p. 282.

gers comme un impérialisme), constitue un pôle; le droit allemand, par sa fermeture, l'autre; les droits européens s'alignent entre les deux et combinent de manière inextricable et inévitable les déterminations objectives et les dispositions faisant une place, plus ou moins restreinte, à la volonté. La législation suisse et, jusque récemment, la législation suédoise se rapprochent du cas allemand; en revanche, les Belges et les Néerlandais, les Britanniques pour les ressortissants du Commonwealth, plus proches de l'exemple français, font une large place au droit du sol, par lequel les jeunes nés dans le pays peuvent acquérir la nationalité entre 18 et 25 ans par simple déclaration.

Le droit en Grande-Bretagne garde des spécificités héritées de la double histoire de la constitution du Royaume-Uni autour de la monarchie et de l'épopée impériale. La pratique britannique sépare la citoyenneté de la nationalité : le sujet britannique est directement lié à la Couronne. En 1914, le British Nationality and Status of Aliens Act accorda la qualité de sujets britanniques à tous les ressortissants de l'Empire, soit un quart de la population mondiale. Les droits qui leur étaient ainsi accordés restaient évidemment théoriques pour la majorité d'entre eux. Depuis la Seconde Guerre mondiale, la législation a progressivement restreint les avantages attachés à la qualité de sujet britannique. L'ensemble des dispositions prises depuis 1948 et finalement codifiées par la loi de 1981 distingue trois catégories principales de citoyens; les British Dependent Territories Citizens, les British Overseas Citizens et les British Citizens. Les sujets des deux premières catégories — soit, en pratique, les populations originaires du Commonwealth non blanc — ne disposent pas du libre accès au territoire du Royaume-Uni. Seuls les *British Citizens* ne sont pas soumis au contrôle de l'immigration et jouissent du droit d'entrer dans le Royaume-Uni et d'y résider librement.

La législation suisse est aussi spécifique que l'histoire d'une nation fondée, selon les termes de Renan, sur « trois langues, deux religions, trois ou quatre races ». Elle apparaît à certains égards encore plus « fermée » que le droit allemand. C'est au niveau des communes et des cantons que les assemblées législatives vérifient que le candidat à la naturalisation a adopté les « us et coutumes », les usages, le dialecte local, qu'il participe activement à la vie associative. Malgré les différences entre cantons, cet examen est toujours minutieux. De plus, un long séjour est exigé, les frais sont élevés. La force des rituels, en particulier le serment civique requis dans la majorité des cantons romands, souligne la valeur de l'acquisition de la nationalité. La Suisse, à ce niveau, se réfère à une conception « ethnique » de manière particulièrement stricte. En revanche, la nationalité au niveau fédéral est la seule conséquence de la citoyenneté cantonale. Si le droit communal/cantonal est de type « allemand », c'est que, comme en Allemagne, l'appartenance à un peuple, à une communauté culturelle a précédé la constitution de l'entité politique. Au niveau de la Confédération helvétique, en revanche, l'unité politique a précédé et conditionné le sentiment d'appartenance nationale. La Constitution de 1848 instaurant l'État fédéral se

> réfère à une nation « suisse », c'est-à-dire à la manifestation d'une volonté collective. Transcendant les différences ethniques, cette nation affirme l'existence d'un principe spirituel, d'une identité commune aux populations suisses [1].

On se trouve proche du cas « français », où l'État a précédé et constitué la nation autour de lui. Si la nationalité communale et cantonale renvoie à l'idée de la nation ethnique ou communautaire, la citoyenneté helvétique se réfère, elle, à une conception de la nation, dans laquelle domine la volonté politique : combinaison spécifique qui répond à l'histoire spécifique de la Suisse.

La relativité des droits de la nationalité tient à ce qu'ils sont politiques avant d'être moraux, même si l'appel à la morale, à une idéologie fait partie de la réalité objective. Elle ne doit pas masquer qu'ils assurent dans les pays démocratiques, qui sont aussi, en règle générale, les pays d'immigration, les mêmes fonctions sociales : d'une part, garantir la permanence du lien juridique entre les individus et l'État à travers le renouvellement biologique de la population et, d'autre part, traiter des rapports

---

1. G. Allertaz, cité *in* P. Centlivres et D. Schnapper, « Nation et droit de la nationalité suisse », *Pouvoirs*, n° 56, 1991, pp. 149-161.

entre la population nationale et les étrangers attirés par les ressources économiques ou l'attrait de régimes politiques libéraux,
et installés de manière permanente sur le sol national. Dans le
cas de la France, il s'agit d'assurer ou de contribuer à assurer
l'intégration progressive de ces populations. Dans la République fédérale d'Allemagne, le droit s'efforce d'abord de maintenir l'unité et l'identité culturelle du peuple allemand.

Toutes les nations historiques se sont définies par un projet
commun, mais ce projet était enraciné sur certains ou sur tous
les éléments objectifs, qui fondent la communauté organique, langue, culture, traditions communes, et assurent une certaine homogénéité des populations. D'ailleurs, l'opposition entre la
conception « allemande » et la conception « française », telle que
l'exprime Renan, ne porte pas sur l'existence et le rôle des traditions dans la constitution de la nation, qui sont reconnus par les
uns et par les autres, mais sur la manière dont elles se maintiennent de génération en génération. Pour les uns, le passé, inscrit
dans une sorte d'inconscient collectif, se transmet selon une filiation de nature biologique et ethnique. Pour les autres, ce n'est
pas de descendre biologiquement de « nos ancêtres, les Gaulois »
(qui d'entre les Français a les Gaulois comme ancêtres au sens
biologique du terme ?) qui importe, mais d'avoir accepté Vercingétorix comme une part de leur passé collectif, d'en avoir fait
l'une des dimensions du mythe fondateur de la communauté
à laquelle ils se sentent appartenir, d'avoir adopté comme leur
la mémoire collective, d'en faire le fondement de leur projet
commun.

Cette ambiguïté de la réalité historique se traduit dans les différents droits de la nationalité. Ils montrent bien que les deux
conceptions traditionnelles ne sont effectivement que des idéologies, liées aux conflits politiques de l'Europe du XIXᵉ siècle, à
l'opposition entre la nation révolutionnaire et les régimes qui se
référaient à la légitimité traditionnelle, à l'émergence des nationalismes contre les empires déclinants. La pensée de la nation
s'est efforcée de systématiser, pour des raisons à la fois intellectuelles et politiques, ce qui était inévitablement ambigu dans la
réalité. Les diverses nations européennes ont été en effet fondées
à la fois sur l'existence d'une communauté organique et d'une

volonté politique. C'est d'ailleurs précisément dans les décalages entre les identités ethniques ou culturelles et les volontés politiques que sont nés les conflits des nationalismes européens au XIXᵉ siècle et tous les mouvements de revendications des minorités soumises à une autorité étrangère : l'ambition des Polonais de créer une nation politique indépendante, les revendications des nationalités mal réunies par la monarchie des Habsbourg, malgré le compromis austro-hongrois de 1867, etc. L'idéologie nationale faisait appel, bien que de manière différente selon l'histoire de chaque nation, à l'une ou à l'autre conception. Ce n'est pas un hasard si les Allemands, dont la centralisation politique a été tardive, ont pensé la nation d'abord comme une entité ethnique et culturelle, alors que la France, construite par l'État successivement monarchique, révolutionnaire et républicain, produit d'une ambition politique, a donné à la volonté un rôle privilégié et que les hommes du Risorgimento ont associé l'idée de nation au mouvement d'indépendance, à l'unité de la Péninsule et à la liberté. Comme l'a remarqué Federico Chabod, les penseurs italiens ont formulé les principes de la nation volontariste avant Renan, à cause de leur combat pour l'indépendance nationale tout au long du siècle.

Depuis la Révolution française, la pensée de la nation, qui a accompagné la naissance et le développement des nations européennes, a toujours été indissolublement normative et descriptive, dans la mesure où la pensée fait elle-même partie de la réalité objective, où elle traduit et renforce les valeurs implicites, formule les références et organise les pratiques sociales. Elle était plus destinée à orienter les esprits, à justifier les passions dans le siècle qui suivit l'époque révolutionnaire et vit le développement des nationalismes qu'à analyser ce que furent dans les faits la nation et l'intériorisation du sentiment national par les populations.

CHAPITRE 2

Définition sociologique

La pensée de la nation a d'abord été philosophique et historique. Les philosophes s'efforçaient de penser la spécificité de la modernité politique. Les historiens se voyaient confier la tâche d'organiser la mémoire d'un passé commun, destiné à justifier l'action de la collectivité nationale. La critique de la pensée de la nation par l'analyse des droits de la nationalité a mis en évidence le caractère à la fois idéal-typique et idéologique des idées de la nation. Une définition sociologique opératoire doit s'efforcer de rendre compte en même temps des idées de la nation et des réalités concrètes. Elle doit permettre de comprendre l'ambiguïté des formes historiques et l'existence de cette double idéologie.

Du point de vue de la sociologie, la nation historique moderne — symboliquement née avec la Révolution française et qui a connu son épanouissement en Europe occidentale jusqu'à la Première Guerre mondiale — a été une forme politique, qui a transcendé les différences entre les populations, qu'il s'agisse des différences objectives d'origine sociale, religieuse, régionale ou nationale (dans les pays d'immigration) ou des différences d'identité collective, et les a intégrées en une entité organisée autour d'un projet politique commun.

Dans l'histoire, les nations ont été créées soit d'abord à partir d'une communauté de culture ou ethnie, soit d'abord à partir d'une volonté politique. Dans le premier cas, les chefs des mouvements nationalistes ont lutté pour faire reconnaître leur ethnie comme entité politique; dans le second, les responsables politiques se sont efforcés de renforcer l'homogénéité culturelle des populations[1]. Selon l'histoire nationale, politique et intellectuelle, l'idéologie justifiant la nation, on l'a vu, a insisté plutôt sur l'homogénéité ethnico-culturelle d'origine — avec l'idée implicite qu'elle produit l'unité nationale — ou plutôt sur le projet politique.

C'est parce que la nation est un projet politique qu'Ernest Gellner peut avancer que les nationalismes créent la nation :

> Bien que certains facteurs objectifs soient d'une grande importance pour la formation des nations, l'élément le plus essentiel est une volonté collective et efficace[2] ;

que Hans Kohn voit dans les idées nationalistes l'origine des nations :

> À l'époque moderne, c'est la puissance d'une idée, non le sang qui a constitué et forgé les nationalités[3].

Mais la nation n'est pas qu'idéologie, c'est aussi une réalité concrète. La nation est un produit historique, qui n'est ni « naturel », comme l'ont cru les penseurs nationalistes du XIXᵉ siècle, ni éternel, ni sacré. Mais ce n'est pas non plus le seul produit contingent de la Révolution française ou de la volonté impérialiste de l'Europe. C'est une forme politique liée à la modernité, à la nécessité de la centralisation politique, aux besoins de l'organisation économique, à l'intensité accrue des échanges, à l'ambition démocratique. La nation s'affirme à la fois par une volonté de puissance à l'égard de l'extérieur, dont les conflits entre pays européens et la formation des empires coloniaux ont été les traductions, et par l'instauration interne d'un système de normes et de valeurs spécifiques.

L'affirmation nationale se manifeste à travers une relation complexe et différente, dans chaque cas, avec l'État. En France, à la suite de Bernard Guenée, on rappelle volontiers que l'État

---

1. A. D. Smith, *op. cit.*, 1986, p. 18.
2. E. Gellner, *op. cit.*, p. 15.
3. H. Kohn, *The Idea of Nationalism : A Study in its Origins and Background*, New York, McMillan, 1946, p. 16.

a précédé et créé la nation. Mais, dans d'autres pays, c'est la nation qui a suscité l'État. L'histoire révèle les différentes formes que prend cette action réciproque : l'État a joué un rôle prépondérant dans la création de la nation française, la nation allemande a longtemps existé sans expression étatique. Le mouvement sioniste, à ses débuts, a débattu du rapport entre nation et État : les uns, à la suite de Theodore Herzl, imaginaient une nation juive renouvelée et structurée par un État fort qui, sur le modèle occidental, viendrait transcender les intérêts privés et créer la nation ; les autres, tel Ahad Ha Am dès 1897, rejetaient cette orientation et soutenaient que l'État devait rester minimal et n'apparaître que lorsque la nation serait déjà constituée autour d'une culture proprement juive [1]. Pour les premiers, l'État devait créer la nation ; pour les seconds, il en serait l'émanation.

L'État, défini par la souveraineté intérieure et extérieure — ou, dans les termes classiques, par le monopole de la violence légitime —, est toujours instituteur de social, pour reprendre l'expression de Pierre Rosanvallon. En établissant un espace juridique et politique commun, en fixant les règles qui assurent le fonctionnement quotidien de la vie démocratique et les relations entre les groupes et les individus, il suscite les formes de la vie collective. Mais, selon l'histoire de la constitution de la nation, son action consacre par l'ordre politique une société déjà établie autour d'une culture ethnique préexistante, ou bien elle a un rôle moteur dans l'élaboration d'une culture nationale. Les interventions pour réguler l'économie et assurer les transferts sociaux — l'État-providence — ne font que prolonger et développer l'action de l'État, indissolublement souverain vis-à-vis de l'extérieur et instituteur du social par l'imposition des normes et des valeurs communes. Dans la perspective de la réflexion sur la nation, l'État peut être analysé comme l'expression juridique et institutionnelle (*l'ordinamento giuridico della nazione*, disait Mancini), l'instrument que chaque nation se donne pour réaliser sa vocation unique, l'«organisation séculière de puissance de la nation» [2].

---

1. P. BIRNBAUM, «Nation, État et culture : l'exemple du sionisme», *Communications*, 45, 1987, p. 163.
2. M. WEBER, *Politische Schriften*, cité par W. Mommsen, *op. cit.*, p. 79.

Cette définition entraîne deux conséquences essentielles. Tout d'abord, une nation est un *rapport* entre l'inévitable diversité sociale, religieuse, régionale ou nationale de la population et un projet politique, mis en œuvre par les institutions nationales — et tout particulièrement l'État — et soutenu par une idéologie. Les sociétés sont normalement pluri-ethniques, avant que le projet de construire une nation n'entraîne l'homogénéisation des cultures et l'accroissement des échanges : toute construction nationale accroît l'homogénéité interne et la différenciation entre nations. L'idée d'intégration n'implique pas pour autant celle d'« harmonie », ni d'égalité dans la participation des divers groupes, elle signifie que la nation devient l'instance de régulation des inégalités, des rivalités et des conflits internes.

Ensuite, la nation n'est pas un donné, mais un processus d'intégration de populations diverses, qui n'est jamais complètement achevé. L'unité culturelle et l'unité nationale ne peuvent jamais se confondre totalement. Même dans un État-nation comme la France, il existe une inévitable tension entre les identités particulières et l'affirmation nationale. La construction de la nation s'est toujours heurtée, parfois de manière dramatique, à des mouvements de contestation. Pour ne prendre qu'un exemple, la revendication autonomiste bretonne n'a jamais cessé, le Parti national breton, fondé après la Première Guerre mondiale, succède à la Fédération régionaliste de Bretagne d'avant 1914, qui elle-même avait pris la suite de l'Union régionaliste bretonne, fondée en 1898. Le Parti national breton sera créé en 1943, puis le Mouvement pour l'organisation de la Bretagne en 1957, l'Union démocratique bretonne en 1964, etc. Enfin, il n'est pas démontré à l'avance que toutes les différences soient susceptibles d'être transcendées par un projet politique commun. Il est justifié de s'interroger sur le degré ou les formes d'altérité ou d'hétérogénéité compatibles avec l'existence de la nation.

La nation d'aujourd'hui est le produit de l'histoire de ce processus d'intégration nationale. Elle est d'autre part insérée dans une histoire qui dépasse le cadre européen où sont nées les nations. La modernisation a modifié les formes de la vie sociale. La définition proposée pour la nation de l'époque de la nation triomphante rend-elle compte de la nation contemporaine ?

DIVERSITÉS OBJECTIVES ET PROJET POLITIQUE

Par définition, les diversités à l'intérieur d'une même nation sont innombrables, mais certaines sont socialement et politiquement significatives, d'autres non. Il importe donc de s'interroger non sur le fait et le degré des diversités à l'intérieur de la nation, mais sur la relation entre ces diversités et la force du projet politique. La France de 1914 était sans aucun doute objectivement plus hétérogène par la diversité des revenus, les différences sociales et culturelles, les sentiments de classes que celle d'aujourd'hui. Les réactions à la déclaration de guerre ont pourtant démontré que le projet politique intégrait la population de manière assez intense pour la conduire avec enthousiasme à la guerre contre l'« ennemi héréditaire ». En revanche, des populations que tout rapproche pour l'observateur extérieur peuvent entretenir une conscience collective, fondée sur une histoire de rivalités et de conflits, qui interdit la formation d'une nation.

Les nations européennes donnent des exemples variés de l'intégration des diversités de toute nature par le projet politique. Ainsi, la volonté d'indépendance à l'égard des grandes nations voisines a uni les cantons suisses autour d'un contrat politique. La Suisse n'est que l'exemple le plus visible d'un fait général : toutes les nations réunissent politiquement des populations diverses. Mais, dans les vieilles nations européennes, cette diversité n'interdit pas l'existence de la nation. L'exemple suisse suggère aussi la fragilité de toutes les nations fondées sur la volonté politique, que soulignaient déjà les penseurs contre-révolutionnaires. La nation helvétique est objectivement hétérogène et, plus que toute autre, fondée sur un pacte politique. Ne peut-on interpréter le caractère particulièrement fermé de la nationalité cantonale/communale, l'exigence que le candidat à la naturalisation se conforme à une essence du Vaudois ou du Tessinois comme une compensation au risque de fragilité intrinsèque d'une Confédération fondée sur un pacte politique ? Le droit de la nationalité, avec sa double référence à la nation « à l'allemande » au niveau local et « à la française » au niveau confédéral, est l'une des institutions par laquelle on s'efforce de maintenir l'unité d'une Confédération toujours menacée par la diversité des populations et des entités politiques, jalouses de préserver leur identité, qui la composent[1].

Les États-Unis, par leur idéologie de la liberté et la force de leurs institutions politiques fondées sur le respect de la Constitution, assurent l'intégration de populations objectivement de plus en plus diverses. Un pays comme Israël est, de ce point de vue, un cas extrême : les juifs « montés » en Eretz Israël appartiennent, par leur histoire, leurs mœurs, leur participation politique et leur rapport au judaïsme, à des traditions profondément différentes. Entre les beni Israël de l'Inde et le commerçant de Pologne, entre l'artisan marocain religieux et le bundiste d'Europe centrale ou le bourgeois italien, les différences objectives sont considérables. Mais la puissance de l'idéologie sioniste, dont l'effet est quotidiennement renforcé par le danger extérieur, a permis la constitution d'une nation et nourri un fort patriotisme, c'est-à-dire un lien sentimental entre l'individu et la collectivité.

Les nations africaines nées du mouvement d'indépendance contre la colonisation européenne donnent des exemples inverses. Non pas parce que leurs frontières sont « artificielles » — toutes les unités politiques ont été constituées de cette façon —, mais parce que, à l'intérieur de ces frontières, il n'existe pas de volonté politique commune. Des populations objectivement proches, mais divisées par une hostilité séculaire, ne peuvent former une véritable nation, même si le hasard des frontières héritées de la colonisation les conduit à être, en principe, soumises à la même autorité étatique. La proximité culturelle ne garantit, par elle-même, ni la constitution ni la permanence de la nation. Comme, d'autre part, le projet politique s'est résumé dans la lutte pour l'indépendance contre la puissance coloniale, remettre en question les frontières à l'intérieur desquelles s'est déroulée cette lutte remettrait en question la seule dimension politique des nations africaines.

À partir de cette définition, on comprend aussi le rôle central qu'ont joué les intellectuels dans l'histoire des mouvements natio-

1. P. Centlivres et D. Schnapper, art. cité.

nalistes et des nations. Historiens, écrivains ou poètes, selon les pays, ont toujours été chargés de formuler les termes du projet politique, en entretenant ou en créant de toutes pièces une mémoire qui fonde la volonté d'un avenir commun. Les écrivains nationalistes des « nouvelles nations » d'Asie et d'Afrique empruntent aujourd'hui, pour mobiliser les énergies, les thèmes et les accents des nationalistes européens du XIXe siècle : l'insistance sur le passé pour fonder la nation nouvelle et son avenir, le millénarisme, le prophétisme chrétien, au nom duquel les Européens sont accusés de dissoudre les traditions et de trahir les valeurs qu'ils prêchent [1].

On comprendra aussi le caractère proprement idéologique des discussions passionnées sur le fait et la valeur du multiculturalisme, sur le droit à la différence, qui ont occupé la scène politique et scientifique au cours des années 1970-1985. Toute nation est par définition multiculturelle, le problème politique étant de savoir si la diversité culturelle, en termes de religion, de différences sociales, d'appartenance nationale, est susceptible d'être transcendée par le projet commun. La « coexistence d'un État-nation unitaire et d'une société civile pluriculturelle » [2] n'est pas une caractéristique de la situation récente et nouvelle de la France, comme le pensent les politologues contemporains, mais de la définition même de la nation.

Il importe en effet de distinguer entre la réalité et l'idéologie. Cette dernière apparaît clairement comme l'instrument privilégié de l'élaboration nationale. C'est au nom d'un système de valeurs cohérent et systématique que les institutions étatiques peuvent justifier leur action intégratrice. Mais le sociologue ne doit pas accepter l'idéologie de l'unité et de l'homogénéité nationales comme une description de la réalité présente ou passée.

L'exemple français est à cet égard illustratif. Pour des raisons historiques, la diversité objective est sans doute au moins aussi grande que dans d'autres pays européens. Selon Ch. Seignobos, historien patriote appartenant à l'« establishment » de la IIIe Répu-

1. E. KEDOURIE, *Nationalism in Asia and Africa*, New York, Meridian Books, 1970.
2. C. WIHTOL DE WENDEN, *Les Immigrés et la politique*, Presses de la Fondation nationale des sciences politiques, 1988, p. 278.

blique, auquel fera écho, cinquante ans plus tard, Fernand Braudel, elle est même supérieure à celle de tous les autres.

> La nation française est plus hétérogène qu'aucune autre nation d'Europe ; c'est en vérité une agglomération internationale de peuples [...]. L'unité nationale n'a pu se faire par aucune communauté naturelle ni d'origine, ni de coutumes, ni de langue. Il n'y a jamais eu de droit ni de langue communs à toute la population, et il faut une ignorance totale de l'anthropologie pour parler de « race française ». La France n'a donc jamais eu de frontières ethnographiques ni linguistiques. Ses frontières n'ont été que géographiques ou politiques[1].

De plus, elle a été depuis le xixe siècle renforcée par une immigration unique en Europe. C'est précisément à cause de cette hétérogénéité que l'unité culturelle, au nom du projet politique, y a été toujours particulièrement affirmée et mise en œuvre par des institutions centralisées, et en particulier par le système d'enseignement. C'est cette élaboration de la nation qui a été qualifiée de « politique d'assimilation ». Mais, dans les faits, cette politique n'a jamais réussi à éliminer les diversités. L'homogénéité des individus et des groupes à l'intérieur de la nation n'a été qu'un idéal, jamais concrètement réalisé. La France pouvait être juridiquement, administrativement, politiquement une et indivisible, elle ne devenait pas pour autant socialement et culturellement uniforme. La politique dite « d'assimilation » a été le moyen privilégié par lequel s'entretenait le projet commun, fondateur de la nation.

Il ne faut pas être dupes des mots. Si elle a imposé l'enseignement exclusif de la langue française et tenté de refouler les spécificités culturelles ou religieuses dans l'ordre du privé, la politique dite « d'assimilation » n'a pas pour autant supprimé dans les faits les particularismes. Les Français ont accepté avec quelque réticence de se concevoir comme un pays de diversités régionales. Quand ils le faisaient, ils rappelaient en même temps que, malgré leurs dissemblances, les Normands et les Gascons formaient

---

1. Ch. Seignobos, *Histoire sincère de la nation française*, P. U. F., coll. « Hier », 1969, p. 15 (1re édition, 1933).

une seule nation. Ils ont refusé de se penser comme un pays d'immigration, ce qui a longtemps interdit aux historiens de reconnaître pleinement l'existence des spécificités polonaises ou italiennes. Mais ces dernières n'ont pas été évacuées pour autant. Il existe des limites au consensus d'une société, des jeux compliqués entre les ethnies et les nations. L'unité était d'autant plus affirmée, recherchée et valorisée que la réalité était plus diverse. Comme l'a remarqué avec ironie un historien étranger, plus sensible au caractère idéologique de la France « une et indivisible » que les Français eux-mêmes, dans aucun autre pays on n'a autant discuté et analysé ce que signifiait être français :

> Si les Français étaient (sont ?) aussi français qu'on nous a appris à le croire, pourquoi tant de questions [1] ?

L'unité culturelle a été une ambition ou une idée, un instrument de l'intégration nationale, non une réalité. L'utilisation politique du terme d'assimilation ne prouve pas que les étrangers étaient dans les faits assimilés à une essence du Français, mais que les politiques s'efforçaient de les « assimiler » autant que faire se pouvait. On a parlé, à propos des émigrés polonais en Australie, de « mythe de l'assimilation » [2]. Mais il s'agit d'un cas général. Pour tous les émigrés dans un État-nation, même si les rythmes et les formes de l'acculturation changent selon qu'il s'agit d'un pays d'immigration ou d'un État-nation issu, comme les nations européennes, d'une longue histoire, l'assimilation complète est un mythe. Toute politique d'intégration nationale comporte, dans son principe même, de manière indissoluble, la volonté de l'unité politique et culturelle, en même temps que le maintien de fait des particularismes dans la sphère du privé, et parfois au-delà.

Phyllis Albert a rappelé que les juifs français au XIXᵉ siècle, unanimement considérés par leurs contemporains et les historiens comme parfaitement « assimilés », c'est-à-dire ayant perdu

---

1. E. WEBER, *La Fin des terroirs, la modernisation de la France rurale, 1870-1914*, Fayard, 1983, p. 169 (1ʳᵉ édition, 1976).
2. R. JOHNSTON, *The Assimilation Myth, a Study of Second Generation Polish Immigrants in Western Australia*, La Haye, Martinus Nijhof, 1969.

toute spécificité, à cause de la politique jacobine de l'État et de leur patriotisme particulièrement fervent, avaient pourtant gardé une conscience collective, qui se manifestait par la solidarité locale, nationale et même internationale avec les autres juifs. Tout au long du siècle, le consistoire poursuivit inlassablement une politique d'assistance aux juifs de Turquie, intervint en Pologne, en Roumanie. Dès sa création en 1860, l'Alliance israélite universelle reprit la même politique dans l'ensemble du Bassin méditerranéen. Tout « assimilés » qu'ils étaient, les juifs français n'en gardaient pas moins des pratiques familiales et des institutions religieuses, culturelles et humanitaires spécifiques et constituaient un milieu social, où se maintenait une forte endogamie [1]. Même si l'on peut, dans ce cas, critiquer l'utilisation du concept d'ethnicité, directement importé des États-Unis, les faits analysés sont indiscutables et démontrent, à propos d'un cas particulier, que la politique d'assimilation, proclamée et recherchée, n'a pas entraîné pour autant la fin des particularismes, en dehors même de la sphère étroite du privé.

Par ailleurs, une combinaison spécifique de variables démographiques, économiques, historiques, politiques et sociales (au sens de la structure sociale) a donné à chaque région des caractères spécifiques qui se sont maintenus et se maintiennent, et cela, quelle que soit la politique dite « d'assimilation ». La fécondité est supérieure dans le Nord, la scolarisation plus élevée dans le Sud. Les régions fortement catholiques de l'Ouest et de l'Est ont régulièrement voté à droite. Formes familiales et structure sociale s'opposent dans les différentes régions françaises. Rappelons encore que ces particularismes de toute nature — alors même que, par ailleurs, l'internationalisme des mouvements ouvriers semblait remettre en question le patriotisme — n'ont pas empêché les Français de toutes régions, anciens et récents, de se faire massacrer avec le même héroïsme dans les tranchées de 1916.

Dans les analyses de la nation actuelle et des problèmes liés à l'émigration, il ne faut pas comparer le pluralisme actuel à une unité passée. Une « assimilation » ou une « intégration » complète

---

1. Ph. COHEN ALBERT, « Ethnicité et solidarité chez les juifs de France au xixe siècle », *Pardès*, 1986/3, pp. 29-53.

est impossible. L'égalité du citoyen n'a jamais entraîné l'homogénéité des conditions sociales, connotée par le concept d'assimilation. Mais les discussions scientifiques sur ces sujets ont toujours été rendues difficiles par la dimension politique. Persuadés que l'unité nationale suppose l'homogénéité des populations, ceux qui accordaient une valeur privilégiée à la nation répugnaient à tirer toutes les conséquences de la diversité des régions. Les scientifiques qui soulignaient la force des particularismes régionaux étaient souvent accusés d'être des militants régionalistes animés par une hostilité, cachée ou affichée, au projet national (ce qui, d'ailleurs, pouvait être vrai). C'est un historien étranger, Eugen Weber, qui a le plus volontiers souligné l'hétérogénéité française. Le pluralisme n'a été reconnu qu'à partir du moment où l'on a porté un jugement positif sur la diversité. C'est le changement de la valeur accordée au pluralisme qui constitue la nouveauté.

UN PROCESSUS CONTINU D'INTÉGRATION

Par définition, quelle que soit l'idéologie nationale, la nation se constitue par un processus d'intégration continu. La politique dite « d'intégration », sur laquelle on discute à propos des immigrés, n'est pas un choix parmi d'autres possibles, elle est un fait et une nécessité. L'intégration, comme processus, est et a toujours été génératif de la nation, quelles qu'en aient été les justifications idéologiques. Parce que la nation ne peut manquer d'allier à son action intégratrice une idéologie, le sociologue doit faire la distinction analytique entre le procès de l'intégration et cette idéologie justificatrice.

Si l'on s'en tient au discours politique ou social, la France serait passée, depuis les années 1970 — ou, en tout cas pour certains, devrait passer —, d'une politique d'« assimilation » à une politique d'« intégration ». La formulation de l'article 69 du Code de la nationalité, exigeant du candidat à la naturalisation qu'il justifie de son « assimilation » à la communauté française, notamment par la connaissance de la langue selon son milieu social, porte encore témoignage de la période où les bienfaits de la politique dite « d'assimilation » des étrangers étaient admis par tous. À l'époque des nationalismes triomphants et du patriotisme, personne ne doutait de la supériorité du génie français et du bonheur que les étrangers connaîtraient en devenant français. L'idéologie de l'assimilation combinait la constatation d'un fait : les étrangers ne manqueraient pas de devenir des Français comme les autres, et d'une valeur : cette transformation était pour eux une chance inestimable.

La critique de cette « assimilation » a été formulée au cours des années 1970. L'État-nation a été condamné en même temps que le colonialisme et toutes les formes de la domination européenne. Fin de la croyance dans les idéologies universalistes sous leur double forme libérale et socialiste, affaiblissement objectif et symbolique de la nation, insatisfactions nourries par la société industrielle, qui ne peut jamais pleinement satisfaire les aspirations que le progrès économique suscite, expliquent le retour du particulier comme valeur et comme argument de la vie sociale et politique[1]. L'idéologie a changé, dans la mesure où le respect de l'identité de l'autre paraissait désormais une valeur essentielle. On a alors insisté sur la brutalité avec laquelle la politique d'assimilation du passé avait effacé toutes les spécificités, bretonnes ou occitanes, celles des Italiens et des Polonais immigrés. Alors que l'affirmation des identités individuelles et collectives est désormais au centre des valeurs modernes, la politique d'assimilation paraît marquée du péché du colonialisme extérieur ou « intérieur », coupable de dissoudre l'identité de l'autre au nom d'un principe d'homogénéisation réducteur des véritables authenticités.

C'est à la suite de ces critiques que le président de la République, en 1977, devait affirmer à propos des différences régionales :

> Le temps est venu d'affirmer qu'il n'y a pas contradiction entre le fait d'être pleinement français et de continuer à vivre des traditions, des coutumes et une culture régionale ou locale. L'unité française n'a aucun besoin d'étouffer ou de niveler la diversité naturelle de notre nation[2].

---

1. D. Schnapper, *Juifs et Israélites*, Gallimard, 1980, p. 231 *sqq.*
2. Cité dans *ibid.*, p. 58.

Dix ans après, le 18 mai 1987, un autre président de la République reconnaissait solennellement à la Sorbonne les dimensions étrangères (et en particulier arabes) de la culture française :

> Nous sommes tous un peu romains, un peu germains, un peu juifs, un peu italiens, un peu espagnols et de plus en plus portugais. Je me demande si déjà nous ne sommes pas un peu arabes [1].

Pendant une dizaine d'années, l'expression du droit à la différence, la célébration de la France multiculturelle ou « plurielle » ont fleuri dans les discours politiques, comme dans les publications à prétention scientifique. Les discours officiels n'ont plus osé parler de l'« assimilation » des étrangers en France — le terme était devenu tabou —, mais, tout au plus, de leur « intégration » [2] ou de leur « insertion » [3], termes qui suggéraient que la politique qu'on entendait désormais suivre à l'égard des populations d'origine étrangère respecterait leurs formes spécifiques d'identité. C'est aussi le cas en Suisse où, dans le message du 26 août 1989 relatif à la loi sur la nationalité, le législateur a proposé de supprimer le terme d'assimilation supposé véhiculer des connotations négatives et de s'en tenir au terme d'intégration, qui permet le « mariage de la culture d'origine du candidat à la naturalisation avec celle du pays d'accueil ». Le message précise que le candidat n'a pas plus à renoncer à son identité qu'à changer de peau [4].

Mais si l'idéologie dominante sur ce sujet changeait manifestement, ce n'était pas le cas des politiques suivies (au sens de *policy*). Il importe en effet de distinguer entre les discours idéologiques et les politiques effectivement mises en œuvre.

Ces dernières n'ont pas suivi les mêmes évolutions : la politique d'intégration ne pouvait que se poursuivre. À leur arrivée au pouvoir en 1981, les nouveaux dirigeants ont voulu, dans ce

1. *Le Monde*, 20 mai 1987.
2. *Rapport, passim*.
3. J. Marangé et A. Lebon, *L'Insertion des jeunes d'origine étrangère dans la société française*, La Documentation française, 1982.
4. P. Centlivres, *Naturalisation et pluralisme culturel en Suisse, approche ethnologique*, Institut d'ethnologie, Neuchâtel, 1989.

domaine aussi, rompre avec la politique du gouvernement précédent. Dès août 1981, Henri Giordan, maître de recherches au C.N.R.S. et spécialiste des minorités linguistiques, fut chargé d'un rapport pour « la mise en œuvre d'une politique de dynamisation du tissu culturel régional » *(sic)*, afin de permettre « l'épanouissement des différences linguistiques et culturelles dont la France est riche » et d'« amorcer rapidement une politique de promotion des cultures régionales et minoritaires », « base d'une créativité libérée du poids de l'idéologie centralisatrice et uniformisante »[1]. Ce rapport, publié l'année suivante, fut suivi d'une proposition de loi déposée par les députés socialistes sur la promotion des langues et cultures de France (enregistrée à la présidence de l'Assemblée nationale, le 17 mai 1984), qui ne fut pas soumise au vote. En revanche, on créa un Conseil national des langues et cultures régionales, qui tint sa première réunion les 27 et 28 janvier 1986 et émit le vœu que soit créé un Office de documentation et d'échanges sur les langues et cultures de France. Ce Conseil ne fut pas réuni par le gouvernement Chirac et ne reprit pas ses activités, malgré le retour des socialistes au pouvoir en 1988[2]. Au-delà des épisodes particuliers, il faut retenir l'échec d'une politique de « pluralisme » politiquement reconnu et le caractère inévitable de la politique d'intégration nationale.

La deuxième mesure fut le développement de l'enseignement, qui avait été introduit en 1975, des langues et cultures d'origine dans l'enseignement du premier degré : la circulaire du 13 avril 1983 prévoyait la présence d'enseignants étrangers chargés de donner aux enfants des migrants, à l'intérieur ou en dehors des horaires scolaires, une connaissance de la langue et de la culture d'« origine ». Cette intervention différait, dans son principe, de l'enseignement normal des langues étrangères, donné par des enseignants français dans le cadre de l'emploi du temps général. À la suite d'accords bilatéraux avec huit pays, cet enseignement existe pour l'arabe, le portugais, l'espagnol, l'italien, le turc et

---

1. Lettre de Jack Lang publiée *in* H. GIORDAN, *Démocratie culturelle et droit à la différence*, La Documentation française, 1982, p. 3.
2. Aux dernières nouvelles (juillet 1990), un effort serait fait pour le réanimer.

le serbo-croate. Mais il est resté marginal[1]. À l'exception des Espagnols, dont la langue est très largement enseignée indépendamment de la présence des enfants d'immigrés, les parents et les enfants étrangers, plus soucieux que leurs défenseurs d'éviter les risques de la folklorisation et de la stigmatisation liés à tout traitement particulariste, ont été réticents. Les Portugais par exemple, dans leur majorité, préfèrent transmettre leur langue à l'intérieur de leurs propres associations. La plupart des parents maghrébins, comme les autres, souhaitent que leurs enfants apprennent l'anglais ou l'allemand plutôt que l'arabe : 6,56 % des enfants appartenant à des familles maghrébines étudient l'arabe à l'école[2]. L'école française a gardé, de fait, la même fonction de socialisation et d'intégration des enfants d'origine étrangère, que l'idéologie dominante soit celle de l'«assimilation» ou de l'«intégration».

L'ensemble du Code de la nationalité conduit à ce que la majorité des garçons d'origine étrangère, scolarisés en France, fassent leur service militaire. On sait que, dans bien des cas, l'armée donne une nouvelle occasion de formation à des jeunes ayant quitté le système scolaire sans diplôme et que son action prolonge celle de l'école. Les municipalités, de leur côté, se sont toujours efforcées de ne pas constituer de ghettos d'étrangers sur le modèle américain, de pratiquer ce que Serge Bonnet, à propos de la Lorraine sidérurgique, a appelé la politique des « grumeaux », non des ghettos. De ce point de vue, le mythe du « seuil de tolérance » a eu l'effet bénéfique de renforcer et de justifier la politique qui avait été suivie depuis des générations en Lorraine.

En ce qui concerne les mœurs familiales, Jocelyne Streiff-Fénart n'a pas tort de constater que

la pression qu'exerce l'ensemble du corps social français pour contraindre les familles maghrébines à se conformer à nos valeurs familiales montre à l'évidence que l'idéologie dominante reste, en dépit des tentatives de réhabilitation des cultures le plus souvent

1. S. BOULOT et D. BOYZON-FRADET, « L'école française : égalité des chances et logiques d'une institution », *Revue européenne des migrations internationales*, vol. 4, I, 2, 1988, pp. 49-81.
2. Br. ÉTIENNE, témoignage devant la Commission de la nationalité, *Rapport*, t. I, p. 138.

réduites à leurs aspects folkloriques, celle de l'assimilation culturelle des étrangers [1].

La politique de francisation des populations immigrées ou d'origine immigrée, malgré des inflexions qui sont restées symboliques (l'enseignement des langues et cultures d'origine), n'a pas fondamentalement changé.

L'exemple des Pays-Bas est du même ordre. Dans les années 1970, convaincu que les Surinamois et les Moluquois n'étaient pas destinés à s'établir aux Pays-Bas, soucieux de respecter leur particularisme, le gouvernement avait adopté une politique « pluraliste », dite « d'intégration avec conservation de la propre identité ». La langue d'origine, en particulier, était enseignée aux enfants des immigrés. Le changement est intervenu au cours des années 1980, quand on a pu constater, d'une part, que la majorité des jeunes participaient de fait à la vie de la société néerlandaise, dans laquelle ils avaient été socialisés, et, d'autre part, que le respect des cultures d'origine risquait d'aller « jusqu'au point où les jeunes de la seconde génération ne savaient pas assez bien le néerlandais pour trouver du travail » [2]. L'évolution des populations d'origine immigrée et les effets pervers de la politique pluraliste ont convaincu le gouvernement néerlandais d'adopter de nouvelles dispositions, dont le but reconnu soit l'intégration des immigrés. Quelles qu'aient été les « facilités » accordées sur le plan culturel et religieux, il a été désormais admis que «l'identité culturelle des minorités ne pourra en principe être respectée que dans la mesure où elle n'est plus incompatible avec la notion d'intégration » [3].

Tout statut de minorité reconnu et discriminatoire est contraire au principe de l'égalité démocratique. Comme l'a justement remarqué Selim Abou, dans les sociétés démocratiques, qui ne peuvent admettre le principe de l'inégalité des divers groupes, il n'y a pas le choix entre une politique dite « d'assimilation »

1. J. STREIFF-FÉNART, « Le mariage, un moment de vérité de l'immigration familiale maghrébine », *Revue européenne des migrations internationales*, I, 2, 1985, p. 132.

2. H. ENTZINGER, « Les Pays-Bas entre une stratégie pluraliste et une stratégie intégrationniste », *in* G. VERBUNDT, *Diversité culturelle, société industrielle et État national*, L'Harmattan, 1984, p. 183.

3. ID., *Ibid.*, p. 184.

— c'est-à-dire d'intégration — et une politique de promotion du pluralisme culturel. L'instauration d'un État pluriculturel et plurilingue sans prédominance d'une langue et d'une culture déterminées est une vue de l'esprit [1]. Même dans les pays comme le Canada et l'Australie qui font du multiculturalisme une doctrine officielle, ce qu'on constate dans les faits, c'est le caractère marginal et symbolique de l'action dite « multiculturelle » et le maintien des formes de la vie politique et économique dominante, de source anglaise et protestante, en Australie, et de source anglaise et française, au Canada [2].

Quant aux processus par lesquels les populations, immigrées ou non, acquièrent progressivement les normes de la société dans laquelle elles vivent, quelle que soit la politique suivie, ils échappent aux volontés des politiques et aux effets des modes idéologiques. La culture ne doit pas être réifiée, considérée comme un acquis. C'est un processus au cours duquel les individus — immigrés ou non — acquièrent, perdent, renouvellent, élaborent, interprètent et réinterprètent des éléments divers. Toute constitution d'identité est un procès dynamique d'élaboration culturelle. C'est pour marquer ce caractère dynamique que le terme d'acculturation me paraît préférable à celui de culture. Il permet aussi de rappeler que l'acculturation des migrants n'est qu'un cas particulier d'un phénomène général (personne n'*a* une culture, chacun élabore sa propre culture), même si, bien évidemment, ces réélaborations prennent, dans le cas des migrants, des formes spécifiques. À considérer les processus d'acculturation, la politique de la période dite d'« assimilation » n'a pas été différente de celle de la période où dominaient les discours de la « France plurielle ». L'origine nationale a toujours été, avec les origines régionales et sociales, les appartenances religieuses, l'une des sources des diversités de la population française.

Il importe donc de distinguer entre les idéologies et la réalité des politiques et des processus sociaux et de ne pas importer directement les concepts de la vie sociale dans l'analyse sociologique.

1. S. Abou, « L'insertion des immigrés, approche conceptuelle », *in* I. Simon-Barouh et P.-J. Simon (dir.), *Les Étrangers dans la ville*, L'Harmattan, 1990, p. 136.
2. Fr. Hawkins, « Multiculturalism in Two Countries : The Canadian and Australian Experience », *Journal of Canadian Studies*, 17, 1, 1982, pp. 64-80.

Les conflits politiques et les discussions scientifiques ne sont parfois que des discussions de mots. Dans la période de la politique d'«assimilation» triomphante, la société française était «multiculturelle», si l'on entend par là que les populations gardaient des spécificités en fonction de leur appartenance sociale ou de leur origine régionale ou nationale. Les populations étrangères ou d'origine étrangère, en particulier, n'ont jamais adopté toutes les normes de la société d'installation et continuaient à se référer à leur pays d'origine. À condition de ne pas oublier que les représentations font partie de la réalité objective, le sociologue doit distinguer entre les réalités sociales et la perception qu'en prennent les acteurs sociaux. La coïncidence entre la communauté de culture et la volonté politique ne fut jamais qu'une idée ou un idéal.

PAYS D'OUTRE-MER ET ÉTATS-NATIONS EUROPÉENS

Les modes d'intégration, les moyens de transcender les différences objectives de la population varient selon l'histoire de la construction de la nation, comme l'a montré la comparaison des droits de la nationalité dans les pays européens. Mais ils varient aussi selon qu'il s'agit d'un pays qui s'est fondé outre-mer autour d'un projet d'immigration, pour construire une nouvelle nation, ou d'un État-nation européen, qui, en dépit de l'immigration, se pense, se conçoit et s'affirme comme un pays unitaire, enraciné depuis des siècles. Dans les pays d'outre-mer, aux États-Unis ou en Argentine par exemple, le fait de l'immigration a été pris en compte par l'idéologie nationale, pas en France, pays d'immigration qui s'ignore (ou qui s'ignorait).

À partir de cette définition de la nation, on est conduit à repenser les concepts de la sociologie des migrations. Aucune réflexion sur la réalité nationale ne peut négliger les mouvements migratoires, qui sont l'une des sources de la formation de la population nationale. Le sens des migrations, à son tour, change selon l'histoire nationale. C'est parce que les formes de l'intégration nationale sont différentes en France et aux États-Unis qu'il ne faut pas importer sans les critiquer les concepts élaborés dans la société et la sociologie américaines.

L'utilisation en France, sans critique préalable, des concepts forgés dans un pays où ni la réalité ni les représentations de la nation et de l'immigration ne sont les mêmes risque d'induire les résultats de la recherche. L'ambiguïté des termes d'« assimilation », d'« intégration », d'« insertion », de « communautés culturelles » ou de « groupes ethniques », dans les discours politiques et dans la littérature scientifique, est suffisamment grande pour qu'il soit nécessaire d'expliciter le sens dans lequel on les utilise. Combien de débats intellectuels et de conflits politiques autour de l'assimilation, de l'intégration ou de l'insertion de telle ou telle population deviendraient sans objet si l'on acceptait de définir ces termes avant de les utiliser !

L'intégration américaine s'est formée autour d'un consensus proprement politique, où le respect de la Constitution joue un rôle essentiel et qui laisse subsister les groupes d'origine nationale, sous forme de « communautés culturelles » ou de « groupes ethniques ».

Les « communautés » y désignent des groupes d'individus, partageant une même culture, non pas transportée mais reconstituée en une identité nouvelle à partir de bribes ou de souvenirs, pour créer, par exemple, comme l'ont écrit Thomas et Znaniecki, « une nouvelle société polono-américaine à partir des fragments séparés de la société polonaise encastrés dans la société américaine »[1]. Elles sont organisées autour d'institutions communes (synagogues, églises polonaises ou italiennes, associations culturelles ou de bienfaisance, organisation politique à l'intérieur des deux grands partis, etc.) et reconnues en tant que telles dans la vie sociale. La meilleure preuve en est que, depuis 1969, le recensement national (Current Population Survey) interroge sur l'appartenance ethnique, sous la forme d'une question sur *origin or descent*. Depuis 1963, le National Opinion Research Center pose aussi une question sur *religious and national background*, en croisant les réponses aux deux questions : « *From what countries or what part of the world did your ancestors come from ?* » et : « *What is your religion ?* » (ceux qui donnent plus d'une réponse sont clas-

---

1. Cité par St. BEAUD et G. NOIRIEL, « "L'assimilation", un concept en panne », *Revue internationale d'action communautaire*, septembre 1989, pp. 46-63.

sés en *mixed*). Ces «communautés», définies par leur culture commune, interviennent dans la vie politique en tant que «groupes ethniques», définis par leur conscience et leur action collectives. Officiellement reconnus, les «groupes ethniques» défendent ouvertement les intérêts de leurs membres à l'intérieur de la vie américaine : par exemple, l'appartenance à tel ou à tel groupe ethnique donne des droits sociaux, selon la politique de l'*affirmative action*. Au cours des années 1970, des centaines de programmes d'études spécialisées furent organisés pour les Noirs ou les Chicanos. Les Hispanics ou les Asiatiques ont pu être aussi bénéficiaires de mesures éducatives spéciales. Sans doute, les groupes raciaux, religieux, linguistiques ou nationaux n'y sont pas légalement reconnus comme entités politiques (c'est pourquoi M. Gordon parle de *liberal pluralism*[1]), mais l'*ethnicity* est socialement et même politiquement reconnue. Les lobbies grec, turc ou juif, officiellement installés dans leurs bureaux de Washington, interviennent en tant que tels dans la définition de la politique intérieure et extérieure. Il paraît normal que les Grecs-Américains (le terme est en lui-même significatif) agissent contre la vente d'armes à la Turquie, alliée des États-Unis, et les Indo-Américains, contre l'appui militaire donné au gouvernement du Pakistan, que le lobby juif participe à la définition de la politique à l'égard d'Israël, à condition, comme l'a montré M. Wiener, qu'il agisse dans le contexte légal, institutionnel et idéologique américain[2]. Les lobbies interviennent, selon les cas, de trois manières. Ils peuvent défendre leur pays d'origine, comme le font l'Union indienne, Israël (même si les juifs américains n'en viennent pas, Israël joue le rôle de pays d'origine) ou la Grèce. Ils peuvent, au contraire, s'efforcer de faire intervenir les États-Unis contre le gouvernement de leur pays d'origine qui ne respecte pas les droits de l'homme : c'est le cas des Américains originaires de l'Europe communiste, des Vietnamiens, des Laotiens ou des Coréens du Sud. Dans le dernier cas, celui des Arméniens,

1. M. M. Gordon, «Theory of Racial and Ethnic Group Relations», *in* N. Glazer et P. Moynihan (éd.), *Ethnicity, Theory and Experience*, Harvard University Press, 1975, p. 105.
2. M. Wiener, «Asian Americans and American Foreign Policy», *Revue européenne des migrations internationales*, V, 1, 1989, pp. 97-107.

des Irlandais, des Croates, des Sikhs ou des Tamouls, ils peuvent souhaiter cette intervention, parce que ce gouvernement opprime la minorité à laquelle ils appartiennent. La tradition de la démocratie américaine leur reconnaît le droit de faire pression sur leurs représentants au Congrès, d'invoquer à cette occasion les droits de l'homme et le principe de l'autodétermination, pour leur pays ou pour leur région d'origine.

Je garde des réticences à l'égard des termes de « communautés » et de « groupes ethniques » pour traiter du cas de la France (à moins, bien entendu, qu'on ne définisse le sens dans lequel on les emploie). Rien ne prouve que les modes d'intégration dans la société américaine ne sont pas propres aux États-Unis, rien ne prouve qu'ils constituent un modèle universel. La tradition politique en France a toujours refusé la conception américaine de l'« ethnicité ». Dans l'école, dans l'entreprise, dans le syndicat (qu'il s'agisse de gestion ou de revendication), la dimension « ethnique » n'a jamais été prise en compte, même si les pratiques sociales ne suivaient pas toujours scrupuleusement ce principe. Ce n'est pas un hasard s'il ne s'est pas constitué en France de véritables ghettos de populations immigrées issues d'un même pays, sur le modèle des quartiers noirs, italiens ou « hispaniques » aux États-Unis, si, dans les quartiers pauvres, les populations étrangères issues de différents pays se mêlent aux Français appartenant aux mêmes milieux sociaux. La promotion des Français d'origine étrangère s'est faite individuellement et non collectivement par des groupes organisés en collectivité. Savoir si l'évolution de la nation aujourd'hui et les caractéristiques des nouvelles populations immigrées risquent de conduire à un nouveau pacte politique, dans lequel des « groupes ethniques » interviendraient en tant que tels, constitue l'un des objets des recherches qui doivent être menées sur les populations immigrées ou d'origine immigrée. Mais, en utilisant sans critique préalable les concepts américains, on postule ce qu'il faut démontrer ou infirmer. S'il l'on qualifie de groupe ethnique tout groupe de population conservant des traits culturels communs du fait d'une même origine nationale, sans analyser s'il a conscience de constituer un groupe ni s'il participe ou souhaite participer à la vie nationale en fonction de cette origine, l'enquête révélera évidemment l'existence de groupes ethniques : le sociologue ne pourra manquer de constater qu'effectivement les populations portugaises ou algériennes (ou d'origine portugaise ou algérienne) gardent des traits spécifiques. Mais c'est précisément sur la manière dont elles participent à la vie politique nationale, tout en maintenant cette spécificité, que doit porter l'interrogation. Il faut analyser l'évolution du rapport entre l'État, la culture nationale et les groupes particuliers, en ne préjugeant pas des résultats de la recherche par l'utilisation incontrôlée de concepts élaborés dans une autre tradition intellectuelle et politique.

L'ensemble de la réflexion théorique sur les procès d'«assimilation» reste étroitement lié à l'expérience américaine. L'exemple de l'ouvrage le plus ambitieux sur ce plan est significatif[1]. Il distingue sept types ou étapes de l'assimilation d'un groupe particulier dans une «société d'accueil». La première, appelée «assimilation culturelle», désigne la phase de l'adoption par le groupe minoritaire des modèles culturels de la société d'accueil. La deuxième, ou «assimilation structurelle», décrit l'entrée des membres du groupe particulier dans les groupes primaires (bandes, clubs ou associations). Dans la troisième phase, celle de l'«assimilation conjugale», les minoritaires choisissent leur conjoint en dehors de leur groupe d'origine. Durant la quatrième phase, «identificatoire», les individus s'identifient désormais avec la société d'accueil. La cinquième phase désigne la situation dans laquelle le groupe minoritaire ne rencontre plus d'hostilité à son égard; dans la sixième phase, il ne subit plus de discrimination. Enfin, dans la dernière, il connaît l'assimilation «civique» : il n'existe alors plus de conflit politique entre le groupe minoritaire et le reste de la société. À partir de cette typologie, M. Gordon parvient à deux conclusions essentielles : 1) l'assimilation culturelle («acculturation» dans mon vocabulaire) survient la première; 2) elle peut advenir seule, sans aucune autre forme d'assimilation et, dans ce cas, elle se prolonge indéfiniment.

Malgré leurs limites — en particulier, le problème des effets

---

1. M. M. Gordon, *Assimilation in American Life, the Role of Race, Religion and National Origins*, New York, Oxford University Press, 1964.

des groupes minoritaires sur la société globale n'est pas envisagé —, ces analyses ont le mérite de montrer les dimensions différentes des processus d'«assimilation» selon Gordon, que je qualifie d'acculturation et d'intégration. Mais il est clair qu'elles sont étroitement liées à l'exemple américain, non seulement par le rôle accordé aux associations organisées pour définir la deuxième phase, mais par l'analyse de l'acculturation sans intégration de certains groupes qui se prolonge indéfiniment : il s'agit très précisément de la société américaine fondée sur les *ethnic groups*. M. Gordon insiste sur le cas des Noirs, acculturés à la culture américaine, mais qui, en 1964, n'avaient franchi aucune des autres étapes de l'assimilation. Les Noirs portent à l'extrême la forme spécifique de la société américaine. Il n'est pas sûr que ce modèle des relations entre groupes d'origine raciale, religieuse ou nationale différente puisse permettre d'analyser le cas des sociétés européennes, et en particulier de la France, fondées sur l'unité culturelle et politique.

De manière générale, tous les travaux sur l'ethnicité aux États-Unis tendent à surestimer les différences : toutes les mesures utilisées, qu'il s'agisse des relations sociales ou de l'endogamie, se réfèrent à une idée de société parfaitement fluide, qui n'a jamais correspondu à la réalité. En isolant le facteur «ethnique», elles tendent, par l'effet quasi mécanique de la statistique, à le surestimer et à empêcher de poser le problème de la perpétuation de l'«ethnicité» par rapport à d'autres divisions de la société, en particulier sociales.

L'intégration nationale française est de type différent. En particulier, la politique nationale continue à ne pas admettre la représentation politique des groupes nationaux *en tant que tels*. C'est la différence la plus frappante avec les États-Unis. Les Français d'origine polonaise ont, peut-être plus que les autres, réagi au coup d'État de Jaruzelski de décembre 1981, mais peut-on imaginer qu'ils soient intervenus pour que le gouvernement envoie des canonnières défendre Solidarnosc ? Les innombrables associations portugaises n'ont pas de rôle politique ; elles n'interviennent auprès des autorités locales que pour traiter de leurs problèmes de gestion quotidienne. Les militants parmi les jeunes nés de parents immigrés, quant à eux, sont passés de la Marche pour les beurs, en décembre 1983, à l'action pour l'inscription sur les listes électorales des jeunes issus de l'immigration, en 1986, au militantisme dans les partis de gouvernement (du Parti socialiste au R.P.R.) et à l'obtention de places en position d'éligibles sur les listes aux élections municipales et européennes en 1989. Cette évolution ne s'est pas faite sans conflits ; bien des jeunes d'origine maghrébine ont critiqué l'« universalisme » du combat, la politisation de S.O.S.-Racisme et le rôle que jouaient les juifs dans le mouvement. Pourtant, S.O.S.-Racisme et France-Plus, malgré leurs différences, ont eu la même fonction sociale de faire participer, réellement et symboliquement, les jeunes nés de parents émigrés à la vie politique française sur une base non pas « ethnique », mais universelle. Ils n'ont pas créé un parti regroupant les Français de telle ou telle origine, ni l'ensemble des jeunes issus de l'immigration. Pour l'instant, ils prolongent ce qui a toujours été le mode d'intégration traditionnelle : la mobilité et la participation à titre individuel et non collectif, la non-reconnaissance des groupes particuliers dans la sphère du politique. C'est d'ailleurs ce que démontre le remplacement, dans les débats politiques, de la formule du « droit à la différence » par le « droit à l'égalité » ou le « droit à l'indifférence ». Qu'est-ce, sinon l'invocation en termes modernes du principe national de l'intégration autour des valeurs proclamées depuis la Révolution et fondatrices de la légitimité politique ? Comme le concept de « groupe ethnique », celui de « vote ethnique », de « vote musulman » ou de « vote juif » implique la réalité du phénomène, dont l'existence doit être éventuellement démontrée par l'enquête.

C'est, entre autres raisons, justement parce que l'immigration, minimisée ou ignorée par la conscience collective, a été constitutive de la nation que les débats autour de la présence et de la participation des populations étrangères ou d'origine étrangère sont en France plus particulièrement chargés de passions. L'opinion a jugé scandaleux au début de l'année 1990 que les fichiers de police mentionnent l'origine « ethnique ». C'est aussi la raison pour laquelle, plus que dans tout autre sujet, il importe, avant toute analyse à ambition scientifique, de soumettre les concepts à la réflexion critique : les mêmes termes sont employés dans la langue scientifique et font l'objet des conflits politiques. Étant donné la violence des conflits et le caractère souvent approximatif de la réflexion scientifique sur ces sujets, il ne paraît pas inutile de préciser à nouveau pourquoi et dans quel sens j'utiliserai deux des concepts essentiels de la sociologie des migrations et des contacts de culture.

Acculturation et intégration

Il me paraît préférable d'éviter le concept d'assimilation, particulièrement chargé de valeur, qui semble impliquer l'idée que les individus et les groupes perdent toutes leurs spécificités d'origine, et de parler d'acculturation, concept neutre, pour désigner les processus de réinterprétation, au sens des anthropologues, par lesquels les populations issues de l'immigration adoptent (ou adoptent partiellement ou refusent d'adopter) les comportements et les attitudes explicitement ou implicitement exigés par la société d'installation. Outre sa neutralité, ce concept, en soulignant l'idée de processus et d'élaboration culturelle, me semble remplacer avantageusement celui de culture, qui risque toujours de conduire à la réification[1]. Il va de soi que son utilisation n'implique pas qu'on accorde une valeur positive à ces processus, ni qu'ils soient progressifs ou linéaires. Il est vrai, d'autre part, que le processus n'est pas à sens unique et que les émigrés participent aussi à l'élaboration de la culture nationale, qui n'est elle-même pas un donné[2]. Mais, dans le cas des migrations que les pays européens ont connues depuis la Seconde Guerre mondiale, l'apport des deux parties est inégal. Les migrants, effectivement, ne sont pas des objets manipulés par un système ; ils sont les acteurs d'une dynamique sociale, dans la mesure où, on le verra dans un chapitre suivant, le projet migratoire est aussi un projet d'accès à la modernité. Mais les relations culturelles et politiques qu'ils établissent avec la société d'installation ne sont pas égalitaires ; ils sont confrontés à une entité historique, politique, culturelle déjà constituée.

1. J'évite également le terme de «transculturation», qui évoque l'idée de passage entre deux cultures elles-mêmes réifiées. Cf. A. Vasquez, A. M. Aralugo, *Exils latino-américains*, L'Harmattan, 1988.
2. M. Oriol, A. Sayad, P. Vieille, «Inverser le regard sur l'émigration-immigration», *Peuples méditerranéens*, n° 31-32, avril-septembre 1985, pp. 5-21.

Je garderai le concept d'intégration, utilisé dans ma définition de la nation, pour désigner les formes de participation de ces populations à la société globale, par l'activité professionnelle, l'apprentissage des normes de consommation matérielle, l'adoption des comportements familiaux et culturels.

Je n'ignore pas le danger d'utiliser un terme qui est devenu un enjeu quotidien de la vie politique. Je me réfère toutefois à l'utilisation qu'en ont faite les sociologues «classiques», qui s'interrogeaient sur la cohésion des sociétés modernes. Le concept d'intégration est issu de la tradition sociologique, qui s'interroge sur la formation et le maintien du collectif, sur les rapports de l'individu et du groupe. Or il comporte une triple imprécision : il désigne selon les cas un processus ou un état ; il est parfois utilisé pour caractériser la société dans son ensemble (ce qu'on pourrait appeler l'intégration *de* la société), dont traitent en particulier les anthropologues classiques américains, ou la relation des individus à la société, comme dans la sociologie des migrations ou de la délinquance (l'intégration *à* la société) ; enfin, il pose le problème du rapport entre un sens purement quantitatif (le nombre des relations qui s'établissent entre les individus à l'intérieur d'un groupe) et la normativité.

Durkheim a pensé l'intégration *de* la société comme le produit de l'intégration des individus *à* diverses instances, famille, Église, groupe professionnel ou société politique. On connaît le rôle qu'il souhaitait accorder aux corporations comme lieu d'intégration entre ouvriers et patrons, sa définition du suicide altruiste par excessive intégration (l'armée, par exemple), celle du suicide égoïste par insuffisante intégration de l'individu à un groupe. L'intégration *de* la société venait, selon lui, de la juste intégration, ni excessive ni trop faible, des individus *aux* groupes particuliers. Dans *L'Éducation morale*, où il formule les conditions de l'intégration sociale, il indique l'«attachement aux groupes sociaux», mais aussi l'«autonomie de la volonté», grâce auxquels se maintiendra le nécessaire «esprit de discipline».

Pour les sociologues américains de la déviance, qui se sont attachés à l'étude de la transgression des normes, l'intégration de la société apparaît *a contrario* comme le produit du respect des normes collectives, grâce à l'intériorisation des valeurs impliquées par ces normes. En adoptant l'anomie comme concept central, ils tendaient à assimiler intégration et régulation, à faire de l'intégration le produit de la conformité des pratiques et des conduites des individus aux règles de la société globale. L'intégration *de* la société dans son ensemble devenait le produit de l'intégration des individus *aux* sous-systèmes. L'utilisation des taux de criminalité, de divorce, d'illégitimité ou de suicide pour mesurer la déviance montre bien la conception normative de l'intégration. La théorie des modes d'adaptation individuelle de Merton et celle de Parsons portent, l'une et l'autre, sur les attitudes de conformité ou de déviance des individus par rapport aux règles communes. On retrouve, dans la littérature consacrée à la délinquance, la même conception de l'intégration *de* la société par la conformité des comportements des individus *à* un système de normes. On oppose, dans le cas des délinquants, les contradictions entre leur forte intégration à un sous-groupe (par socialisation et intériorisation des normes de la culture délinquante) avec leur non-intégration à la société globale, dont les valeurs et les normes sont différentes. La mauvaise intégration des délinquants à la société globale vient de leur bonne intégration à un sous-système dont ils ont intériorisé les valeurs et respectent les normes, contraires à celles de la société. Les théoriciens du *labelling*, en insistant sur l'effet de l'action des instances de contrôle pour renforcer la déviance, se réfèrent à une même définition de l'intégration *de* la société comme produit de la conformité des conduites des individus *à* un système de normes posées et contrôlées par des instances spécifiques organisées par la « société globale ».

Cette intégration par conformité reste de toute évidence une source essentielle de la permanence des liens sociaux. Ce qui apparaît toutefois comme spécifique des sociétés modernes, c'est l'affaiblissement de la contrainte qu'exercent les institutions établies en tant que telles, la multiplication des instances de légitimation, le rôle croissant des individus dans l'élaboration des règles communes. L'intégration est d'abord le produit de l'élaboration, souvent conflictuelle, de normes concurrentes issues de groupes divers. Elle procède des conflits, des négociations et des compromis entre des systèmes de règles concurrents, qui peuvent porter sur les règles elles-mêmes [1]. L'objet premier de la sociologie cesse d'être « la société », pour devenir l'action collective des acteurs sociaux. C'est cette évolution de la réalité sociale qui a conduit les sociologues à faire du concept de régulation, c'est-à-dire de la production des règles, le concept essentiel pour penser la constitution et le maintien du lien social.

Je continuerai toutefois à utiliser le concept d'intégration, mais en soulignant qu'il s'agit, comme pour celui d'identité, d'un « concept horizon » plus que d'un concept opératoire,

> une sorte de foyer virtuel auquel il nous est indispensable de nous référer pour expliquer un certain nombre de choses, mais sans qu'il ait jamais d'existence réelle [2].

Je l'emploierai donc dans ce sens — l'intégration nationale —, mais j'analyserai dans la troisième partie de manière plus précise les formes que prend la participation à la vie collective et en particulier à l'activité de régulation. Il faut également préciser qu'il désigne non un état, mais un processus. Enfin, il faut souligner qu'il n'implique pas l'existence d'un processus unique. Il existe des dimensions diverses de l'intégration. Les individus et les groupes peuvent être intégrés selon des modes variés. La participation à la vie collective n'est ni uniforme ni égale pour tous les groupes, elle ne suit pas une direction unique, elle ne peut jamais être complète.

Le concept d'intégration, utilisé dans ce sens, comporte deux avantages. Il rappelle qu'il existe divers modes de participation à la société moderne, où la multiplicité des rôles et des identités — en quoi on peut voir l'une de leurs caractéristiques — permet de combiner de manière originale le respect de modèles différents dans la participation à la vie professionnelle, dans les rôles familiaux, dans les diverses instances de la vie collective. Il existe non des niveaux (terme qui suggère une progression linéaire), mais des *modes* différents d'intégration. Comme le concept d'acculturation, il souligne d'autre part, ce qui me paraît essen-

---

1. J.-D. Reynaud, *Les Règles du jeu, l'action collective et la régulation sociale*, Armand Colin, 1989.
2. Cl. Lévi-Strauss, *L'Identité*, Grasset, 1977, p. 332.

tiel, que les émigrés, par leurs caractéristiques, posent, de manière plus aiguë et plus visible, le problème de l'intégration, que les sociologues classiques ont toujours posé à propos des sociétés modernes, dont l'unité n'est plus fondée sur une foi commune.

Pour toutes ces raisons, il me paraît préférable à deux autres concepts de la sociologie des migrations : adaptation et insertion. La compréhension du premier est faible : tout individu psychologiquement normal « s'adapte » à la société dans laquelle il est présent. Le terme d'insertion, apparu récemment pour des raisons politiques, est employé par divers auteurs dans des sens différents. Selim Abou[1] en fait le simple synonyme de « participation par la présence », alors que Gilles Kepel lui donne le sens de la participation collective sur le modèle américain des *ethnic groups*[2]. Bien que chacun soit libre d'utiliser les concepts comme il l'entend, à condition d'expliciter le sens qu'il leur donne, je préfère, en ce qui me concerne, éviter un concept supplémentaire et m'en tiendrai au terme d'intégration, pour désigner les divers processus par lesquels les immigrés comme l'*ensemble* de la population réunie dans une entité nationale participent à la vie sociale. L'intégration des immigrés est un cas particulier de l'intégration nationale, même si, bien entendu, elle a des caractères spécifiques et ne se confond pas avec celle des populations régionales ou celle des marginaux.

D'autre part, j'éviterai d'utiliser le terme de « communauté » pour la France. L'usage courant de la « communauté juive », de la « communauté musulmane » ou de la « communauté arménienne », qui emprunte au modèle américain, est inadapté pour la France. L'utilisation de ce concept implique la réalité dont l'enquête doit établir ou infirmer l'existence. Je garderai l'expression de « liens communautaires » pour désigner les relations interpersonnelles particulières que conservent éventuellement les individus de même origine, ou de « stratégies communautaires » pour traiter de l'utilisation par certains responsables ou militants de la référence à une même origine dans leurs affirmations identitaires et leurs négociations à l'intérieur de la société française.

1. S. Abou, art. cit., p. 126.
2. G. Kepel, *Les Banlieues de l'islam*, Le Seuil, 1987.

L'INTÉGRATION À LA FRANÇAISE

L'exemple de la France peut être considéré comme privilégié pour étudier la nation moderne. C'est en Angleterre et en France que sont nées les nations. La centralisation politique, l'effort poursuivi pendant des siècles pour confondre l'unité politique et l'unité culturelle, pour construire l'unité culturelle par l'unité politique font de la France, pour tous les historiens comparatifs, avec le Japon, l'État-nation par excellence. Les mécanismes de l'intégration nationale s'y révèlent d'autant mieux que la Révolution a permis, plus qu'ailleurs, de prendre conscience des continuités et des ruptures. De plus, contrairement aux autres pays européens, l'immigration depuis la Seconde Guerre mondiale s'est inscrite en France dans une longue histoire de migrations, constitutive de la population nationale. Pays de contrastes régionaux et d'immigration, la France est le produit d'une volonté politique. À travers ce qu'on peut appeler l'intégration à la française, c'est le processus même de l'intégration nationale et les fonctions sociales de la nation qu'on peut analyser.

Chacun sait que la nation proclamée comme source de la légitimité politique au moment de la Révolution est le résultat de l'action séculaire de la monarchie, qui, par une politique patiente d'héritages, de mariages et de conquêtes, a successivement réuni autour de la Couronne l'Île-de-France, les pays occitans, la Bretagne, l'Alsace, l'Artois, la Franche-Comté, etc., jusqu'à la Corse (1768) et Nice et la Savoie (1860). C'est d'ailleurs l'histoire même de la constitution de cette nation qui a donné son sens dramatique à l'amputation de l'Alsace et de la Lorraine, en 1871, et à l'idée de revanche son pouvoir mobilisateur. La Révolution, par son grand projet idéologique, a renforcé la force de ce projet collectif et la valeur qui lui était accordée. De plus, on l'a vu, la population française s'est constituée à partir des migrations. La France est, du point de vue de la démographie, un cas unique : la limitation des naissances y a commencé un siècle plus tôt que dans les autres pays européens. La faiblesse de la fécondité a imposé de recruter en dehors des frontières des ingénieurs anglais et allemands, des ouvriers belges, italiens, espagnols, polonais, arméniens, portugais et maghrébins, pour ne citer que les vagues d'immigration les plus nombreuses, et de transformer leurs enfants en citoyens français, soumis à l'obligation militaire.

La faiblesse démographique posait un problème d'autant plus préoccupant que la nation, depuis la Révolution, nourrissait un projet politique ambitieux, à prétention universelle. Il n'est pas peu paradoxal qu'elle ait construit un empire colonial, alors que la population métropolitaine ne se reproduisait qu'avec l'aide de l'immigration. L'effort vers l'unification politique, économique et culturelle, qui a caractérisé tous les mouvements nationalistes européens au XIXe siècle, a été particulièrement intense dans la France républicaine de la IIIe République, État-nation par excellence, qui héritait du travail de centralisation politique et culturelle de la monarchie, renforcée par la Révolution et l'action jacobine. L'unité nationale se fondait et s'affirmait par l'unité culturelle, manifestée par l'emploi d'une même langue et la référence à une histoire commune. J'ai moi-même montré les effets, sur l'acculturation des populations immigrées, de la confusion, dans la tradition politique, de l'unité nationale et de l'unité culturelle [1]. Tout particularisme, breton, corse, juif ou italien, apparaissait comme une menace objective à l'unité nationale. Les diverses instances nationales de socialisation, l'école, l'armée, et même les syndicats et les partis de gauche, eurent pour objectif et pour effet de transformer les Bretons et les Corses, les enfants des immigrés juifs ou italiens en citoyens de la République, partageant les mêmes valeurs patriotiques. L'Église catholique elle-même, tout en s'opposant à la « gueuse », faisait référence à l'autre idée de la France, celle de la fille aînée de l'Église. La promotion des populations d'origine étrangère s'est faite non pas collectivement comme aux États-Unis, mais individuellement comme pour les autres citoyens français [2]. Parce qu'elle a connu depuis près de deux siècles une immigration nombreuse, qu'ignoraient

1. D. SCHNAPPER, « Centralisme et fédéralisme culturel : les émigrés italiens en France et aux États-Unis », *Annales E.S.C.*, octobre 1976, pp. 1140-1160.
2. *Le Républicain lorrain* (30 janvier 1990) mentionne Patrick Rezzonicco, qui, pris de passion pour le patois piennois, déclare : « J'essaie de sauver le patrimoine de mes ancêtres. »

les autres pays européens, la tradition politique française bénéficie aujourd'hui de cette expérience : la législation de la nationalité particulièrement libérale, le caractère autoritaire et centralisé
de l'enseignement primaire (qui se révèle aujourd'hui encore plus
efficace pour socialiser les enfants d'origine étrangère que les systèmes britannique ou allemand) constituent probablement des atouts
dans le procès d'intégration nationale. C'est cette politique, appliquée, dans les régions et dans les colonies, aux immigrés, aux
Corses et aux Bretons, qu'on a appelée, selon un terme regretta-
ble, d'assimilation, parce qu'il semble indiquer qu'il existe une
essence *du* Français devant laquelle chacun serait amené à perdre toute spécificité et, surtout, parce qu'il suggère qu'une autre
politique serait possible et néglige le fait essentiel qu'il s'agit du
processus même de l'élaboration nationale.

Elle comporte par définition des formes de contrainte et de violence. Comme toute œuvre historique, la nation a été à la fois
destructrice et créatrice. Aucun grand État ne s'est constitué sans
recourir à la contrainte et sans absorber des unités plus étroites.
Toute unification politique et culturelle implique l'affaiblissement et la disparition de certains particularismes ou, en tout cas,
leur relégation dans l'ordre du privé, du folklore ou du résidu.
Les militants des régionalismes, dans les années 1970, ont évoqué avec indignation la lutte que l'école publique avait menée
pendant des décennies contre l'usage des patois. Les jeunes juifs
critiquent aujourd'hui volontiers la politique jacobine préconi-
sée par l'abbé Grégoire, qui, quelles que fussent ses intentions,
a contribué à dissoudre certaines des traditions collectives et politiques des juifs. L'intégration des populations d'origine immigrée ne s'est pas faite non plus sans drames. Les historiens nous
rappellent justement les difficultés et les souffrances que surmon-
tèrent les immigrés des années 1880 ou des années 1930, soumis
aux violences xénophobes, telles que les véritables massacres d'Italiens qui eurent lieu à trois reprises, à Marseille, en 1881, à Aigues-
Mortes, en 1893, et à Lyon l'année suivante, à la suite de l'assas-
sinat du président Carnot par un anarchiste italien. Les grèves
du début du siècle dans les mines de fer de Lorraine furent plus
souvent anti-italiennes qu'anti-patronales. La xénophobie était
d'ailleurs d'autant plus forte qu'il s'agissait d'intégrer les popu-

lations étrangères : il est plus facile d'admettre l'altérité quand elle se pare d'exotisme et qu'elle est destinée à rester étrangère. L'expérience historique montre que l'hostilité devient plus violente quand les populations autres deviennent plus proches. Malgré des violences sporadiques et individuelles, qui provoquent chaque fois un sentiment de scandale justifié, nous n'avons pas connu l'équivalent depuis la Seconde Guerre mondiale.

La construction de la nation moderne, la mobilité sociale et la tendance à l'égalisation des chances qui lui sont liées impliquent de manière nécessaire des pertes et des acquisitions continues, en quoi se définit précisément l'acculturation. Ce n'est pas en refusant d'apprendre le français pour utiliser exclusivement l'hébreu ou le breton que les jeunes juifs ou les jeunes Bretons pouvaient mener un projet de mobilité à l'intérieur de la société française. Ces réélaborations ne peuvent être simplement condamnées comme autant de « génocides culturels ». L'État-nation permit aussi à tous les citoyens de participer à l'aventure de la modernité.

Un défi nouveau ?

Si l'on accepte ces analyses, on admettra que la présence de populations d'origine immigrée, autour desquelles se concentrent les interrogations sur l'identité française, parfois en termes dramatiques [1], ne fait que traduire ou occulter le véritable problème, celui de l'intégration nationale. Si les fonctions sociales de la nation triomphante du siècle dernier ont été d'intégrer des populations diverses, malgré l'absence de foi commune et l'individualisme croissant de leurs pratiques, en élaborant un système de connaissances, de normes et de valeurs spécifiques qui fondait une volonté politique commune, comment se comporte à cet égard la nation française de l'âge démocratique ? Le problème que pose la présence des immigrés est un aspect de cette interrogation générale.

Il importe de s'interroger d'abord sur les populations, sur la manière dont s'accroissent ou s'atténuent les différences qui les

---

1. Par exemple, le Club de l'horloge, *L'Identité de la France*, Albin Michel, 1985.

séparent et ensuite sur l'évolution du projet qui les unit : les interrogations sur l'intégration de telle ou telle population ne peuvent être traitées en dehors de l'évolution de la société en général.
S'il est bien vrai que le problème des immigrés n'est qu'un aspect
particulier, le plus « lisible » du problème de l'intégration nationale, c'est sur l'hétérogénéité sociale, régionale, religieuse de toute
la population, qu'il importe de s'interroger. On peut se demander si la société moderne, bourgeoise et pacifiée, a gardé la même
capacité d'intégration, qu'il s'agisse des immigrés ou des autres,
alors que le patriotisme déclinant, en tout cas dans ses expressions, ne transfigure plus la politique d'intégration. Les démocraties modernes, où la dimension économique et sociale semble
souvent prendre la place essentielle, ont-elles gardé, de ce point
de vue, le même pouvoir que la société française déchirée par
les conflits proprement politiques du xixᵉ siècle ?

Deuxième partie

DIVERSITÉS ET HOMOGÉNÉITÉ

CHAPITRE 3

Les « révolutions tranquilles »

Dans une nation qu'on peut appeler « contractuelle » ou « à la française », les responsables ont pour ambition de renforcer l'homogénéité culturelle qui contribue à fonder et à entretenir la dimension « communautaire » de toute nation. C'est tout le sens de l'action monarchique au long des siècles et de son effort pour imposer la langue française aux populations réunies au royaume de France, qui constituaient autant d'ethnies différentes. L'organisation de l'unité administrative, avec la création des départements, la promulgation d'un droit unique par Napoléon achevèrent de créer l'espace juridique et politique commun. Ce travail d'homogénéisation comporte des limites : c'est un processus jamais achevé, qui n'a jamais exclu le maintien des particularismes de toute nature. Ce que l'on examinera ici, c'est l'évolution des diversités dans la société démocratique moderne. Doit-on revenir, une fois encore, à la célèbre prévision d'Alexis de Tocqueville sur l'« uniformité universelle » des sociétés modernes, à cette « foule innombrable d'êtres pareils où rien ne s'élève ni ne s'abaisse » et voir dans ces formules le résultat du travail d'homogénéisation mené en France depuis des siècles par l'État-nation ?

Pour apprécier les termes de la dialectique entre l'uniformité et les différences, il faut en effet garder à la mémoire que la population nationale est, en France, l'héritière d'un long processus d'homogénéisation. Le prêche est moins ardent, lorsque les fidèles sont déjà évangélisés : si l'action de l'État n'a plus la même force ou la même efficacité qu'à d'autres époques, n'est-ce pas parce que la population française est aujourd'hui plus homogène qu'elle ne l'a jamais été ?

LANGUE ET RELIGION

La langue nationale est toujours une construction à demi artificielle, quand elle n'est pas entièrement inventée, comme l'a été l'hébreu, imposé à une population qui, pour 90 %, parlait yiddish. Elle n'était que l'une des dimensions des ethnies, mais Max Weber avait déjà remarqué que les exigences de la société moderne lui donnaient un rôle croissant. C'est sans doute pourquoi, au cours des années 1880, elle a été vue comme l'âme des nations et la justification essentielle des revendications nationales : plus qu'un simple instrument d'échanges, elle structure les modes de pensée et organise la perception du monde. En France, la monarchie, les révolutionnaires et les républicains des années 1880 ont successivement œuvré pour imposer la langue française aux dépens des langues locales et des patois. Eugen Weber a daté de la Première Guerre mondiale la pratique généralisée du français. En réalité, le retour de l'Alsace et de la Lorraine, en 1918, a réintroduit des provinces non francophones. Par ailleurs, les curés ont prêché en breton dans les campagnes du Finistère et des Côtes-du-Nord jusque dans les années 1960. Des langues se rattachant à l'occitan étaient encore parlées par les plus vieux des villages provençaux et languedociens jusqu'à la même date.

Dans la France de 1914, on pratiquait, outre le français, sept langues régionales (allemand, alsacien, breton, basque, occitan, catalan, corse). Elles sont aujourd'hui partout en régression[1]. Mais, s'il est difficile de dénombrer exactement ceux qui continuent à les utiliser, la pratique a désormais un sens différent. On ne parle plus le corse ou l'alsacien parce qu'on ignore le français, mais parce qu'on veut affirmer une identité. Dans les villages aujourd'hui, les retraités corses, qui maîtrisent tous la langue

---

1. M.-N. DENIS et C. VELTMAN, *Le Déclin du dialecte alsacien*, Presses universitaires de Strasbourg, 1989. P. MARCHETTI, *La Corsophonie, un idiome à la mer*, Albatros, 1990.

française après une carrière entièrement menée sur le continent, s'entretiennent en corse, comme les étudiants à Aix ou à Marseille, qui affirment ainsi leur identité et leur solidarité. Un directeur régional de l'administration pénitentiaire corse a réussi à régler pacifiquement une révolte de prisonniers où les Corses étaient majoritaires, en faisant appel dans leur langue commune à «l'honneur, la responsabilité, les questions d'homme». Selon son propre témoignage : «Dans ces moments-là, même la langue a des consonances d'affection» (*Libération*, 25 avril 1990). Dans l'enquête citée plus haut, on a noté que ce sont les membres des catégories les plus cultivées qui continuent à utiliser volontairement l'alsacien dans la vie de famille. L'usage des langues régionales est désormais inscrit dans la logique de l'affirmation identitaire et de la distinction sociale.

La meilleure preuve en est qu'elles sont l'objet d'un apprentissage savant dans les collèges ou à l'université. Le C.A.P.E.S. de breton a été créé en 1983, le C.A.P.E.S. de corse en 1988. À l'université de Corte, il existe, inclus dans le programme général, des cours d'histoire, de langue, d'histoire du droit corse et d'«ethnologie juridique et législation fiscale particulière à la Corse» à tous les niveaux de cursus de droit et de sciences économiques, couronnés par un D.E.S.S. d'«administration des collectivités territoriales et de développement local insulaire». L'U.F.R. des lettres, langues et sciences humaines comprend un cycle complet d'«études corses», jusqu'au niveau du D.E.A. Mais cet enseignement ne compense pas l'appauvrissement de la langue parlée dans l'île. Si, de leur côté, des émigrés maîtrisent mal le français, leurs enfants scolarisés dans les écoles de la République l'utilisent comme les autres. L'acquisition du français comme langue commune est désormais un fait acquis, et, de ce point de vue, l'homogénéité n'a jamais été si grande.

Dans le domaine religieux, au contraire, la diversité s'est accrue. La France, d'où tant de protestants avaient été expulsés en 1685, où les juifs ont été interdits de la fin du XIVe siècle jusqu'à la Révolution, est longtemps restée la fille aînée de l'Église catholique. Pendant la IIIe République encore, les protestants et les juifs formaient des groupes minoritaires très peu nombreux. Les «libres-penseurs» maintenaient les formes extérieures de l'appartenance au catholicisme. Dans les années précédant la Première Guerre mondiale, les enfants non baptisés, les mariages civils, les divorces, autorisés par la loi depuis 1882, mais condamnés par l'Église, restaient statistiquement marginaux. La France gardait une double référence et un double système de valeurs, selon lequel la France urbaine et industrielle, dont les valeurs étaient issues de la Révolution, s'opposait à une France terrienne, rurale et catholique, où le clergé et les notables continuaient à contrôler les pratiques collectives, au nom des valeurs traditionnelles. Mais, en dehors de la classe ouvrière, la France urbaine respectait majoritairement les rites de passage et les formes de la vie catholique.

On verra dans le sixième chapitre l'émiettement de l'Église catholique comme institution à la fois nationale et universelle, même pour les populations d'origine catholique, et la recomposition du champ religieux. Ce qu'il faut noter ici, c'est la présence et le rôle accru des religions « minoritaires ».

Malgré les retours massifs d'Afrique du Nord, les juifs continuent à ne représenter qu'un pourcentage faible de la population : de l'ordre de 1 %. Ce n'est pas cette proportion qui est significative, mais la volonté nouvelle d'affirmer une identité collective. Les juifs du xixe siècle, qui se nommaient eux-mêmes les « israélites », pour montrer leur attachement à la France, se conformaient, dans leur pratique (ou leur non-pratique), à une définition religieuse du judaïsme inspirée du catholicisme. La modernité politique avait imposé que fussent désormais séparées la dimension religieuse et la dimension « nationale ». Comme les autres religions, le judaïsme appartenait à la sphère du privé. Les pratiques se déroulaient à l'intérieur de la famille, autour de la célébration du *shabbat* et de la *cacherouth* pour les pratiquants, de la fréquentation de la synagogue et de la célébration des grandes fêtes pour les plus détachés. Dans l'espace public, les juifs agissaient en tant que citoyens.

Les événements de 1940 ont fait éclater le rapport enchanté que les juifs avaient entretenu avec l'État français, protecteur et garant des droits des populations minoritaires, avec la France, pays de la Révolution, des droits de l'homme et de l'émancipation des juifs. Cette rupture a remis en question la définition exclusivement religieuse du judaïsme. Le statut des juifs d'octobre 1940, aggravé par les lois postérieures, et la *shoah* ont inévitablement donné une dimension historique à la conscience juive : sont devenus juifs, quelles que soient leurs pratiques spécifiques, leur activité militante ou leurs convictions métaphysiques, tous ceux qui auraient été les victimes du statut discriminatoire imposé par le gouvernement vichyste ou de la déportation par les nazis. La création de l'État d'Israël et les crises successives qu'il a affrontées ont ensuite contribué à accentuer la dimension historique et collective du judaïsme, que la confessionnalisation avait occultée jusqu'à 1940. L'arrivée des juifs du Maghreb au début des années 1960 a achevé l'évolution en ce sens. Pendant la période coloniale, en Afrique du Nord, les juifs constituaient une communauté, au sens sociologique, distincte de celle des colonisateurs et de celle des « indigènes ». Ils vivaient dans des quartiers particuliers, où se trouvaient rassemblés les instruments de leur vie commune : synagogues, bains rituels, cimetières. La dimension collective était une donnée immédiate de la conscience juive. Il faut ajouter que la conviction partagée par la majorité des juifs que l'antisémitisme est en train de renaître et de se développer, plus ou moins masqué — de moins en moins — sous le terme d'antisionisme, entretient leur conscience historique et politique.

Le judaïsme a cessé d'être simplement une religion au sens catholique du terme, pour s'affirmer comme une référence ambiguë — dont l'existence du Conseil représentatif des institutions juives de France, ou C.R.I.F., est l'expression —, où le religieux n'est plus exclusif ni même dominant et où la citoyenneté elle-même est discutée, comme le montre le débat récent sur la Révolution française et le rôle de l'abbé Grégoire. Pour les uns, le judaïsme est d'abord une religion ; la citoyenneté implique l'abandon de la dimension politique du judaïsme. Elle permet aux juifs de participer pleinement à la société tout en préservant les valeurs essentielles du judaïsme, la tradition intellectuelle et morale, les pratiques spécifiques (*shabbat, cacherouth*). Elle autorise le maintien de liens sentimentaux et symboliques particuliers avec l'État d'Israël. Pour d'autres, la politique de la Révolution, symbolisée par l'abbé Grégoire, trop jacobine, est responsable de la dissolution de nombre de traditions juives. La politique des

États-Unis et de la Grande-Bretagne permet mieux de respecter la nature collective du judaïsme. Ils rêvent donc que s'organise, sur le modèle américain, une forme de «communauté» culturelle et sociale. Cette aspiration «communautaire» est entretenue, tout particulièrement, par les responsables des organisations, qui se verraient volontiers conférer ainsi une forme de prestige social à l'intérieur de la société française. D'autres, enfin, prétendent redéfinir fondamentalement les relations des juifs avec la citoyenneté et la démocratie françaises et aspirent à une forme de reconnaissance collective et publique des juifs dans l'espace politique[1].

Le retour aux pratiques spécifiques et la réinterprétation proprement religieuse du judaïsme auquel on assiste depuis une dizaine d'années sont d'autant plus frappants qu'ils semblent remettre en question une évolution séculaire. En 1979, c'est au nom de Douze Heures pour Israël, à la porte de Versailles, que s'étaient retrouvés, à l'appel des organisations juives, plusieurs dizaines de milliers de personnes. Les *militants* juifs, c'est-à-dire ceux qui adoptaient une définition avant tout historique du judaïsme, étaient alors plus nombreux et plus actifs que les *pratiquants*. En 1989, au parc des expositions, à Villepinte, c'est autour de la Torah (la Bible) que le grand rabbin de France a réuni en une grande fête 30 000 personnes. Les responsables des organisations sont désormais plus souvent des *pratiquants* que des *militants*[2].

Les formes du «retour» au judaïsme sont diverses et on assiste à la multiplication de cercles d'études et autres groupes de travail, qui rassemblent environ 5 000 personnes autour de l'étude de la Torah. Ils sont de deux types[3]. Dans les *yeshivot*, on étudie et on commente, sous l'autorité intellectuelle d'un *rav*, les commandements du Talmud et les commentateurs. L'étude porte

1 Ces analyses sont développées par D. SCHNAPPER, «Les juifs et la nation», *in* P. BIRNBAUM (éd.), *Les Juifs français*, Presses de la Fondation nationale des sciences politiques (F.N.S.P.), 1990, pp. 296-310.

2. J'utilise ces termes dans le sens de la typologie élaborée *in* D. SCHNAPPER, *Juifs et Israélites, op. cit.*

3. M. COHEN, «Les renouveaux catholique et juif en France», *in* F. CHAMPION et D. HERVIEU-LÉGER, *De l'émotion en religion, renouveaux et traditions*, Centurion, 1990, pp. 123-169.

sur la connaissance des normes éthiques régissant les rapports sociaux et la relation à Dieu : c'est un retour à l'enseignement traditionnel. Au contraire, dans les autres cercles d'études, dispersés dans des lieux non religieux ou non « communautaires », d'autres « étudiants », sans grandes connaissances de la tradition et de la culture juives, viennent les « réapprendre » avec des proches parents ou des amis pour répondre aux exigences d'une recherche toute personnelle. Ils ne souhaitent pas s'inscrire dans l'histoire de l'enseignement selon la tradition, mais retrouver des souvenirs de famille et reconstruire dans un milieu amical une forme d'identité plus sentimentale qu'intellectuelle, qui tienne compte de la nécessité d'adapter au monde moderne les pratiques strictes de la loi juive.

Le consistoire n'a d'effet régulateur ni sur ces cercles d'études, ni sur les pratiquants libéraux — eux-mêmes divisés entre le Mouvement juif libéral de France et l'Union libérale israélite de France, qui attirent en particulier des intellectuels —, ni sur les divers groupes fondamentalistes, qui, tels les Loubavitch, entendent revenir à un contrôle plus rigoureux des comportements et à un respect plus strict des commandements de la loi. L'autorité officielle que constitue le consistoire contrôle difficilement les nouvelles expressions multiples, exigeantes ou libérales, traditionnelles ou novatrices des pratiques et des affirmations identitaires juives.

Quelle que soit la violence des conflits parmi les juifs, entre ceux pour lesquels le retour aux pratiques spécifiques n'est jamais assez total et les laïcs, qui invoquent l'humanisme des droits de l'homme, entre les juifs qui voient dans la citoyenneté le moyen de participer à la société française, en préservant, dans l'ordre moral et intellectuel, l'essentiel des valeurs juives, et ceux qui rêvent de renégocier le pacte de la citoyenneté, le petit nombre des juifs en général et le petit nombre de ceux qui sont engagés dans ces débats ne font pas de ces conflits, au niveau national, une source significative de diversité — sauf s'ils constituaient un modèle adopté par la « minorité religieuse », les 2 ou 3 millions de personnes d'origine musulmane.

Certains opposent avec angoisse le renouveau de l'islam à l'affaiblissement de l'Église catholique. Il importe de préciser les dimensions de ce mouvement : les « mille mosquées » construites dans les années 1982-1986 dans les foyers de travailleurs, les usines et les cités H.L.M. ne sont pas des mosquées, mais de simples lieux de culte, souvent réduits à une cave ou à une pièce. Les retours à l'islam traduisent des évolutions différentes. Parmi les musulmans, on trouve à la fois des populations installées depuis quinze ans et plus, et d'autres qui sont de passage en France. Le mouvement de retour à l'islam a des significations différentes pour les uns et pour les autres.

Parmi les musulmans « installés », stabilisés grâce à l'élaboration d'une culture d'émigré — mais on verra que cette stabilité n'est jamais définitive —, qui ont adapté leur conduite aux normes et aux exigences d'une société qui est devenue la leur et surtout celle de leurs enfants, certains, confrontés au risque du chômage et à la xénophobie, cherchent, grâce aux pratiques musulmanes, à réintégrer un monde protecteur. Ils y trouvent une forme de respect de soi et l'expression d'une solidarité qui leur permettent de récupérer leurs « valeurs propres », c'est-à-dire dignité et identité. Mais ils admettent qu'ils doivent respecter les lois françaises, même si elles ne sont pas conformes aux lois islamiques, et tenir compte des exigences spécifiques du travail collectif et, plus généralement, des nécessités de la vie commune. C'est cet « islam tranquille » que les institutions françaises ont encouragé depuis les années 1970, voyant en lui un instrument de régulation des conduites et d'apaisement des conflits. La demande de mosquée est, dans ce cas, moins l'effet d'une exigence religieuse que la manifestation du besoin d'un lieu de rencontre familier, d'un centre communautaire sur le modèle de la synagogue aux États-Unis, où l'on puisse trouver à la fois un enseignement de l'islam pour les enfants, un appui juridique, une source d'entraide matérielle et sociale. La mosquée permet de rompre l'isolement des femmes, d'organiser le pèlerinage à La Mecque ou les vacances au pays d'origine, les funérailles au pays ou en France selon les exigences de la loi musulmane. Cet islam installé ou « tranquille », compatible avec la liberté de religion assurée par la loi, n'en introduit pas moins une nouvelle forme de diversité, à la fois culturelle et religieuse.

D'autres musulmans, réduits à un traditionalisme exacerbé et décontextualisé — dans une situation de blocage culturel —, trouvent dans la rigueur et la régularité des pratiques un refuge moral et une protection contre la déculturation. C'est le sens du retour à l'islam qu'on a pu observer dans la population des anciens harkis et de leurs enfants.

Les musulmans « de passage », au contraire, conçoivent leur séjour en France comme provisoire. Leurs attitudes et leurs comportements doivent être interprétés moins par référence aux exigences de la société française qu'aux normes de leur pays d'origine : ils s'efforcent de continuer à appartenir exclusivement au monde musulman. Les pratiquants, parmi eux, se conforment aux règles fondamentales de l'islam (les cinq prières quotidiennes, le respect des interdits alimentaires, le ramadan, l'aumône, le pèlerinage à La Mecque). Ils réduisent au minimum les accommodements inévitables auxquels les contraint la vie quotidienne dans une société non musulmane. Certains ouvriers modestes, vivant dans des foyers avec des compatriotes, partageant avec eux les repas, respectent les pratiques de l'islam selon le modèle de leur village d'origine et restent sans contact avec le reste de la société, à laquelle ils ne sont reliés que par l'intermédiaire de compatriotes, contremaîtres sous les ordres desquels ils travaillent. D'autres encore, étudiants et intellectuels venus poursuivre des études en France, prolongent leur séjour, devenus des intellectuels déclassés, non pratiquants, ne respectant symboliquement le ramadan que pour marquer leur appartenance à l'*oumma*. Ils défendent un islam historique et politique, à la fois victime et ennemi de l'« impérialisme », au nom duquel ils mènent un combat idéologique contre les valeurs occidentales [1].

Les attitudes des jeunes d'origine musulmane scolarisés en France sont d'un tout autre ordre : ils entretiennent avec l'islam le même rapport que leurs contemporains avec la religion catholique. Les pratiques sont faibles : 5 % à Marseille selon Br. Étienne [2]. D'après une enquête réalisée à Toulouse, si tous

1. Ces analyses sont développées par R. LEVEAU et D. SCHNAPPER, « Religion et politique : juifs et musulmans maghrébins en France », in R. LEVEAU et G. KEPEL (éd.), *Les Musulmans en France*, Presses de la F.N.S.P., 1988, pp. 99-140.
2. Br. ÉTIENNE, témoignage devant la Commission de la nationalité, *Rapport*, t. I, p. 131.

les jeunes musulmans déclarent croire en Dieu, 87 % des garçons et 72 % des filles disent ne jamais prier, 94 % des garçons
et 45 % des filles ne pas observer le ramadan [1]. Selon une autre
enquête menée auprès d'une centaine d'élèves de C.E.S. suivant
des cours d'arabe, donc plus susceptibles, *a priori*, d'entretenir
des rapports étroits avec la culture musulmane, « la connaissance
des rites propres à la pratique musulmane demeure très limitée » [2]. L'image négative qu'ils se font de l'islam est empruntée
à celle que peuvent nourrir les autres enfants : religion autoritaire et exigeante, marquée par la répression des femmes. Ils ressentent un devoir de fidélité, lié à l'attachement aux parents et
aux grands-parents et au souci de leur dignité. On peut penser,
comme le responsable de l'enquête, que, pour la majorité d'entre
eux, l'islam prendra une valeur essentiellement identitaire. Le
maintien de la non-consommation du porc et du jeûne du ramadan sont, pour eux, des occasions de manifester leur respect à
l'égard de leurs parents et de leurs origines, de renouer symboliquement avec une tradition d'autant plus valorisée qu'elle est
mal acceptée en France. Mais, si la majorité des élèves de C.E.S.
affirment que l'islam est incompatible avec la participation à la
société française, tout laisse penser que cette affirmation sert à
justifier d'avance l'abandon complet des pratiques musulmanes
au profit de l'intégration.

Cela ne les empêche pas de revendiquer leur origine, au nom
de leur dignité personnelle, familiale et collective, et de réclamer, au nom de cette dignité et des droits de l'homme, qu'on
construise des mosquées, qu'eux-mêmes ne fréquenteront pas.
Ils affirment que les pratiques religieuses doivent rester discrè-
tes et privées.

> Je suis tout à fait pour [la construction de mosquées]. C'est juste-
> ment par rapport au respect de l'homme [...], quoique je ne sois
> pas pour la religion entre parenthèses [3].

---

1. Y. LAMBERT, « Vers un "monothéisme des valeurs" ? », *Le Débat*, mars-avril 1990,
pp. 90-106.
2. Y. GONZALEZ QUIJANO, « Comme si on était des étrangers », *Migrants-Formation*,
n° 67, décembre 1986, Centre national de documentation pédagogique, p. 68.
3. Cité par R. LEVEAU et D. SCHNAPPER, art. cité, p. 127.

> Je pense que chacun doit être libre de pratiquer la religion de son choix, et les mosquées et les salles de prière sont aussi indispensables que les écoles. À condition qu'elles ne nuisent pas au voisinage et que ça reste une religion à soi. Il ne faut pas déranger les voisins [1].

La demande pour que l'on construise des mosquées se fonde ou, en tout cas, se justifie par le respect de l'égalité des droits et de la dignité de chacun plutôt que par la solidarité religieuse ou nationale. C'est par référence aux valeurs universelles de la démocratie et des droits de l'homme que les jeunes musulmans réclament le droit de pratiquer la religion et de construire des mosquées, quelle que soit la faiblesse de leur pratique personnelle. Ils ont en effet intériorisé l'idée que les croyances et les pratiques religieuses appartiennent à la sphère du religieux et du privé. Comme le dit un interviewé : « Cela s'assume au plan individuel. » C'est une conception empruntée à la tradition laïque de la IIIe République, non à l'islam.

Reste qu'on assiste effectivement à des retours à des pratiques plus strictes de l'islam, même parmi les jeunes scolarisés en France. Ils sont le plus souvent le fait de jeunes sans qualification et sans véritable perspective d'intégration professionnelle et sociale, qui cherchent dans l'islam une compensation aux échecs scolaires et sociaux, à la xénophobie que leur manifestent voisins, policiers et employeurs potentiels. Mais il arrive aussi que certains musulmans parfaitement intégrés dans la société retrouvent, comme les jeunes juifs qui font leur *techouva* ou les catholiques, le sens et la valeur de leur religion d'origine.

La recomposition du champ religieux et en particulier chrétien, sur laquelle les travaux de Danièle Hervieu-Léger et Françoise Champion ont mis l'accent, a eu pour effet, comme on le verra dans le chapitre suivant, de réduire le rôle de l'Église en tant qu'institution chargée de contrôler les croyances et les conduites de la majorité de la population et de recomposer les modes de croire et de pratiquer. Au nom de la valeur accordée à l'authenticité, les pratiques personnelles et multiples, le libre

1. *Ibid.*

examen et la libre adhésion ont remplacé le respect des normes imposées par l'Église. C'est en ce sens qu'on peut parler de « protestantisation » de l'Église catholique. C'est pourquoi on peut aussi constater une sympathie croissante pour le protestantisme. Une enquête de l'I.F.O.P., en 1980, a révélé que plus de 4 % de la population se déclaraient « proches du protestantisme ». Mais, parmi eux, 38 % seulement étaient baptisés dans le protestantisme. Ces sympathisants, non affiliés à une Église protestante, appréciaient la « liberté d'esprit », l'indépendance et les « principes moraux » qu'ils attribuaient aux protestants. On peut ajouter que l'éclatement en plusieurs Églises, très petites, comme les Églises évangélique et luthérienne, ou divisées, comme l'Église réformée, théâtre d'affrontement entre les tendances évangélique et libérale, apparaît plus proche des valeurs modernes que l'organisation hiérarchique et centralisée de l'Église catholique [1].

Les processus de différenciation apparente — renouveau juif, développement d'un islam français, regain de sympathie pour le protestantisme, affaiblissement du pouvoir de l'Église — s'accompagnent en effet d'une homogénéité croissante dans les manières de croire et d'adhérer aux formes instituées des pratiques religieuses.

À partir de la distinction entre la croyance en un Dieu personnel et les références à une divinité impersonnelle, sur laquelle les travaux de Marc Augé avaient mis l'accent [2], on a pu montrer que la première entraîne des pratiques régulières et la présence de la religion dans la vie quotidienne, et que les secondes induisent peu de pratiques. Aujourd'hui, toutes les religions, pour la majorité de la population, évoluent vers cette dernière forme. Le christianisme devient déiste plutôt qu'ecclésial. Dans l'enquête sur le protestantisme déjà citée, les sympathisants se référaient au Christ comme « idéal moral ». La référence transcendantale se combine ainsi avec l'autonomie de l'individu. Les jeunes musulmans adoptent le même rapport à la religion : ceux qui se disent religieux considèrent qu'il s'agit d'une affaire personnelle, leurs pratiques sont faibles, la référence à l'islam est d'ordre identi-

---

1. J. BAUBÉROT, *Le Protestantisme va-t-il mourir ?*, Le Cerf, 1987.
2. M. AUGÉ, *Génie du paganisme*, Gallimard, 1982.

taire et individuelle, morale plutôt que métaphysique. La dimension éthique a toujours été centrale dans le judaïsme. Tous ceux qui affirment une croyance en Dieu — et il s'agit de la majorité de la population, si l'on adopte cette définition minimale de la croyance transcendantale — finissent par se retrouver autour du fonds commun de valeurs que partagent toutes les grandes religions. L'adhésion unanime à un moralisme humanitaire, que peut résumer l'adhésion souvent revendiquée à la Déclaration des droits de l'homme, remplace la foi en un Dieu personnel et les pratiques contrôlées par les institutions religieuses.

L'affaiblissement de l'Église catholique, qui dominait le champ religieux, laisse la place à des formes spontanées et individuelles de croyances, en dehors des institutions, où se recomposent des formes hybrides, produit des volontés individuelles, toujours fondées sur la référence à un ensemble de principes éthiques. La différenciation apparente masque une évolution commune vers un moralisme monothéiste.

L'HÉTÉROGÉNÉITÉ SOCIALE

Les mouvements nationalistes ont toujours été portés par des populations socialement hétérogènes. C'est dans l'alliance entre les intellectuels, responsables de l'élaboration et de la transmission d'une mémoire collective, et les masses paysannes qu'on a pu voir les conditions les plus favorables à la revendication nationale au cours du XIXᵉ siècle dans toute l'Europe de l'Est. La France, qui s'est retrouvée unie dans son patriotisme guerrier contre l'Allemagne en 1914, comportait encore une forte majorité de population paysanne, étrangère à la civilisation urbaine, une classe ouvrière, agitée par l'idéologie internationaliste, dont on redoutait, selon la formule de l'époque, qu'elle ne « campât » à l'intérieur de la nation sans en faire vraiment partie. Le français n'était pas la seule langue parlée dans les campagnes. Les populations étrangères ou d'origine étrangère étaient nombreuses dans les régions industrielles de Lorraine, dans le Nord et le Sud-Est, dans la région parisienne. Le pays était divisé par des conflits sur la conception du monde social, hérités de la Révolution, dont l'affaire Dreyfus et les drames entraînés par la séparation des Églises et de l'État avaient manifesté la violence. Quels que soient les critères utilisés, la France de 1990 est socialement et politiquement plus homogène que celle de 1914.

La « fin des paysans » ne signifie pas seulement que la population agricole est passée, entre la Première Guerre mondiale et les années 1980, de 40 % à 7 % de la population active, mais que la société paysanne n'existe plus sous sa forme traditionnelle [1]. Mode de vie spécifique, autarcie relative, confusion de la famille et de l'entreprise, faible intégration à la société globale qui imposait le rôle des intermédiaires, système de valeurs fondées sur la tradition et attachement à la terre nourricière : ces traits ont disparu, même si la modernisation laisse, dans certaines régions, plus que des traces du monde englouti. Mais, dans l'ensemble, l'agriculteur remplace désormais le paysan. La mécanisation, l'amélioration des techniques due au développement de la recherche, le recours au crédit, l'établissement de la comptabilité analytique, l'utilisation de la terre comme outil de travail l'ont transformé en technicien et en gestionnaire. D'autre part, l'organisation collective pour les achats et pour la commercialisation des produits, l'intégration dans le marché européen en ont fait un véritable entrepreneur moderne, qui prend des risques, améliore ses produits, calcule le rendement de ses investissements. L'État et la Communauté européenne, en imposant la comptabilité de gestion rationnelle et universelle, comme langage commun, et l'exigence de qualification contribuent à aligner le monde paysan sur les normes industrielles [2]. Le mode de vie devient d'autant plus proche de celui du citadin que l'agriculteur est souvent marié à une employée, à une institutrice ou à une ouvrière, que les instruments nécessaires à la vie d'un entrepreneur (banque, assurance, coopérative) sont rassemblés dans la ville voisine.

Le milieu rural lui-même n'est plus essentiellement agricole. On sait depuis le recensement de 1982 que la croissance de la

---

1. H. MENDRAS, *La Fin des paysans*, Armand Colin, 1967.
2. Pl. RAMBAUD, « Les agriculteurs et leurs langages mathématiques », *Cahiers internationaux de sociologie*, 1989, pp. 197-221.

population des communes rurales est désormais plus forte que celle des communes urbaines. Si la majorité des communes du « rural profond » voit sa population diminuer, l'extension de l'urbanisation touche de plus en plus de communes rurales proches des centres urbains. Elles deviennent des lieux d'habitation pour ceux qui travaillent dans les villes petites et moyennes ou pour les retraités. Le redéveloppement de l'industrie locale, le néo-ruralisme des classes moyennes, la pluriactivité ont permis la « relocalisation » des villages. La facilité des transports individuels et le progrès des télécommunications et de l'informatique autorisent désormais des formes nouvelles de développement des campagnes. Les campagnes urbanisées de l'Italie centrale (de la Vénétie aux Marches), qu'Arnaldo Bagnasco a qualifiée de « troisième Italie », où le travail du textile ou de la mécanique est dispersé dans de petites unités, éventuellement familiales, avant d'être centralisé et commercialisé dans le chef-lieu de la « province », constituent un exemple extrême de cette évolution. Elles montrent en tout cas de manière éclatante l'absence de solution de continuité entre le monde rural et un certain monde industriel. Les différences de fécondité selon la taille des communes s'estompent [1]. C'est sans doute entre les grandes métropoles et leurs banlieues, souvent mal intégrées, et le reste du tissu rural/urbain des villages et des villes moyennes — où se mêlent néoruraux et semi-urbains — que se maintiennent des différences de modes de vie et de sociabilité.

On constate aussi la disparition progressive de la classe ouvrière la plus spécifique, liée à ce qu'il est convenu d'appeler les « vieilles industries » : mines, sidérurgie, mécanique lourde, chantiers navals. Marquée par la nécessité et la valorisation de la force physique, de l'organisation autoritaire sur le modèle militaire, la valeur accordée au collectif et à la solidarité, elle s'exprimait à travers les syndicats, qui y recrutaient leurs gros bataillons. Elle est aujourd'hui remplacée par une population où dominent les jeunes, les femmes et les immigrés, dont les aspirations et les valeurs se rapprochent de celles des catégories moyennes. Dès la fin des

15. O. SANTORY, « Fécondité à la ville et à la campagne », *Données sociales*, I.N.S.E.E., 1987, p. 276.

années 1970, on constatait que les comportements des ouvriers avaient été modifiés par leur participation à une société où la consommation s'était accrue : l'acquisition du logement et de l'automobile, l'utilisation de l'équipement ménager d'un côté, et, de l'autre, l'évolution du travail, devenu plus intellectuel et plus individualiste, ont affaibli la spécificité du mode de vie ouvrier. Il ne s'agit pas de nier l'existence de populations ouvrières, mais de souligner que beaucoup d'entre elles se rapprochent objectivement des catégories moyennes, ou petites-bourgeoises, et n'entretiennent pas de valeurs spécifiques. Il n'existe plus aujourd'hui entre les ouvriers et la masse des classes moyennes de distinctions fondamentales ni dans le mode de vie ni dans la perception du monde[1]. Dans aucun quartier, la proportion des ouvriers ne dépasse 50 %. Pour prendre un indicateur indirect, mais significatif, la fécondité des ouvriers a cessé d'être nettement supérieure à celle des autres catégories sociales et tend à s'aligner sur la norme générale, deux enfants.

L'effet de l'enrichissement général et de l'unification par le marché économique et, d'autre part, de l'accroissement du nombre des diplômés a multiplié le nombre des populations appartenant aux catégories moyennes. La nouvelle nomenclature de l'I.N.S.E.E. qui a développé et affiné le classement des « professions intermédiaires », en distinguant par exemple les professions intermédiaires des entreprises privées de celles du secteur public, les techniciens des contremaîtres et agents de maîtrise, en isolant les professions intermédiaires de la santé et du travail social, a pris acte du nombre et de la diversification des catégories intermédiaires. Une part accrue de la population partage un mode de vie commun.

L'évolution des revenus depuis un siècle conduit à des conclusions similaires. Entre 1914 et les Trente Glorieuses, les différences de salaires ont été considérablement réduites. Pour s'en tenir à la fonction publique et prendre un exemple symbolique, entre l'instituteur et le conseiller d'État, le rapport de salaire était de 1 à 9 en 1913, il est aujourd'hui de 1 à 3. La tendance

---

1. M. VERRET, *L'Espace ouvrier*, Armand Colin, 1979 ; *Le Travail ouvrier*, Armand Colin, 1982.

à la diminution des écarts de salaires dans la fonction publique a été constante depuis le début du siècle. Dans le secteur privé ou semi-public, les évolutions sont moins régulières, bien que le sens général soit clair[1]. Bien entendu, ce phénomène global n'empêche pas des évolutions inégales ou même inverses, à certaines périodes, pour certaines catégories. En ce qui concerne les professions non salariées, entre 1965 et 1986, l'écart entre les revenus moyens des professions classées en haut de l'échelle et le salaire ouvrier a régulièrement diminué, avec quelques exceptions (dentistes ou boulangers)[2]. On sait que l'évolution s'est renversée depuis cette date. Mais le déjà célèbre rapport du C.E.R.C. montrant que les inégalités de revenus s'étaient accrues entre 1983 et 1989 ne doit pas empêcher de voir que, sur une période d'un siècle ou de vingt ans, l'évolution vers l'homogénéisation est constante, même si elle laisse subsister des inégalités, plus fortes pour les patrimoines que pour les revenus. Aujourd'hui, du point de vue des salaires,

> si on exclut les extrêmes (les 20 % les plus pauvres et les 10 % les plus riches), on peut parler d'une vaste classe moyenne dont le revenu disponible oscille autour de la moyenne nationale, dans une fourchette étroite [...]. Les 10 % les plus favorisés ont 2,5 fois le revenu moyen alors que leur avantage atteignait environ trois fois ce revenu il y a vingt ans[3].

L'apparition des nouvelles formes de pauvreté n'est pas contradictoire avec la tendance à long terme de la diminution des inégalités de revenus.

Il ne s'agit pas pour autant de nier les différences qui se perpétuent aussi bien dans l'acquisition des produits matériels que

---

1. Chr. Morrisson, « Une révolution tranquille, l'égalisation des revenus en France depuis vingt ans », *Commentaire*, n° 41, printemps 1988, pp. 203-212. J'ai emprunté le titre de ce chapitre à cet article.
2. Entre 1950 et 1953, le rapport entre les salaires moyens des cadres supérieurs et les salaires moyens des ouvriers était de 3,8. Il monte à 4,45 en 1959-1960, 4,5 en 1966-1967 et, depuis cette date, a diminué régulièrement : 4 en 1973, 3,74 en 1975, 3,56 en 1980, 3,28 en 1985.
3. *Ibid.*, p. 210.

dans l'usage des biens culturels. Sur les inégalités des pratiques culturelles les plus « nobles » (concert, théâtre, visite de musée), les sociologues et les fonctionnaires du ministère de la Culture constatent le maintien des inégalités selon les niveaux de scolarité. Toutefois, avec l'accroissement du nombre des diplômés, le nombre de ceux qui adoptent les pratiques liées à un haut niveau culturel augmente, même si la structure de la population des « pratiquants culturels » selon le diplôme ne se modifie guère. La connaissance ou, en tout cas, au moins la familiarité avec le monde de la culture s'est accrue en même temps que le temps passé à l'école. D'autre part, le renouvellement des pratiques, en particulier le rôle accru de la télévision et de l'écoute musicale sous toutes ses formes, contribue à l'homogénéisation des pratiques. La B.D. et le rock entraînent moins de différences entre les groupes sociaux que la fréquentation du concert de musique classique ou la visite du musée d'art[1].

Les catégories dirigeantes, d'autre part, forment toujours un milieu doué de caractéristiques propres, auquel la réussite scolaire la plus élevée dans l'ordre du pouvoir — le passage par l'École polytechnique, ou l'École nationale d'administration, ou, mieux encore, le passage par l'une *et* par l'autre — ne permet pas toujours d'accéder. Les différences d'origine sociale continuent à jouer leur rôle à l'intérieur des carrières les plus élevées, celles auxquelles prétendent les produits les meilleurs du système d'enseignement. La « démocratisation » introduite par les concours de l'E.N.A. a consisté à donner aux enfants des catégories moyennes intellectuelles (essentiellement les enfants des professeurs) l'accès à la haute fonction publique. Encore leur carrière n'est-elle pas toujours aussi brillante que celle de leurs camarades, de même recrutement, issus de milieux appartenant à la haute fonction publique depuis deux ou trois générations.

Là encore, on aurait tort de s'en étonner ou de s'en indigner. Une société totalement fluide est une idée, comme l'est une nation totalement « assimilée » ou « intégrée ». Les effets de « cliquet », que décrivent les spécialistes de la mobilité sociale, qui empê-

---

1. *Les Pratiques culturelles des Français, enquête 1988-1989*, La Documentation française, 1990.

chent les enfants des catégories supérieures et moyennes de
« tomber » parmi les ouvriers, sont encore plus efficaces en ce
qui concerne l'accès aux positions sociales les plus élevées. Les
membres des catégories dirigeantes mettent en œuvre une série
de démarches pour maintenir le niveau social de leurs enfants
les plus doués et freiner la mobilité descendante des autres :
écoles-refuges pour les moins doués au point de vue scolaire ;
professions-refuges, où le capital de relations joue un rôle prépondérant ; mariages, par lesquels s'échangent le nom et les relations de la famille contre les capacités d'un conjoint moins bien
« né », etc. Ils affirment un système de valeurs et des manières
par lesquelles ils s'opposent aux ambitions, justifiées par les
mérites scolaires, des nouveaux venus. Tous ces phénomènes
bien connus ne doivent pas faire oublier l'ouverture des catégories dirigeantes à l'élite scolaire. Même si l'ouverture des élites aux nouveaux talents reste statistiquement limitée, il ne faut
pas négliger le sens politique du fait qu'elle est proclamée et
possible.

L'hérédité professionnelle, que mettent en évidence toutes les
enquêtes sur la mobilité sociale, est étroitement liée à la socialisation familiale. Le « rendement social » des études est d'autant
plus grand que les individus appartiennent à un milieu social
élevé. L'influence du milieu d'origine se maintient tout au long
de la vie professionnelle. L'hérédité professionnelle, toujours élevée, est particulièrement sensible dans le secteur public.

C'est qu'elle est un moyen, à tout point de vue, économique
d'assurer la continuité des institutions à travers le renouvellement biologique des générations. Toutes les institutions sociales trouvent leur avantage à recruter une forte proportion de leurs
agents parmi la population déjà familiarisée par l'intermédiaire
de son milieu familial avec les normes de leur fonctionnement
et le système de valeurs qu'elles impliquent.

Les véritables inégalités séparent maintenant ceux qui disposent d'un emploi stable, quel que soit son niveau, et ceux qui
passent d'un emploi précaire à l'autre, avec des périodes de chômage, plus ou moins longues, plus ou moins reconnues, et, plus
encore, ceux auxquels l'absence de qualification et les handicaps
physiques et sociaux interdisent de participer à la production.

C'est aux dépens de cette population que s'affirment les véritables différenciations : le rapport à l'emploi et à la protection sociale est désormais source et indice des nouvelles différenciations sociales. À partir du moment où, comme on le verra ci-dessous, l'intégration se définit en termes de participation à la vie collective, il y a là une source essentielle des inégalités : dans une société riche, les « exclus » remplacent les « pauvres ».

Rapport à l'emploi et à la protection sociale

Le premier facteur de différenciation sociale reste évidemment lié à la participation à la production. C'est par l'activité professionnelle que le status [1] des individus reste le mieux évalué. Le rôle prépondérant de la production dans les sociétés modernes explique que les « professions et catégories socio-professionnelles », telles que les définit l'I.N.S.E.E., fondées sur les différences de qualification, de métier et de rémunération, sont toujours l'indicateur essentiel pour rendre compte de la structure sociale — à condition qu'elles soient périodiquement revues pour tenir compte de l'évolution des métiers, des qualifications et de la structure professionnelle. Mais ce que mesure la classification elle-même, c'est-à-dire le rapport à la production, n'est que l'une des sources de la structure sociale. La position des individus n'est plus seulement liée à leur place dans le système économique, mais aussi à leurs liens avec la protection sociale instituée par l'État-providence et aux droits qu'ils détiennent sur lui — et cela de plus en plus, au fur et à mesure que s'étend cette protection et que s'étendent les interventions de l'État pour compenser les effets sociaux de la crise économique.

À la suite de la crise, l'État-providence a en effet multiplié les catégories juridiques, en différenciant les statuts de l'emploi, et en créant des catégories intermédiaires entre l'emploi, la retraite et le chômage : par exemple, préretraités, chômeurs en fin de droits, intérimaires, vacataires de la fonction publique, titu-

---

1. J'adopte cette orthographe pour différencier le status au sens sociologique du statut juridique.

laires d'un emploi dit « atypique » — comme les travaux d'utilité publique (T.U.C.), les stages d'initiation à la vie professionnelle (S.I.V.P.), les programmes locaux d'insertion pour les femmes (P.L.I.F.) ou les programmes pour l'insertion locale (P.I.L.)[1]. Outre ces emplois atypiques, la part des actifs occupés constituant moins de la moitié de la population adulte, environ un quart de la population (en excluant femmes au foyer, élèves, étudiants et militaires) tient son status de l'une des catégories élaborées par l'État-providence : chômeurs, retraités, préretraités, invalides du travail ou bénéficiaires de stages et de formations particulières. Il faut leur ajouter les divers statuts d'assistés (entre 4 % et 5 %), liés, les uns au handicap physique ou moral, les autres à la charge d'enfants, et définis par des transferts de revenus ou d'avantages en nature, qui ne sont justifiés par aucun emploi présent, passé ou futur, personnel ou indirect, réel ou symbolique. Ils reposent sur l'idée que l'État doit, au nom de la seule solidarité nationale et du respect des droits de l'homme, assurer la protection des plus démunis dans des conditions tolérables.

La structure sociale n'est plus seulement liée à la place des individus dans la production, mais aussi au statut juridique de leur emploi — entre les titulaires d'un emploi permanent et les titulaires d'un emploi à durée déterminée ou atypique, effectuant le même travail, la différence de status social est considérable — et aux droits qu'ils détiennent sur la protection sociale. La précarité accrue de l'emploi, l'enchevêtrement de status différents et inégaux contribuent à brouiller les perceptions et à rendre ambiguë toute classification.

À l'intérieur même des status nés d'un emploi à durée indéterminée, d'autres facteurs contribuent à rendre plus ambiguës les différenciations nées de la participation à la vie économique. Étant donné le poids numérique du secteur public, où la part des salariés de l'État, des collectivités locales et du secteur public,

1. L'imagination des fonctionnaires du ministère des Affaires sociales étant grande, certaines de ces catégories sont aujourd'hui obsolètes, d'autres sont nées depuis la rédaction de ce texte. Mais leur signification est la même. Il s'agit d'emplois ne donnant qu'une partie des droits aux salariés et pour lesquels les employeurs sont partiellement exemptés de cotisations sociales.

déjà large, a encore crû, entre 1968 et 1987, de 18,7 % à 29,4 %
de la population active occupée, la distinction entre secteur public
et secteur privé est un facteur de différenciation supplémentaire.
Les employés, les ingénieurs ou les cadres administratifs exerçant la même profession et dotés du même diplôme n'ont ni la
même rémunération, ni le même genre de vie, ni le même système
de valeurs selon qu'ils sont employés dans l'administration (au
sens large) ou dans une entreprise privée. Dans le secteur privé,
ils obtiennent des rémunérations supérieures, ont des horaires
de travail plus longs, adoptent les valeurs de l'efficacité et de la
réussite, adhèrent plus au libéralisme économique et sont plus
susceptibles de voter à droite que leurs homologues des admi-
nistrations publiques.

La part croissante des femmes dans la population active
contribue encore à multiplier les catégories intermédiaires. Les
status familiaux, où les époux exercent des professions différentes — femme institutrice et mari agriculteur ou ouvrier, femme
employée et mari cadre supérieur, par exemple —, appartiennent
souvent à des milieux intermédiaires. Dans certains cas, le status social du mari est dominant, dans d'autres, le status le plus
élevé fixe celui du couple. La double activité professionnelle, malgré la persistance d'une forte homogamie, introduit un facteur
supplémentaire d'ambiguïté.

La multiplicité des critères de différenciation et des catégories
intermédiaires rend plus flous les classements sociaux et les status. Au début des années 1950, des sociologues américains avaient
analysé les effets de la non-congruence du statut sur les attitudes
et les comportements politiques. L'espace social, selon eux,
comportait plusieurs dimensions — qu'on pouvait mesurer par
quatre indicateurs : les revenus, les diplômes, les professions et
les groupes ethniques [1]. La position occupée par un individu ou
une famille dans l'une de ces hiérarchies n'entraînait pas nécessairement une place équivalente dans les autres : ainsi, les hommes d'affaires juifs (status élevé dans l'ordre des revenus, mais
pas dans l'ordre « ethnique »), les membres du clergé ou les pro-

1. G. E. LENSKI, « Status Crystallization : A Non-Vertical Dimension of Social Status », *American Sociological Review*, 19-4, 1954, pp. 405-413.

fesseurs de *colleges* (diplômes élevés, mais revenus faibles), etc.
Ces individus adoptaient systématiquement des attitudes et des
comportements politiques plus libéraux au sens américain (c'est-
à-dire plus à gauche dans notre vocabulaire) que les individus
dont le status était congruent. Ces analyses avaient été menées
alors que la structure sociale était plus stable. On peut se demander
si, aujourd'hui, la non-congruence du status n'est pas devenue
la norme, au sens statistique du terme, si, pour un nombre croissant d'individus, à l'exception des populations assistées ou marginales, d'un côté, et des catégories les plus élevées qui cumulent
les formes de supériorité, de l'autre, il n'est pas devenu normal
que la supériorité dans un domaine de la vie sociale n'entraîne
pas la même supériorité dans un autre.

L'existence de catégories intermédiaires de plus en plus nombreuses et variées n'implique pas pour autant la fin des différenciations. Ce n'est pas parce que les revenus se distribuent de
manière progressive et qu'on ne peut pas tirer un trait net entre
les riches et les pauvres qu'il n'existe plus de pauvres et de riches.
Mais, dans la mesure où la vie sociale est aussi représentation,
il ne faut pas sous-estimer les conséquences du fait que les différenciations sociales sont progressives et qu'elles sont désormais
moins visibles.

La moindre visibilité

Les logiques en fonction desquelles se différencient les individus et les groupes aboutissent à rendre fluides et flous tous les
classements. Les distinctions fines qui séparent les membres de
classes moyennes urbaines proches par leurs revenus et leur mode
de vie, entre lesquels peuvent s'établir des échanges réels et symboliques, l'interconnaissance et l'intermariage, sont devenues moins
perceptibles. L'ambiguïté des classifications nourrit ainsi les incer-
titudes sur les places de chacun, les espoirs, les ambitions et les
déceptions. Le style de la vie sociale et des relations interpersonnelles, plus familier et « égalitaire », l'exercice de l'autorité
hiérarchique dans les entreprises se sont, d'autre part, « démo-
cratisés », sur le modèle des États-Unis, gommant dans la vie
quotidienne les formes les plus visibles des inégalités sociales.

Cette évolution est souvent interprétée comme le produit d'un complot plus subtil pour renforcer, sous les apparences de la «démocratisation», la domination des «dominants». La fluidité apparente de la vie sociale et les nouveaux modes d'exercice du pouvoir ne constitueraient qu'une ultime ruse par laquelle les «dominants» maintiendraient leur pouvoir, malgré des oripeaux démocratiques. La perpétuation des inégalités sociales, les transmissions des biens matériels et des avantages relationnels et symboliques que donne la socialisation familiale démontrent qu'à l'âge de la passion de l'égalité la fluidité de la vie sociale reste une idée ou un idéal. Mais ne manque-t-on pas une dimension essentielle de l'évolution des sociétés modernes en refusant de tenir compte du fait que, en justifiant leur supériorité sociale non par leur origine, mais par leur compétence supérieure, les «dominants» donnent un sens différent à la hiérarchie sociale — acceptable, malgré la passion de l'égalité — et, d'autre part, créent une élite qui est, dans son principe au moins, «ouverte» aux nouveaux talents. L'opinion n'a pas jugé choquants les salaires que reçoivent les chefs d'entreprise, dont les décisions ont un effet direct sur le taux de chômage. Les exemples individuels de ceux qui participent effectivement à l'élite malgré une origine modeste entretiennent le sentiment que les plus capables ont la possibilité d'échapper au déterminisme social. Le pouvoir change quand il se justifie par la nécessité des choses — les plus compétents doivent occuper les fonctions de responsabilité dont dépend le destin social des autres — plus que par la volonté des hommes d'exercer une autorité née d'une distinction essentielle. La reconnaissance de la compétence qu'institue l'État par l'intermédiaire des diplômes, même si elle n'est pas pure reconnaissance d'une pure compétence définie en dehors de toute logique sociale (comment pourrait-elle l'être?), est par nature différente de ces véritables privilèges que sont les biens susceptibles d'être achetés ou vendus, transmis aux héritiers. Le rôle accordé au diplôme, la multiplicité des champs et des domaines dans et par lesquels s'exerce le pouvoir dans les démocraties sont des facteurs de liberté.

Malgré l'existence d'une population disqualifiée, et les limites de la mobilité sociale — les travaux de Claude Thélot[1] ont confirmé qu'elle restait étroitement dépendante des changements professionnels directement induits par le progrès technique —, il n'en reste pas moins qu'entre les groupes sociaux les différences objectives de revenus, de consommation, de participation ont diminué. Depuis l'époque de la nation triomphante, l'homogénéité sociale s'est accrue, même si de nouveaux clivages et de nouvelles inégalités se reconstituent au fur et à mesure que les ressources et les comportements se rapprochent. L'action propre de l'État a été renforcée par la création d'un marché économique national, lui-même inséré dans les échanges mondiaux, par l'effet du progrès technique sur l'organisation de la production et la structure sociale. Cela ne veut pas dire que le sentiment national soit plus intense : contrairement à ce qu'ont toujours, implicitement ou explicitement, avancé les penseurs nationalistes, l'homogénéité n'est pas par elle-même une condition suffisante pour constituer la nation.

LES DIFFÉRENCES RÉGIONALES

On a vu combien l'unité affirmée par l'idéologie nationale avait souvent rendu idéologique et passionnée la discussion sur les variations régionales. C'est un thème que les disciplines des sciences humaines ont différemment traité. Les historiens ont plutôt insisté sur le travail d'unification culturelle et politique. Les variations régionales, en revanche, ont joué un rôle central dans la science politique : d'une part, le livre fondateur de la discipline, *Le Tableau de la France de l'Ouest*, publié par André Siegfried en 1913, s'appuyait de manière privilégiée sur les variations géographiques à travers lesquelles l'auteur examinait l'effet de quatre variables : la structure sociale (hiérarchique ou égalitaire), le mode de peuplement (dispersé ou regroupé), le rapport à l'autorité de l'Église (soumis ou indépendant), l'intervention de l'État (plus ou moins active). D'autre part, les données essentielles — les résultats des élections selon les bureaux de vote — condui-

---

1. Cl. Thélot, *Tel père, tel fils ? Position sociale et origine familiale*, Dunod, 1982.

sent les politologues quasi mécaniquement à prendre d'abord en compte la variable géographique. Par vocation professionnelle, les géographes font de même. En revanche, les sociologues, marqués par la tradition durkheimienne et son souci de la cohérence sociale, puis par la problématique des classes sociales, leur ont porté en général moins d'intérêt.

L'existence des diversités régionales est inscrite dans l'histoire même de la constitution de la nation et dans l'impossibilité que coïncident ethnie et nation. On peut observer les diversités régionales dans tous les pays européens : entre la Lombardie et la Sicile, entre le pays de Galles et l'Écosse, entre la Provence et la Bretagne, entre la Bavière et la Saxe. Par nature, les nations sont diverses, et l'on n'a jamais démontré en quel sens l'une ou l'autre des nations européennes serait plus diverse que les autres, à moins de réduire la diversité à des indicateurs comme le niveau de vie ou la production. La manière dont on a longtemps insisté sur les « deux France » n'est-elle pas d'abord la transposition du conflit politique entre l'Ancien Régime et la Révolution ?

Par-delà l'histoire même de la nation, la discussion sur les variations régionales est difficile : à partir de quel moment les variations inévitables, étant donné les différences géographiques et historico-culturelles, deviennent-elles significatives ? Ne se réduisent-elles pas à l'inégale répartition des équipements économiques et des catégories sociales sur le territoire ? Ne sont-elles pas la simple projection dans l'espace des différences sociales, comme l'influence de la pensée marxiste a conduit à le penser pendant des décennies ?

Sans traiter ici de l'ensemble des problèmes théoriques que soulèvent ces questions, on se contentera d'évaluer le sens des évolutions récentes. Les migrations internes et internationales, la moindre spécificité du travail et du mode de vie des ouvriers et des paysans, l'accroissement des classes moyennes urbanisées, l'unification par le marché, l'affaiblissement de l'Église catholique comme institution, l'effritement de l'organisation communiste n'ont-ils pas réduit, au cours de la dernière décennie, ces différences ? D'autant qu'une politique volontariste d'aménagement du territoire menée dans des formes administratives variées depuis le 2e Plan (1954-1957) et la création de la D.A.T.A.R.

en 1963 ont précisément eu pour objet de réduire les disparités du développement économique.

On les mesure à travers quatre indicateurs principaux : les pratiques religieuses, la fécondité, le taux de scolarisation, les votes, d'ailleurs étroitement liés. Dans le monde catholique de l'Ouest et de l'Est, on observait à la fois des pratiques religieuses régulières, un vote à droite, une fécondité élevée, un taux de scolarisation plus faible. Dans le monde ouvrier du Nord, de la Lorraine, dans la banlieue de la région parisienne, les pratiques religieuses étaient plus irrégulières, le vote à gauche dominant, la fécondité relativement faible. On opposait toujours le « croissant fertile » du Nord-Ouest au Nord-Est, plus fécond et moins scolarisé, au Sud, moins fécond et plus scolarisé.

Dans les années 1950-1960, les travaux menés à l'initiative du chanoine Boulard, dont la célèbre carte des pratiques religieuses (c'est-à-dire catholiques) avait paru en 1947, avaient montré la forte inégalité des pratiques. Les pratiquants réguliers passaient de 8 % de la population à 60 % selon les départements. La pratique des différentes classes sociales des citadins ou des ruraux était influencée par le contexte régional. Il existait une continuité entre le taux de pratique des villes et de leurs régions. De même, les classes les moins ferventes, comme les ouvriers, avaient une pratique plus intense dans les régions les plus pratiquantes. La carte de la fréquentation régulière de la messe, selon laquelle les plus fervents se trouvaient dans l'Ouest, l'Alsace, le Massif central, le Jura et la Savoie, le Pays basque, correspondait grossièrement avec celle du vote à droite.

Les politologues, de leur côté, montraient l'opposition entre la France de la tradition catholique, qui votait majoritairement à droite, avec celle de la tradition ouvrière, déchristianisée, qui donnait ses voix aux partis de gauche. La permanence de ce contraste a longtemps fait partie des vérités reconnues. Au début des années 1950, cette répartition traduisait, selon François Goguel, l'opposition entre la France dynamique, urbanisée et industrielle et la France statique à structure stable, organisée autour de la vie paysanne et de petites entreprises de style traditionnel. Les travaux de Guy Michelat et Michel Simon, à la fin des années 1960, avaient établi le lien entre les variables religieuses et politiques en démontrant que l'intégration religieuse était étroitement corrélée avec un vote à droite, que le degré d'appartenance à la classe ouvrière, mesuré par le nombre de générations ouvrières, donnait une forte probabilité de vote à gauche. Dans les deux cas, il s'agissait d'une adhésion à tout un système de perception du monde, de valeurs, de pratiques et de convictions, issu de la socialisation familiale et profondément intériorisé par l'individu. Ce lien essentiel entre intégration religieuse ou intégration au monde communiste et le vote subsistait dans toutes les régions. Mais ce que les auteurs qualifiaient de « contexte » augmentait la probabilité d'adhérer à un de ces deux systèmes idéologiques. L'installation dans une région fortement catholique renforçait les pratiques religieuses des catégories populaires, systématiquement moins ferventes que les catégories plus élevées. L'installation dans un « contexte » fortement marqué par la culture ouvrière donnait une plus forte probabilité d'adhérer aux valeurs du monde communiste[1].

D'autres enquêtes confirmaient les différences régionales de la scolarisation. En 1962-1963, la carte de la scolarisation dans l'enseignement secondaire établie par le ministère de l'Éducation nationale se superposait grossièrement à la carte du recrutement des fonctionnaires selon les régions : dans le Nord, la population restait moins scolarisée et fournissait moins de fonctionnaires (à l'exception de la région parisienne et de la Lorraine) que dans le Sud[2]. Certaines régions se révélaient exportatrices de fonctionnaires, d'autres importatrices. Mais s'agissait-il de l'effet de la moindre industrialisation du Sud ?

Qu'en est-il de l'évolution au cours de la dernière décennie, étant entendu que les disparités régionales existeront toujours, dans la mesure où elles traduisent l'effet, chaque fois spécifique, d'une pluralité de variables ?

Les économistes notent la résorption des disparités régionales mesurées par la production et le niveau des salaires. Les presta-

---

1. G. Michelat et M. Simon, *Classe, religion et comportement politique*, Presses de la Fondation nationale des sciences politiques et Éditions sociales, 1977.
2. A. Darbel et D. Schnapper, *Morphologie de la haute administration française*, Mouton, 1969, t. I, pp. 60-88.

tions sociales représentant une part de plus en plus grande des revenus atténuent les effets des disparités de production qui se maintiennent, en particulier les différences entre l'est et l'ouest du pays. La crise de 1974 n'a pas interrompu le mouvement de convergence des régions sur le plan économique.

En ce qui concerne les comportements démographiques, les différences entre régions subsistent, mais s'atténuent. Si l'on distingue encore le « croissant fertile », il est beaucoup moins net. En 1961-1963, huit régions (Champagne-Ardennes, Picardie, Haute-Normandie, Basse-Normandie, Nord-Pas-de-Calais, Lorraine, Franche-Comté, Pays de la Loire) avaient un indice de fécondité supérieur à 1,1 (indice moyen de 1 pour la France), et trois (Île-de-France, Limousin, Provence-Côte d'Azur), un indice inférieur à 0,9. En 1982, on trouve la même hiérarchie des régions selon la fécondité, mais une seule (Nord-Pas-de-Calais) a un indice supérieur à 1,1, et deux (Midi-Pyrénées et Limousin), un indice inférieur à 0,9. Toutes les autres régions ont un indice compris entre 0,9 et 1,1[1]. Les variations régionales des divorces, étroitement liées au poids de l'Église catholique, s'affaiblissent également[2]. L'alignement des comportements des individus autour d'une norme commune, quelle que soit leur classe sociale et leur commune de résidence, explique cette atténuation des différences régionales.

Les variations des pratiques religieuses tendent aussi à s'affaiblir. L'enquête d'Yves Lambert a confirmé que, si les pratiques restent en Bretagne supérieures à la moyenne nationale, l'Église a cessé, là aussi, d'organiser le temps et l'espace de la vie commune. Les jeunes se découvrent étrangers au monde organisé par le clergé, il devient normal que les hommes d'âge mûr ne fréquentent plus la messe, les femmes elles-mêmes ont réduit les manifestations religieuses.

Dans l'ordre électoral, les résultats vont dans le même sens. Entre 1978 et 1981, l'augmentation des voix du Parti socialiste

---

1. G. FRANCART, « Le rééquilibrage démographique de la France », *Économie et Statistique*, n° 153, mars 1983, pp. 35-47.
2. B. MUNOZ-PEREZ, M.-Cl. RONDEAU-RIVIER, « Une nouvelle phase pour le divorce ? », *Données sociales*, I.N.S.E.E., 1990, p. 299.

a été la plus forte (supérieure à 12 %) dans les régions catholiques de l'Ouest (Finistère, Vendée, Maine-et-Loire, Mayenne, Orne), de l'Est (Meuse, Moselle, Bas-Rhin), du Jura, de la Savoie et de la Lozère [1], autrement dit dans les régions catholiques qui, depuis un siècle, votaient majoritairement à droite. L'appartenance religieuse n'apparaît plus comme dominant le comportement électoral de manière aussi forte, même si Michelat et Simon montrent que les catholiques les plus réguliers conservent des attitudes et des comportements électoraux spécifiques. D'ailleurs, dès 1955, on avait pu noter que les différences de vote entre la France traditionnelle et la France dynamique n'étaient pas aussi fortes que l'affirmaient les spécialistes de sociologie électorale [2]. Aujourd'hui, en tout cas, si certains électorats sont surreprésentés dans certaines régions (c'est particulièrement vrai de celui du Front national), tous les partis tirent leur électorat de chaque région. Le sens relatif des diverses régions se modifie quand, après avoir été la grande région industrielle, le Nord se décompose avec la fin des vieilles industries et lorsque le Sud, région d'immigration et de migrations de toutes origines, devient le lieu d'implantation privilégié des nouvelles industries moins dépendantes de matières premières que d'une population qualifiée.

Faut-il suivre les chercheurs qui insistent sur le maintien de l'hétérogénéité des systèmes familiaux et, à travers les formes diverses de socialisation à l'intérieur du groupe domestique, sur la diversité des attitudes profondes dans les relations interpersonnelles, à l'égard de l'organisation sociale, l'autorité ou la politique ? On pourrait continuer à opposer deux grands systèmes familiaux fondant deux rapports profondément différents à la société et à la politique : les régions de structure nucléaire, où l'âge au mariage et le taux de célibat sont moins stables dans le temps qu'ailleurs (Normandie, Ouest intérieur, Champagne, Lorraine, Bourgogne, Franche-Comté), les régions de structure complexe à mariage peu contrôlé (Sud-Ouest, Provence, Nord) ou à mariage contrôlé (Bretagne, Pays basque, sud du Massif

1. E. Todd, *La Nouvelle France*, Le Seuil, 1988, p. 249.
2. R. Aron, *Études politiques*, Gallimard, 1972, p. 306.

central, Savoie, Alsace)[1]. À ces types correspondraient des traditions politiques, qui s'exprimeraient, en particulier, par les comportements électoraux. On peut regretter que ces analyses donnent une place excessive à une seule variable, alors que, dans un lieu particulier, se conjuguent les effets de variables différentes. L'élimination de la variable sociale et la faible prise en compte des migrations internes en réduisent le pouvoir explicatif. Mais elles ont le mérite de rappeler que l'hétérogénéité se maintient à l'intérieur des processus généraux d'homogénéisation, que les traditions et les héritages familiaux ne se dissolvent pas dans le monde de l'innovation économique et de la modernité, même s'ils apparaissent plus nettement dans le monde rural.

C'est en effet au niveau de la vie villageoise que les spécificités demeurent. Dans le monde agricole, les modes d'héritage et de partage entre les époux restent liés aux conditions de l'exploitation. Dans le Sud-Ouest, où la propriété foncière est prépondérante, on la transmet à un héritier plutôt qu'au couple. Dans le Nord, où elle compte peu dans l'exploitation, c'est le couple qui hérite ou achète la propriété. En Bretagne, qui se trouve dans une situation intermédiaire, le partage égalitaire favorise l'acquisition par le couple[2]. Depuis deux cents ans que le Code civil est appliqué, il n'a pas encore entièrement transformé les règles coutumières de la gestion du patrimoine foncier et les transmissions successorales dans les campagnes. Malgré la centralisation administrative, l'unité du droit, l'homogénéité culturelle affirmée et recherchée, les coutumes locales persistent.

Au-delà des modes de transmission de l'exploitation agricole, les enquêtes du Groupe de sociologie rurale (C.N.R.S.) menées au cours des années 1970-1980 avaient montré que la diversité des mœurs et des pratiques politiques se maintenait dans la «démocratie villageoise»[3]. Dans l'«oligarchie méditerra-

---

1. H. Le Bras et E. Todd, *L'Invention de la France*, Librairie générale française, 1981, p. 29. Dans ses ouvrages plus récents, E. Todd a développé et raffiné sa théorie, mais il en a conservé l'inspiration.

2. A. Barthez, A. Fouquet, M. Villac, «L'héritage inégal, le patrimoine des époux agriculteurs», *Données sociales*, I.N.S.E.E., 1990, pp. 176-181.

3. H. Mendras, *La Seconde Révolution française 1965-1989*, Gallimard, 1989, pp. 165 *sqq*.

néenne», chaque village ou bourg se gouverne lui-même grâce
à un conseil de notables réunissant les personnalités riches issues
des vieilles familles locales. Au contraire, dans la «démocratie
montagnarde» du Jura et des Alpes du Nord, le pouvoir n'est
pas accordé aux plus riches. Dans le «fédéralisme rouergat et
limousin», le conseil municipal veille à faire respecter l'égalité
entre les différents hameaux, en sorte qu'aucun ne soit favorisé
aux dépens des autres. Le régime de la «monarchie héréditaire»
règne dans les régions traditionnelles de l'Ouest, où le châtelain,
maire de père en fils, constitue sa liste et obtient une forte majorité. Le «principat électif» de l'Est ressemble au régime précédent, mais quand les électeurs ne sont pas satisfaits de l'action
de leur maire, ils ne le réélisent pas. Mais, si la spécificité villageoise demeure, son poids est affaibli, lorsque les agriculteurs
ne représentent plus que 7 % de la population active. L'hétérogénéité du monde agricole qui se maintient ne compense pas
l'homogénéité accrue des catégories salariées et urbaines.

Les différentes cartes — des pratiques religieuses, des comportements électoraux, des votes et des comportements familiaux —
ne se superposent jamais que de manière approximative. Selon
qu'il s'agit de l'équipement ou de la consommation, les seuils
entre les petites, moyennes ou grandes communes ne sont pas
les mêmes. Les différences selon les diverses catégories sociales
ne se recoupent pas. Cette non-congruence aboutit à un enchevêtrement, condition d'une cohésion par le flou. C'est ce qui me
paraît l'essentiel : les différenciations diverses entraînent la constitution de régions intermédiaires, comme il existe des catégories
sociales intermédiaires, entre lesquelles peuvent s'établir et se
maintenir les échanges objectifs et réels. Les diversités qui subsistent, même si elles sont statistiquement significatives, ne le
sont pas socialement et politiquement. Si c'était le cas, si, par
exemple, certaines populations, regroupées dans un même espace,
cumulaient les handicaps et constituaient des «kystes» à l'intérieur de l'ensemble social, elles remettraient en question l'intégration spécifique de la société moderne.

LES IMMIGRÉS

L'homogénéité objective de la population nationale s'est accrue. Faut-il penser, comme Anthony Smith[1], que les rivalités entre les religions s'étant affaiblies, la lutte des classes, institutionnalisée, ce serait désormais autour des relations ethniques que se noueraient les conflits à l'intérieur des sociétés modernes ? Est-ce la présence et l'étrangeté des immigrés qui justifieraient le sentiment que l'identité et l'unité nationales sont menacées ?

On admet couramment aujourd'hui que l'importance numérique de l'immigration en Europe remet en question l'État-nation dans sa formule traditionnelle[2]. Le pourcentage des immigrés n'était pas différent dans les années 1930. L'intégrité de la nation apparaissait alors menacée par les étrangers, mais le principe même de l'État-nation n'était pas discuté : on ne songeait pas à remettre en question la confusion de la nationalité et de la citoyenneté, qui constituait le principe intangible de la légitimité politique. Les immigrés ne font que révéler, et peut-être accentuer, l'évolution interne de la nation : c'est le rapport entre le projet politique et les immigrés qui conduit à une réflexion nouvelle sur l'État-nation, non le nombre absolu ou relatif des immigrés.

L'intégration nationale pourrait être effectivement menacée, si le rapport entre les caractéristiques des populations et la dynamique du projet collectif se dégradait. Il s'agit donc de savoir si les spécificités des nouvelles populations immigrées sont susceptibles d'être transcendées par le projet politique. On peut légitimement s'interroger à la fois sur la force de ce projet et sur le degré ou les formes de diversité qui restent compatibles avec le projet commun, sans mériter pour autant d'être condamné comme « raciste ».

---

1. A. D. Smith, *op. cit.*, 1981, p. 172.
2. Par exemple, W. R. Brubaker, *Immigration and the Politics of Citizenship in Europe and North America*, Lanham, Londres, New York, University Press of America, 1989, p. 2.

Rien ne permet d'affirmer que l'acculturation soit aujourd'hui plus difficile que pour les générations précédentes, que l'on ne puisse étendre aux «deuxièmes générations» d'aujourd'hui la constatation faite pour les enfants des Italiens et des Polonais, en 1951 : «L'"assimilation" est parfaitement réalisée[1].» Les enfants des immigrés scolarisés en France, on le verra dans le chapitre suivant, partagent la même culture, au double sens du terme, que les enfants français des mêmes milieux sociaux. Reste que les émigrés des générations précédentes se sont intégrés de manière sans doute plus douloureuse, mais dans le silence et l'indifférence, alors qu'aujourd'hui le discours psychologique, l'action sociale, la réflexion sociologique et le débat politique et médiatique accompagnent et dramatisent le processus. L'intégration difficile des émigrés italiens, malgré les mouvements violents de xénophobie, ne s'est pas traduite par la naissance d'un mouvement politique, tel le Front national, prenant le «problème des émigrés» comme centre de son programme. Cette prise de conscience aiguë — pour ne pas dire excessive — ne peut qu'entretenir les «problèmes de l'intégration», en organisant par des discours pathétiques les expériences et les modes de perception aussi bien des émigrés et de leurs enfants que de la population.

Les émigrés ne rencontrent pourtant pas une hostilité plus violente que celle qu'ont connue, en leur temps, les émigrés italiens. Rien n'égale, dans l'expression de la xénophobie, la violence verbale de la presse d'extrême droite dans les années 1930. Si l'on en croit les sondages d'opinion, l'hostilité à l'égard des émigrés, qui s'exprime aujourd'hui dans un quart, parfois jusqu'à un tiers de la population française, comparable à celle des pays voisins, reste relativement contrôlée[2]. Une forte majorité se déclare favorable à ce qu'on intègre les immigrés installés et qu'on arrête toute nouvelle immigration.

---

1. A. Girard et J. Stoetzel, *op. cit.*, p. 46.
2. D. Schnapper, «L'opinion publique et les travailleurs immigrés», *The Tocqueville Review*, vol. VII, 1985-1986, pp. 251-265. En décembre 1988, 27 % de la population se déclaraient proches des positions de M. Le Pen en ce qui concerne les immigrés (S.O.F.R.E.S.). Selon une enquête C.S.A. du 12 décembre 1989, 74 % jugeaient que «la France doit traiter convenablement les immigrés en situation régulière, mais stopper toute nouvelle immigration».

L'histoire de l'intégration des étrangers et de la formation de la population en France ne garantit évidemment pas que les mêmes phénomènes se reproduiront. Ce n'est pas parce que les enfants des émigrés italiens restés en France sont aujourd'hui partie intégrante de la population que les enfants des émigrés d'aujourd'hui connaîtront le même destin. Les populations sont autres. Les Portugais, par exemple, malgré leur participation à la vie sociale, gardent un fort sentiment d'identité et entretiennent des liens réguliers, réels et symboliques, avec leur pays d'origine, favorisés par la facilité des transports et des communications. Dans le cas des musulmans, autour desquels se concentrent les inquiétudes et les interrogations, faut-il accepter l'idée reçue selon laquelle le procès d'acculturation serait différent à cause d'une « distance culturelle » trop grande ?

Ce concept, qui donne le sentiment de la scientificité, est redoutable par sa globalité : comment comparer l'ensemble des traits dont la combinaison constitue les diverses cultures et leur compatibilité avec les exigences, d'ailleurs différentes selon les groupes sociaux, de la société d'installation ? Certains peuvent être aisément réinterprétés ; d'autres, non. La logique des différences et des ressemblances dans les procès d'intégration est loin d'être linéaire. Les Noirs récemment arrivés aux États-Unis réussissent mieux dans la société américaine que les Noirs *native* — alors que ces derniers appartiennent depuis des générations à la nation américaine. Les mêmes Noirs, originaires des West Indies, ont une bonne réussite économique aux États-Unis et connaissent des échecs en Grande-Bretagne. Si le procès d'intégration n'apparaît pas lié à une hypothétique « distance culturelle », les réactions des populations locales ne le sont pas non plus. Le catholicisme commun à beaucoup de populations immigrées n'a pas suffi à rendre plus facile leur intégration, ni leur acceptation par la population française, massivement catholique. Les conflits entre le clergé local, soucieux d'attirer à lui les enfants des immigrés, et le clergé italien, et surtout polonais, farouchement attaché à la dimension nationale de son Église, furent souvent violents. Dans d'autres cas, des prêtres français, qui avaient appris le polonais pour poursuivre leur mission auprès des immigrés, refusaient d'aider à la francisation des Polonais, pour éviter qu'ils ne soient

« contaminés » par la déchristianisation des ouvriers[1]. Plus fervents dans certaines régions que la population locale, plus détachés dans d'autres, les immigrés catholiques apparaissaient, dans tous les cas, étrangers. On pouvait noter, à propos des Italiens et des Polonais : « La religion est liée au sentiment national chez les immigrants[2]. » N'est-ce pas aussi à cause (et non en dépit) de leur proximité d'origine que les juifs ont été l'objet des persécutions ? C'est parce que les enfants d'Algériens, et tout particulièrement les enfants de harkis, sont particulièrement proches des Français qu'ils suscitent plus d'agressivité que les enfants de Marocains ou de Yougoslaves. Le mouvement contre les Noirs a été en Amérique d'autant plus violent que leur destin social devenait plus proche de celui des Blancs. Les Noirs ne font pas l'objet en France, pour l'instant, des mêmes rejets qu'aux États-Unis ou en Grande-Bretagne, et pourtant, ce qu'on pourrait appeler leur « distance culturelle » est sans aucun doute plus grande en France qu'aux États-Unis, où ils font partie de la société américaine depuis son origine.

Chaque population immigrée se trouve devant la nécessité de réinterpréter certaines de ses traditions en fonction des exigences, qui d'ailleurs évoluent dans le temps, de la société d'accueil. L'homogénéité des populations n'est pas la condition nécessaire pour former une nation. Mais l'espace politique national suppose que s'établissent entre les individus des relations interpersonnelles, qu'ils participent au même espace juridique, administratif et politique. Il est nécessaire, dans le cas des Maghrébins en France, qu'ils réinterprètent deux dimensions de leurs traditions : le droit personnel de l'islam et en particulier les dispositions concernant les femmes ; la non-séparation du domaine public et du domaine privé, du religieux et du politique, contraire à la tradition laïque de la politique française. On peut s'étonner de la forme extrême qu'a prise le conflit du foulard islamique en octobre-novembre 1989. Il faut toutefois comprendre les passions qu'il a suscitées : directement lié à la conception musulmane de la femme, soulevant symboliquement la question de la

1. G. MAUCO, *Les Étrangers en France*, Armand Colin, 1932, p. 535.
2. A. GIRARD et J. STOETZEL, *op. cit.*, p. 84.

laïcité, il traduisait les deux problèmes que pose la nécessaire intégration des populations musulmanes.

L'islam constitue en effet une référence religieuse qui gouverne la vie quotidienne des individus dans ses aspects les plus intimes et les rapports que le groupe entretient avec le pouvoir. Or, comme le disait Tocqueville, « la foi a cela de particulier que, disparue, elle agit encore ». L'islam est tout ensemble une religion et un système politique. La double référence religieuse et historique est contradictoire avec les exigences de l'État français, fondé, après plus d'un siècle de conflits souvent violents avec l'Église catholique, sur le principe et la valeur de la laïcité, sur la séparation de l'ordre religieux, qui appartient au domaine du privé, et de l'ordre politique. La tradition politique impose que l'islam soit désormais réinterprété comme une religion au même titre que le catholicisme, le protestantisme et le judaïsme, et que sa dimension historico-politique soit subordonnée aux exigences de la citoyenneté. La majorité des musulmans installés évolue discrètement vers cette conception « privée ». L'exemple des juifs, qui, dans des circonstances historiques différentes, ont dû réinterpréter le judaïsme comme une religion parallèle au catholicisme et au protestantisme, suggère pourtant que l'évolution en ce sens risque d'être longue[1]. Mais s'ils n'acceptaient pas de réinterpréter l'islam comme une religion, un mode de vie privée, une culture intellectuelle, une sociabilité et une vie associative spécifiques, une fidélité sentimentale, intellectuelle et symbolique à leur pays d'origine, s'ils voulaient être reconnus en tant que tels, comme une communauté politique, sur le modèle des *ethnic groups* américains, les musulmans remettraient en question la confusion entre la nationalité et la citoyenneté, qui fonde la légitimité politique.

Comment peser, dans les processus d'intégration des populations maghrébines — autour desquelles se concentrent les interrogations et les inquiétudes —, d'une part, les spécificités dans l'ordre du privé, dans le rapport entre le politique et le religieux, et, d'autre part, l'acculturation déjà acquise par l'effet de l'histoire coloniale, en tout cas en Algérie, qui les lie, en une inti-

---

1. R. Leveau, D. Schnapper, *art. cité.*

mité hostile ou ambiguë, mais toujours passionnée, à la France ? Pour répondre à ces questions, il importe d'analyser ce que fut le projet migratoire de ces populations méditerranéennes, qui, entre la fin des années 1950 et le milieu des années 1970, vinrent travailler dans les pays du Nord, plus riches, et qui, quelles que furent leurs intentions premières, se sont, pour beaucoup d'entre elles, installées en France, et dont les enfants sont massivement devenus des citoyens français.

CHAPITRE 4

Le projet des migrants

Sous le terme unique de migrations, on désigne les déplacements *géographiques* de populations d'une région à une autre ou d'un pays à un autre, qui constituent pourtant des phénomènes *sociaux* différents. Le « projet migratoire » dont on va définir les traits n'est pas un modèle valable en tout temps et en tout lieu. Il caractérise la migration qui conduisit vers les pays de l'Europe occidentale, pendant les années de leur développement économique « glorieux » (pour reprendre l'expression des « Trente Glorieuses »), des populations issues des pays européens du Sud, alors moins riches, puis des pays du tiers-monde, en particulier du Maghreb et d'Afrique noire. Pendant ces trente années, les immigrés occupèrent les postes de travailleurs non qualifiés, puis progressivement, pour beaucoup d'entre eux, s'installèrent. Certains des traits du projet migratoire caractérisent toutes les migrations, mais la cohérence d'ensemble du projet migratoire est liée à cette migration particulière.

Les analyses sociologiques sur les travailleurs immigrés depuis la Seconde Guerre mondiale se sont inscrites dans deux paradigmes successifs. Jusqu'à la fin des années 1970, l'interprétation marxiste a dominé : les immigrés, contraints de s'expatrier en louant leur force de travail, constituaient les nouveaux prolétaires. L'ouvrage le plus significatif de cette période formule clairement la théorie de l'exploitation du prolétariat des pays du tiers-monde par la bourgeoisie des pays développés [1]. Les études

1. St. Castles, G. Kosack, *Immigrant Workers and Class Structure in Western Europe*, Oxford University Press, 1973.

au cours des années 1960-1970 illustraient les différents aspects
et dimensions de cette exploitation.

Depuis la fin des années 1970, un autre paradigme a renouvelé les recherches. Les sociologues des mouvements sociaux ont
traité les émigrés comme les acteurs d'un nouveau mouvement
social, au même titre que les femmes, les régionalistes ou les écologistes. D'autres soulignaient le rôle des émigrés comme acteurs
politiques, malgré leur non-appartenance à la citoyenneté[1].
Alors que la migration économique se transformait en migration
de peuplement, que l'installation des émigrés les conduisait à ne
plus participer exclusivement par leur travail à la société d'installation (et que le marxisme a perdu de son prestige), les sociologues sont passés d'une analyse d'inspiration plus économiste
à une interprétation plus politique.

L'ACCULTURATION À LA MODERNITÉ

L'évolution observée des populations migrantes peut être interprétée de manière féconde comme une forme particulière, accé-
lérée et souvent brutale, d'acculturation à la modernité. Il ne s'agit
pas ici de reprendre la littérature sociologique d'inspiration économique des années 1960, qui impliquait un modèle de développement unique avec ses étapes successives et supposait que
les différents domaines fussent entraînés vers une modernité unique selon une démarche uniforme[2]. Ce discours unificateur de
la modernité comme forme dominant progressivement toutes les
sociétés et tous les domaines de la vie sociale a été radicalement
et justement remis en question dans les années 1970.

1. M. J. MILLER, *Foreign Workers in Western Europe, an Emerging Political Force*,
New York, Praeger, 1981.
2. La forme la plus célèbre de cette conception nécessaire et unique de la modernisation
a été donnée par W. W. ROSTOW, *The Stages of Economic Growth : A Non-Communist
Manifesto*, Cambridge University Press, 1961. À la même époque, un sociologue réputé
ne reculait pas devant l'utilisation d'un questionnaire qui interrogeait le paysan d'Anatolie sur ses rapports avec les mass média et le monde politique sous la forme : « Si vous
étiez président des États-Unis... » Cf. D. LERNER, *The Passing of Traditional Society,
Modernizing the Middle East*, Glencoe, The Free Press, 1958.

L'évolution des nations qui avaient acquis leur indépendance avait en effet révélé une variété extrême dans les formes de la croissance économique (y compris la non-croissance et le recul) et dans la manière dont les traditions « indigènes » se maintenaient ou se renforçaient malgré l'adoption de certains des traits liés à la modernité [1]. On a ainsi constaté que les processus désignés globalement et schématiquement sous le terme de modernisation, loin d'être linéaires, non seulement adoptent des rythmes extrêmement variés, avec des blocages, des avancées et des réactions, mais aboutissent à des résultats différents. Des analyses plus fines rappelaient d'autre part que les relations entre tradition et modernité ne se résumaient pas à une simple opposition et que des pays aussi divers et aussi industrialisés que le Japon, l'Italie ou la Grande-Bretagne avaient fondé leur développement en réinterprétant des traditions, considérées dans les années 1950 comme prémodernes. Les sociétés « modernes », malgré leurs traits communs, gardent leurs spécificités, liées à une tradition en fonction de laquelle sont réinterprétées les nécessités de la modernité. Bien plus, la participation des élites traditionnelles, l'incorporation de traits spécifiques à chaque unité culturelle et politique, objectifs ou symboliques, apparaissaient désormais moins comme des freins à une évolution irrésistible que comme l'une des conditions favorables au développement et à la stabilité d'une société moderne [2].

La modernisation n'est pas un phénomène unique et unificateur, mais un processus universel, qui adopte des formes extrêmement variées. Cette diversité n'est d'ailleurs que la conséquence logique de la diversité des sociétés humaines. Même si, comme le constate Shmuel Eisenstadt, la modernisation, ou la modernité, constitue un type de civilisation originaire de l'Europe occidentale, dont les dimensions économiques, politiques et idéologiques s'imposent désormais au monde entier, il n'en reste pas moins que, loin de détruire les cultures traditionnelles, elle se trouve réinterprétée, au sens des anthropologues, par les

---

1. Voir en particulier Cl. Geertz (éd.), *Old Societies and New States, the Quest for Modernity in Asia and Africa*, New York, The Free Press, 1963.
2. S. N. Eisenstadt, *Tradition, Change and Modernity*, New York, Wiley, 1973, pp. 262 *sqq*.

diverses unités culturelles. Les formes de cette réinterprétation dépendent à la fois des caractéristiques de la culture d'origine et des conditions historiques selon lesquelles s'est établi et maintenu le contact avec l'Occident. C'est dans le cadre de la problématique de la modernisation comme processus universel, mais différencié, qu'on peut interpréter l'acculturation des émigrés.

La fécondité de cette interprétation est attestée par les résultats des travaux sociologiques consacrés aux travailleurs émigrés, qui montrent les traits communs, malgré les différences des cultures d'origine, dans les processus d'acculturation que connaissent les populations émigrées installées dans les pays de l'Europe occidentale.

Les travailleurs émigrés ne constituent pourtant pas une population homogène : ils diffèrent les uns des autres par la culture d'origine, par le moment de la migration par rapport à l'histoire de la société d'origine et de la société d'immigration, par la trajectoire individuelle qui a précédé la migration. Le véritable objet de l'analyse sociologique n'est pas constitué par « les émigrés », mais par la vague migratoire que définit une population de même origine nationale pendant une période donnée [1]. Pourtant, malgré la variété des conditions et des significations de la migration, il existe des constantes dans l'acculturation des migrants de l'immigration dite « économique » de l'après-Seconde Guerre mondiale. Il ne s'agit pas de nier les différences ou de revenir à une interprétation globalisante, mais de tenter d'analyser les traits communs à plusieurs populations, précisément parce qu'ils découlent directement de leur condition d'émigrés confrontés aux mêmes exigences d'une société moderne, dont la participation à la nation est l'une des dimensions.

Contrairement au premier paradigme d'interprétation des migrations économiques, qui appliquait la théorie marxiste de l'exploitation des prolétaires au niveau international, l'émigration a été tout à la fois économique et culturelle. Les Français et les immigrés eux-mêmes l'ont voulue et pensée comme seulement économique. Les sergents recruteurs des grandes entre-

---

1. M. TRIPIER, « Travailleurs immigrés : pour l'analyse des générations migratoires », in *Les Communautés pertinentes de l'action collective*, C.N.A.M., 1981, pp. 5-19.

prises françaises allaient chercher dans les villages de Kabylie ou du Maroc une main-d'œuvre non qualifiée, docile et bon marché. De leur côté, Portugais, Yougoslaves ou Maghrébins voulaient gagner un salaire relativement élevé. Ni les uns ni les autres n'ont vu que l'immigration traduisait aussi une forme d'aspiration à la modernité, avec toutes les valeurs qui lui sont attachées. La France offrait aux Maghrébins, en particulier, un rêve de modernité accessible. Les anciens *caffoni*, qui étaient traités avec mépris dans l'Italie méridionale, apprécient en France les rapports impersonnels qu'ils entretiennent avec les employés d'une administration honnête, qui respectent mieux la dignité des plus modestes [1]. Les migrants n'ont pas été les victimes passives d'un système qui les aurait totalement déterminés, mais les acteurs d'une dynamique sociale à laquelle ils ont contribué. Le caractère positif de l'émigration a été une nouvelle fois souligné par le fait qu'aux États-Unis les Noirs et les Porto-Ricains, *natives* ou indigènes, marqués par leur destin social, n'ont pas fait les progrès attendus : contrairement aux autres vagues de population, ils ont été dépassés par la vague d'immigration suivante des *hispanics*, Asiatiques et autres *West Indians*, animés par un projet migratoire.

C'est d'ailleurs le sens positif de l'immigration pour les émigrés économiques que démontre *a contrario* l'évolution de la population qualifiée de harki, dépourvue de tout projet migratoire, conduite en France par un destin dramatique imposé par l'histoire, dont elle était la victime passive. Sur tous les plans, l'acculturation a été rendue plus difficile et plus douloureuse, y compris pour ceux qu'on appelle la «deuxième génération», c'est-à-dire les enfants de ces harkis, nés avec la nationalité française transmise par leurs parents français et scolarisés en France. Les travaux de Saliha Abdellatif et de Mohand Hamoumou ont montré combien leur condition était dramatiquement plus difficile que celle des enfants de l'émigration [2].

1. D. Schnapper, *La Représentation de l'espace urbain pour les Italiens émigrés*, rapport D.G.R.S.T., 1974, p. 34.
2. S. Abdellatif, *Enquête sur la condition familiale : les F. M. de Picardie*, thèse de l'E.H.E.S.S., 1981, et M. Hamoumou, *Archéologie d'un silence : les harkis*, thèse de l'E.H.E.S.S., 1989. Tout ce qui concerne les harkis dans la suite de ce texte est emprunté à ces travaux.

On ne comprend la condition de l'émigré qu'en faisant intervenir l'histoire de sa trajectoire individuelle avant la migration. Les émigrés ne sont pas nés à leur arrivée en France, ils sont le produit d'une histoire individuelle et collective, en fonction de laquelle ils réinterprètent leur nouvelle condition. Abdelmalek Sayad a montré comment l'histoire de l'émigration algérienne avait eu un sens différent selon les périodes. La première migration n'impliquait aucune rupture avec la tradition : l'émigré était mandaté par sa famille et par toute la société paysanne pour une mission précise et limitée dans le temps. Il continuait, malgré l'éloignement dans l'espace, à pleinement appartenir à sa société d'origine. Dans le deuxième et le troisième « âge », l'émigration est devenue, tout au contraire, l'indice du fait que le migrant a pris une certaine distance à l'égard de la société paysanne et de ses traditions, qu'il a commencé à apprendre les comportements liés à l'individualisme moderne [1]. La migration viendra alors consacrer et accentuer une évolution déjà commencée avant elle. La présence des émigrés installés aujourd'hui en France est massivement le produit de ce deuxième et de ce troisième « âge » ; en d'autres termes, le fruit d'une rupture avec la société paysanne et d'un projet de modernisation.

Depuis les années 1960, les immigrés ont donné à leur départ le sens d'un projet de mobilité né à l'intérieur du pays d'origine, dans lequel l'activité professionnelle dans le pays d'immigration constituait une étape nécessaire et provisoire [2]. Ce projet implique la capacité de définir un but et d'adopter les moyens qui permettent de l'atteindre. La migration venait accélérer un processus déjà entamé, la première destruction des rapports sociaux traditionnels, la remise en question des rôles familiaux sous l'effet de l'urbanisation. Ayant déjà pris une certaine distance à l'égard

1. A. SAYAD, « Les trois "âges" de l'émigration algérienne », *Actes de la recherche en sciences sociales*, n° 15, 1977.
2. Ces analyses concernent la masse des populations issues des pays méditerranéens et venues s'installer entre 1955 et 1975. Les réfugiés politiques et les populations d'Afrique noire constituent des exemples différents de migrations. On peut toutefois penser *a priori* que les réfugiés (même si l'éclatement de la catégorie rend la distinction entre émigrés économiques et exilés politiques souvent floue) dont le projet est plus définitif sont encore plus susceptibles de connaître une acculturation rapide.

de l'économie et de la culture traditionnelles, souvent déjà urbanisés, les migrants ont constitué une population pauvre sans doute, mais non misérable et rendue ambitieuse par sa position sociale dans le pays d'origine. C'est moins la fuite devant la misère et la famine qui a poussé les ouvriers espagnols, portugais, maghrébins ou turcs vers la France que la volonté d'améliorer leur sort matériel et d'accéder à une forme ou à une autre de modernité (dans le cas algérien, les liens étroits, anciens et conflictuels avec la France donnent des caractères spécifiques à la migration). La socialisation anticipatrice des travailleurs émigrés n'est pas fondamentalement différente de celle des paysans méridionaux «montés» des campagnes de l'Italie du Sud ou des îles pour travailler dans le triangle industriel de l'Italie du Nord pendant toute la période du «miracle italien». Elle s'inscrit à l'intérieur du processus général de l'exode rural que les Européens ont connu depuis la guerre. Or ce projet est en contradiction avec le rôle purement économique que le pays d'immigration tend à imposer à l'émigré.

Cette dynamique a conduit, au moins les migrants européens et la majorité des Maghrébins, à un processus différent, mais parallèle à celui que connaissent les mêmes populations dans le pays d'origine : acculturation professionnelle avec maintien des spécificités à l'intérieur du noyau dur culturel et des relations primaires. C'est en les traitant comme des acteurs sociaux, c'est en inscrivant leur évolution à l'intérieur du procès général de la modernisation qu'on peut comprendre leur évolution.

L'économie comme rapport au monde

La définition idéal-typique de l'immigration dite «économique» comporte trois termes :

> Présence étrangère, présence provisoire, présence pour raisons de travail, trois caractéristiques de la présence immigrée corrélatives l'une de l'autre, solidaires et mutuellement dépendantes [1].

---

1. A. SAYAD, «La naturalisation, ses conditions sociales et sa signification chez les immigrés algériens», *Greco 13, Recherches sur les migrations internationales*, 1981/3, p. 27.

Mais les émigrés ne se conforment à cette définition idéal-typique (travailleurs étrangers dont la présence ne se justifie que par le travail et de manière provisoire) que pendant une période courte. Quels que soient leur volonté première et le sens que les émigrés avaient donné à leur départ, la présence dans un pays moderne modifie cette première attitude : l'acculturation à la société d'immigration contribue à infléchir le projet initial. Même si les postes de travail occupés par les immigrés n'exigent pas de véritable qualification professionnelle et ne permettent qu'une participation marginale à la vie économique (souvent, dans le bâtiment et dans l'industrie lourde ou l'industrie automobile), l'accumulation et le rapatriement de l'épargne impliquent déjà, outre l'accoutumance aux exigences du rythme du travail collectif, l'intériorisation au moins partielle (et qui n'exclut pas les erreurs) du calcul économique. Cette évolution est aidée par le fait que l'identité professionnelle est vécue de manière positive [1]. Progressivement, souvent avec peine et douleur, l'émigré apprend les fondements intellectuels de l'économie moderne : rapport entre le temps et l'argent, entre les moyens et les fins, notion de rentabilité, etc. À travers les comportements économiques, c'est l'ensemble du rapport au monde qui se trouve réinterprété.

De plus, dans tous les pays européens, à l'emploi est liée, outre le status social, la justification de sa présence et le salaire, toute une série de droits que l'émigré peut progressivement apprendre à exercer. En France, depuis 1972, il a le droit d'être élu comme délégué du personnel et du comité d'entreprise. Il participe à l'élection des administrateurs des caisses de Sécurité sociale, des tribunaux paritaires des baux ruraux, il peut être membre des conseils de prud'hommes. De manière générale, il peut acquérir les droits économiques et sociaux que donne la participation à l'entreprise et l'on sait que, si, dans une première étape, peu ont fait usage de ces droits, des générations plus jeunes ou plus politisées ne les méprisent pas. La participation syndicale est aussi une forme d'apprentissage de la vie politique.

La première acculturation liée à l'emploi est complétée par les

---

1. M. Tripier, *L'Immigration dans la classe ouvrière en France*, L'Harmattan, C.I.E.M.I., 1990.

effets du regroupement familial qui, en France, s'est réalisé en moyenne trois ans après l'émigration du chef de famille. Il constitue alors à la fois le facteur essentiel et le signe de la transformation du sens de l'émigration : l'émigré cesse d'être défini par son seul rôle de travailleur provisoire. Il n'existe d'ailleurs pas de migration de travailleurs qui, en se prolongeant, ne se transforme en migration de peuplement (seuls les travailleurs saisonniers échappent à cette règle). Soit que le «travailleur» fasse venir sa famille du pays d'origine, soit qu'il en constitue une dans le pays d'installation, avec une autre immigrée ou avec une «indigène». L'exemple de l'Amérique latine, où la colonisation par des aventuriers sans famille aboutit au métissage, est à cet égard démonstratif.

La présence des femmes constitue un facteur efficace d'accès à la modernité. Alors que les comportements des hommes seuls sont dictés par la volonté d'épargner sur le logement, la nourriture et les loisirs pour investir en Turquie, en Italie ou au Portugal, la présence de la famille impose et justifie un nouveau comportement, celui de consommateur. La logique de la consommation pénètre au moins partiellement les milieux d'émigrés les plus traditionnels. La contradiction entre le premier comportement du migrant et les demandes de consommation venues des femmes et des enfants scolarisés dans le pays d'installation apparaît rapidement. À travers les nouveaux comportements économiques, toutes les relations à l'intérieur du groupe familial sont ainsi remises en question. Les comportements d'*Homo œconomicus* ne sont jamais purement économiques. Ils impliquent aussi la valeur accordée à l'individualisme, à l'accomplissement de soi, à la satisfaction des désirs individuels aux dépens de la conformité aux normes d'un groupe fortement constitué : l'ensemble des pratiques sociales est réinterprété.

«NOYAU DUR» ET COMBINAISON CULTURELLE

Malgré les évolutions différentes des populations, on constate une évolution commune, bien qu'inégale, vers la nucléarisation de la famille, qui devient communauté de consommation et, éven-

tuellement (pour les Turcs, par exemple), communauté de production, centre de décision commune. Les femmes et les enfants,
éléments novateurs, remettent en question l'autorité traditionnelle du chef de famille. Les liens à l'intérieur du couple prennent un sens nouveau, dans la mesure où le rôle de l'homme a
cessé d'être défini essentiellement par sa participation à la vie
du groupe villageois. La plus grande solidarité du groupe s'accompagne aussi d'une relation plus chaleureuse aux enfants. La
situation d'émigration, en réduisant la vie sociale extérieure à
la famille, renforce les liens qui unissent la mère aux enfants.
Dans un pays étranger, donc menaçant, l'intensité renouvelée
des relations entre la mère et les enfants conduit celle-là à transmettre un ensemble de normes explicitées sous forme de jugements moraux et de rappels à l'ordre plus ou moins énergiques.
L'islam fournit éventuellement un système d'explication et de
justification à la transmission des normes de comportement
conformes à la société d'origine. Il faut cesser de penser les familles
d'émigrés comme des familles désintégrées. Dans une première
étape, en tout cas (les échecs sociaux et les conflits entre générations risquent ensuite de conduire à la déculturation), jusqu'à
ce que la génération scolarisée en France impose de nouvelles
normes, c'est plutôt par un effort désespéré, et souvent vain, pour
maintenir le système traditionnel, au moins en ce qui concerne
les filles, que se caractérisent les comportements.

Il ne suffit pas de constater que ce travail de bricolage culturel
prend des formes différentes, comme s'il s'agissait d'un processus unique, plus ou moins avancé selon les caractéristiques des
populations et menant à un même résultat à des rythmes différents. Il ne faut pas succomber aux illusions évolutionnistes : il
existe des limites à l'acculturation des émigrés, même dans les
familles les plus « modernisées ».

Toute culture en effet, loin d'être un donné, constitue un procès, le résultat de négociations continuelles avec le monde extérieur, à travers lesquelles s'affirme, comme un horizon, une
identité qu'on ne peut définir que comme une création continue, le résultat de l'action des individus et des interactions avec
la société globale. Du fait de ces négociations constantes — en
quoi se résument les phénomènes analysés par les anthropologues

en termes d'emprunts, d'oublis et de réinterprétations d'éléments particuliers —, la culture forme un système, au sens non rigoureux du terme. Elle constitue une construction ou une dynamique qui doit être analysée dans les termes des réinterprétations culturelles. Or il apparaît que les différents éléments du système culturel sont inégalement susceptibles d'être négociés au cours des processus d'acculturation. Certains traits peuvent être transformés par l'individu sans remettre en question son identité profonde ; d'autres, non.

Devenus quasi-sociologues par leur position entre deux cultures, les enfants de migrants prennent conscience de la distinction entre ce qu'on peut appeler le « noyau dur » de la culture d'origine et ce qui est le résultat de l'acculturation à la société globale. Portant sur leur propre destin et en particulier sur leur futur mariage un jugement de nature sociologique, les filles de harkis, élevées en France, constatent qu'en dépit du jugement négatif qu'elles portent sur la tradition algérienne héritée de la socialisation familiale, elles épouseront le jeune homme choisi par leur famille. « On a beau faire, on ne peut s'en débarrasser. » Ce « en » désignant ce noyau dur culturel, qu'au nom des valeurs « modernes » transmises par la fréquentation scolaire elles jugent « dépassé », mais qu'elles ne pourront s'empêcher de respecter dans leurs comportements. Ce qui est exprimé à travers cette formule et ressenti comme un « poids », c'est la conception de la morale entretenue depuis la première enfance par la relation entre les parents — surtout la mère — et l'enfant. À travers cette relation intime et, au sens propre, incorporée à l'individu, se transmet toute une morale, c'est-à-dire un système de normes et de comportements selon l'âge, le sexe et le statut familial, qui se traduit, dans la culture algérienne par exemple, par les relations de « respect » entre les générations et les sexes, source de l'honneur familial. Dans les États arabes (en Tunisie, par exemple), c'est contre le code de la famille et l'émancipation de la femme, telle que la perçoivent les Occidentaux, « qu'ont buté tous les efforts de tous les législateurs contemporains »[1]. C'est aussi pour sauvegarder une partie de leur droit

---

1. Br. Étienne, *L'Islamisme radical*, Hachette, 1987, p. 100.

personnel que les musulmans ont lutté à l'intérieur de l'Union indienne[1].

Comme l'a remarqué Selim Abou[2], cette distinction entre des éléments susceptibles d'être modifiés et un « noyau dur » du système culturel est plus précise que la distinction que faisait Roger Bastide entre l'acculturation *matérielle* (les « contenus de la conscience psychique ») et l'acculturation *formelle* (« les manières de penser et de sentir »)[3]. Elle permet de mieux analyser les différentes dimensions de l'acculturation matérielle de Bastide, en précisant, selon les domaines, les formes d'emprunt et de réinterprétation. Mais il est vrai, d'autre part, qu'elle laisse au psychologue le soin d'analyser les formes et les rythmes de l'acculturation *formelle*.

C'est l'existence de ce noyau dur qui rend compte de l'attachement aux pratiques culinaires du pays d'origine que manifestent tous les émigrés dans tous les pays. À travers cet attachement qu'ils transmettent à leurs enfants, c'est, d'une certaine façon, tout l'ordre du monde qui s'exprime. On sait d'ailleurs que le retour à des formes culinaires traditionnelles a toujours accompagné les mouvements de revendications identitaires régionales ou nationales. L'ensemble de la cuisine, des goûts et des dégoûts alimentaires, dans lesquels on peut voir l'une des dimensions de l'ordre social caractéristique d'une culture, est le résultat de cette transmission de la mère à l'enfant.

> La cuisine d'une société est un langage dans lequel elle traduit inconsciemment sa structure, à moins que, sans le savoir davantage, elle se résigne à y dévoiler ses contradictions[4].

Si elle révèle « les spéculations les plus abstraites de la pensée mythique », elle affirme l'ordre du monde, dont la division selon le sexe constitue l'un des principes. L'ordre du monde, c'est d'abord l'ordre des normes de comportement selon le statut fami-

1. G. Krishna, « Islam, Minority Status and Citizenship : Muslim Experience in India », *Archives européennes de sociologie*, 27, 2, 1986, pp. 353-368.
2. S. Abou, art. cité, p. 130.
3. R. Bastide, *Le Prochain et le Lointain*, Cujas, 1970, pp. 138-139.
4. Cl. Lévi-Strauss, *L'Origine des manières de table*, Plon, 1968, p. 411.

lial et le sexe, tout particulièrement en ce qui concerne les filles, dont l'honneur doit être protégé jusqu'à leur mariage, et les femmes, qui, selon le proverbe italien, doivent rester le « ciment de la famille ». Rappelons que, pour Kardiner, la personnalité de base s'élabore à travers les règles de l'alimentation, les mœurs familiales et les interdits sexuels.

La relative stabilité de la situation coloniale tenait à l'établissement d'un système où le contrôle politique s'accompagnait du respect par le colonisateur du noyau dur culturel des colonisés. En Algérie, la domination politique des Français laissait subsister l'ensemble des dispositions de ce que nous appellerions le droit privé : l'inégalité successorale, la polygamie, la contrainte matrimoniale, la répudiation. Les colonisés pouvaient conserver le noyau dur culturel à travers lequel s'exprimaient leur honneur et leur identité. C'est par une politique du même type que les Britanniques ont pu assurer leur domination sur un empire dispersé mondialement avec une force militaire et administrative faible.

La distinction entre le « noyau dur » et la périphérie du système culturel n'est pas donnée une fois pour toutes ; elle dépend des cultures d'origine et des circonstances historiques, qui amènent le groupe à prendre conscience de lui-même et, par conséquent, de ses limites. Le travail ou la participation à la production peuvent ne pas être directement liés à la conception des rôles sexuels et familiaux, ce qui autorise, comme dans le cas des émigrés installés en France, une dichotomie stabilisée entre la vie du travail et celle de la famille, où se trouve préservée pour l'essentiel la conception traditionnelle. Dans d'autres groupes, le lien entre les deux est si étroit que l'individu refuse de modifier une vie de travail trop intimement liée à sa conception des rôles sexuels et familiaux. C'est dans ces termes que Steve Uran avait analysé la grande marche des fermiers boers vers le nord, refusant de participer au travail de la mine et à l'industrialisation introduite en Afrique du Sud par les colons anglais [1]. Ils avaient préféré abandonner tous leurs biens pour maintenir ce qui n'était pas

1. St. Uran, *Afrikaner Fascism and National Socialism in South Africa, 1933-1945*, University of Wisconsin, Madison, 1975.

seulement une activité professionnelle (le travail de la terre), une langue (l'afrikaner), mais une identité, c'est-à-dire une morale et une perception du monde, qui s'exprimaient quotidiennement dans le travail et la vie familiale.

Dans la mesure où la société industrielle tend à séparer, pour le plus grand nombre, le lieu de la production du lieu d'habitation, la vie privée de la vie de travail, elle autorise (favorise, parfois) la séparation des rôles familiaux de ceux de l'activité professionnelle (dans le cas des Boers, c'était cette séparation elle-même qui faisait l'objet du conflit). On comprend que l'exode rural puisse être l'occasion d'une crise particulièrement intense, et plus intense pour le responsable d'une exploitation agricole que pour les salariés agricoles, dans la mesure où il impose une rupture dans le système symbolique qui oppose le monde intérieur de la femme au monde extérieur de l'homme et rompt la continuité perçue comme naturelle qui s'établit dans le monde paysan entre la dichotomie sexuelle et la répartition des tâches quotidiennes. En revanche, le passage d'un pays à l'autre entraîne un conflit mieux négociable par certaines populations, qui avaient déjà connu la séparation du lieu de travail et du lieu d'habitation, à l'occasion de la migration de la campagne vers une ville de leur propre pays. Dans d'autres cas, les émigrés recréent dans la société d'installation un univers où l'unité de production recoupe partiellement ou totalement l'unité familiale, comme dans les entreprises familiales du Sentier créées par les émigrés juifs d'Europe centrale entre les deux guerres et, depuis 1970, par les Tunisiens et les Turcs. De façon générale, le développement récent de la petite entreprise créée par des émigrés en France et en Grande-Bretagne est lié à de nombreux facteurs : faibles capitaux, compétence technique limitée, utilisation possible de la main-d'œuvre familiale gratuite. Mais, en plus, elle permet de ne pas imposer une rupture trop brutale entre le domaine masculin et le domaine féminin.

La masse des émigrés aujourd'hui en France est formée de populations méditerranéennes venues de l'Europe et du Maghreb, pour lesquelles la conception du travail est suffisamment proche de celle de la France pour que l'acculturation au travail, avec ses diverses dimensions — rapport au temps et à la hiérarchie, minimum de compétence technique —, ait pu se faire sans provoquer de remise en question de l'identité collective. Il faut rappeler que les Maghrébins, dont on s'accorde à estimer la «distance culturelle» plus grande que celle des Espagnols et des Italiens, avaient connu, depuis deux ou trois générations, une acculturation — partielle comme toute acculturation, mais réelle — à la société moderne par la colonisation. Aux uns et aux autres, l'acculturation par la périphérie et le maintien du «noyau dur» culturel permettent une adaptation partielle et, le plus souvent, suffisante aux exigences de la société française. Rien de comparable au cas des populations amérindiennes, pour lesquelles la conception du travail restait à ce point incorporée à l'identité qu'elles se sont laissées mourir plutôt que de se soumettre à l'obligation du travail réglé selon le modèle occidental, que le colonisateur voulait leur imposer.

Cette dichotomie a une fonction positive, puisqu'elle permet à l'émigré de participer à la société dans laquelle il est installé, au moins par l'intermédiaire de l'activité professionnelle, sans être pour autant contraint de remettre en question son identité intime. Ce bricolage culturel autorise et même favorise la survie matérielle assurée par l'emploi en même temps que le ressourcement psychologique nécessaire. Il permet de résister à la xénophobie à laquelle tout émigré doit faire face. Il peut être qualifié de cohérent et de rationnel, si on le rapporte aux conditions sociales de sa genèse et de son fonctionnement.

Reste qu'il comporte une part d'instabilité, qui risque de se révéler à l'occasion d'une crise liée au cycle de vie ou suscitée par une situation générale comme le chômage. C'est sans doute pour compenser le sentiment de cette instabilité fondamentale que les émigrés évoquent toujours un retour proche ou lointain, mythique en ce qu'ils ne prennent jamais les dispositions pratiques qui seraient nécessaires pour l'organiser et se contentent de le situer dans un avenir indéterminé et de le soumettre à des conditions irréalisables. Le mythe du retour permet aux émigrés de faire l'économie d'une confrontation réelle avec les exigences de la société d'installation et de repousser dans l'avenir les conflits trop rudes et les véritables décisions. L'installation dans le provisoire paraît l'une des caractéristiques de la condition de l'émigré dit «économique».

La distinction entre la périphérie du système culturel et le noyau dur permet de rendre compte des deux attitudes qu'on peut observer parmi la population migrante : la combinaison culturelle ou le blocage culturel.

La combinaison culturelle

On peut analyser dans les termes d'une «dichotomie stabilisée» la première attitude, apparemment la plus fréquente. L'émigré a élaboré une combinaison culturelle spécifique, ensemble de modèles de comportements et de valeurs dont l'actualisation est compatible avec les comportements professionnels et familiaux exigés par la société d'installation. La participation à l'activité économique s'accompagne d'une vie privée, dont les éléments périphériques connaissent une acculturation aux normes de la société globale, laissant intact le noyau dur culturel.

C'est la raison profonde pour laquelle on a pu souvent constater que la perpétuation de pratiques socio-culturelles spécifiques, la constitution de communautés particulières et, même dans certains cas, le maintien de contacts avec la société d'origine favorisaient l'intégration et la réussite dans la société d'accueil. L'émigré peut ainsi ne pas remettre en question le noyau dur de sa culture et éviter la déculturation, faire face à l'hostilité des voisins ou des employeurs. Les «colonies» particulières, formées par les immigrés dans la société d'installation, constituent une sorte de milieu intermédiaire, favorable au maintien de la dichotomie stabilisée, par laquelle le sens même que l'immigré donne à son mode de vie le plus intime n'est pas remis en question.

Le blocage culturel

Alors que les plus instruits ou les plus aptes, individuellement et socialement, à intérioriser une partie des normes et des comportements exigés par la société moderne, tout en conservant la part la plus intime de leur personnalité, parviennent, grâce à ce bricolage culturel, à maintenir une dichotomie stabilisée, au moins pour un temps, d'autres, dépourvus de cette aptitude, sont renvoyés à un traditionalisme exacerbé, décontextualisé, à une sorte de blocage culturel — forme pathologique de retour à soi dans une situation vécue comme une menace à sa propre identité. On a ainsi connu au xviiie siècle, avant l'émancipation, des communautés juives, menacées par le monde extérieur, qui tendaient à un état de quasi-reproduction. La famille s'efforce passionnément de maintenir et surtout de transmettre à ses enfants les normes de comportements conformes aux modèles du pays d'origine, tel qu'il était au moment de leur départ. Or, dans les campagnes turques ou algériennes, la famille patriarcale commence progressivement à se disloquer sous l'effet de l'urbanisation, en sorte que nombre d'enfants de migrants dont les parents sont réduits à ce blocage culturel se voient élevés de manière plus rigoureuse et moins « moderne » que leurs cousins restés dans le pays d'origine.

Culture et identité diasporiques

Il est facile de comprendre, si l'on accepte ces analyses, l'échec des politiques de retour que les pays d'Europe occidentale ont tenté de mettre sur pied dans les années 1970, quand la crise économique a rendu inutile la présence de nombreux immigrés. La majorité des personnes qui ont demandé à bénéficier du « million » instauré par le gouvernement en 1978 étaient des Espagnols et des Portugais, qui sont les plus nombreux, de toute façon, à repartir dans leur pays[1]. Devenus producteurs, puis consommateurs dans un pays moderne, la grande majorité des émigrés vivraient comme une régression le retour dans un pays plus pauvre. La régression ne serait pas seulement économique. À travers les comportements économiques, c'est un *nouveau rapport au monde* qui s'est esquissé. Les émigrés ont élaboré une culture spécifique, en bricolant autour du noyau dur de la culture d'origine des éléments empruntés à la culture moderne et française, y compris la fascination pour la culture politique et les jeux de la démocratie. La preuve de leur acculturation est fournie par les difficultés qu'eux-mêmes — sans parler de leurs enfants — rencontrent lors de leur retour dans leur village d'origine. Le retour au pays remet en question tout le travail de réélaboration

1. C. CORDEIRO, *L'Émigration*, La Découverte-Maspéro, 1983, p. 47.

culturelle que, malgré leur volonté initiale, ils ont été amenés à accomplir, tout le procès de modernisation. En revanche, quand ils rentrent dans les secteurs productifs de la vie moderne, ils ont pu jouer, par exemple en Espagne, un rôle efficace pour diffuser les comportements démocratiques dans la vie syndicale et politique.

Les populations diasporiques se réfèrent à une patrie originelle d'où elles ont été chassées (le plus souvent par un événement tragique) et où elles rêvent de retourner, en entretenant le mythe que l'exil est provisoire. L'expérience historique montre pourtant qu'elles ne retournent guère vers la terre promise, lorsque l'occasion leur en est donnée. Malgré la perpétuation d'une identité spécifique et le sentiment, qui peut être resté fort, d'appartenir à une unité dispersée, elles ont en même temps élaboré une culture indissolublement liée au pays d'installation. La culture des émigrés en France aujourd'hui est bien une culture des émigrés-de-France, dans laquelle se combinent un noyau dur et des éléments empruntés à la société moderne ou, pour être plus précis, aux milieux sociaux dont les émigrés partagent le genre de vie, et réinterprétés selon les normes de la société d'origine. Elle interdit leur retour dans un pays qui a, lui-même, changé.

Émigrés et politique

La dichotomie entre l'univers professionnel et celui de la vie privée, en quoi on peut sommairement résumer le principe de cette réinterprétation, laisse-t-elle la place pour une forme de participation politique ? Dans leur définition initiale de travailleurs étrangers, les émigrés, restés citoyens de leur pays d'origine, se voient refuser par définition toute forme d'action ou de participation politique.

Mais, dans les démocraties libérales, si les émigrés ne disposent ni du droit de vote ni du droit de concourir pour des emplois publics, rappelons qu'ils ne sont pas pour autant privés des droits directement liés à leur activité professionnelle : droit de grève, droit syndical, droit de participer à l'élection des comités d'entreprise et des délégués du personnel, des conseils de prud'hommes et d'être élus (à condition de savoir le français). Outre les droits sociaux proprement dits (protection sociale, en particulier Sécurité sociale), ils disposent ainsi de droits dont la dimension politique (au sens large) est évidente. Même s'il a été difficile, parfois impossible de faire respecter ces droits dans les faits, leur reconnaissance a progressivement conduit à donner de nouvelles responsabilités aux immigrés. De fait, l'action s'est concentrée sur les problèmes de logement, sur les conditions de travail (dans quelques cas, les musulmans ont pu faire admettre des aménagements pour prier sur leur lieu de travail), sur les relations avec la police et l'administration.

Il est difficile d'apprécier pleinement le sens de ces faits, liés à tout le problème de ce que certains appellent la « démocratie économique et sociale ». Il importe toutefois de rappeler une distinction simple, sinon simpliste, mais essentielle, entre le domaine étroit du politique — défini par la participation, dans une démocratie, au choix des gouvernants par le vote et le militantisme partisan — et le sens large du politique, dans lequel toute forme de participation à la vie sociale finit par avoir une implication politique. Cette distinction ne fait d'ailleurs qu'appliquer au politique celle que proposait Max Weber entre l'acte économique et l'acte à portée économique. Nombre de textes qui concluent à la politisation nouvelle des émigrés adoptent implicitement le sens large, en sorte que l'affirmation tend à être tautologique : puisque l'émigration est devenue une émigration de peuplement, il va de soi que, « par leur présence, ils influent sur le cours des décisions politiques internes et internationales »[1]. Au-delà de cette tautologie, il faut analyser comment ils sont devenus des acteurs politiques et, plus généralement, comment ils participent à la société globale.

LA RÉINTERPRÉTATION NATIONALE
DU PROJET MIGRATOIRE

Outre la trajectoire qui a précédé l'émigration et la forme de l'installation en France, l'histoire des contacts qui se sont établis

---

1. C. WIHTOL DE WENDEN, *op. cit.*, p. 313.

entre la société d'origine et les modèles de comportements modernes, l'histoire des relations entre le pays d'origine et le pays d'installation, la puissance et le prestige comparés des deux pays
expliquent les formes du procès de modernisation. Selon cette
histoire, les émigrés réinterprètent leur migration et lui donnent
un sens nouveau. L'inconscient historique donne une figure spécifique à l'acculturation de chaque groupe national. Comment
pourrait-on comprendre que la xénophobie prenne aujourd'hui
pour objets premiers les Maghrébins, si l'on oublie le passé colonial et la guerre d'Algérie[1] ?

C'est là ce qui donne sa spécificité à l'intégration des immigrés et la différencie en profondeur de celle des Bretons ou des
Auvergnats. On peut admettre, comme le font Gérard Noiriel
et Stéphane Beaud, qu'en réduisant le rôle de la « race » ou de
l'« ethnie » et en ne traitant pas spécifiquement des populations
étrangères, Durkheim admettait implicitement qu'elles ne sou-
levaient pas de problèmes différents de ceux que pose l'ensemble des processus d'intégration nationale[2]. Les conflits présents
ou passés, les rivalités nationales confèrent pourtant une signification différente aux relations entre les nationaux et les immigrés, donnant une dimension spécifique à l'intégration de ces
derniers. Durkheim, dans son refus de reconnaître toute forme
d'ethnicité, conformément à la conception de la nation française,
a sous-estimé le fait que la dimension nationale et politique est
à l'horizon de toutes les relations interethniques.

Les émigrés de l'Europe du Sud (Italiens, Espagnols, Portugais) ont désormais intériorisé l'idée d'une égalité de richesse,
de modernité et de liberté entre leur pays d'origine et la France.
L'intégration des émigrés italiens en France, qui fut si longtemps
conflictuelle et violente, est réputée maintenant « sans problèmes ».
Italiens, Portugais, Espagnols soulignent l'évolution « positive »
de la société dont ils ont émigré, affirmant ainsi leur propre dignité

---

1. J'évite volontairement le terme de racisme, dont la polysémie et les ambiguïtés
sont devenues aussi redoutables dans leur usage scientifique que dans leur usage courant.
L'hostilité collective à l'égard de l'autre, fondée sur un mode de pensée essentialiste,
me paraît aujourd'hui moins mal désignée par le terme de xénophobie. Sur tous ces sujets,
on consultera le livre de P.-A. Taguieff, *La Force du préjugé*, La Découverte, 1988.
2. G. Noiriel et St. Beaud, art. cité.

et donnant rétrospectivement à leur départ le sens d'un choix volontaire et rationnel. Émigrés, certes, ils le sont, mais ils n'ont pas été contraints et ils pourraient ne pas l'être. Ils peuvent ainsi nier la définition sociale de l'«émigré», c'est-à-dire du travailleur né dans un pays pauvre, contraint par la misère à partir travailler dans un pays plus riche pour assurer la survie de sa famille. Ils peuvent se référer à une image glorieuse de leur pays d'origine. Cette redéfinition du sens du départ et de la présence en France, manifeste chez les Italiens, est le produit du même travail de réinterprétation chez les Espagnols ou les Portugais, en particulier depuis que la restauration de la démocratie et l'entrée dans l'Europe de leur pays d'origine ont donné un sens nouveau à leur présence en France : celui d'un choix réfléchi, d'une stratégie professionnelle menée entre deux pays de dignité égale, à l'intérieur d'un projet plus large, la construction d'une Europe démocratique.

Les Turcs, quant à eux, gardent le souvenir intériorisé, même s'il est informulé, de la gloire de l'Empire :

> Leur mémoire collective, fondée sur l'histoire de l'Empire ottoman, conserve le souvenir du peuple turc ottoman, tel que l'entretiennent les livres de classe, les poèmes de la littérature et la conscience de soi[1].

De plus, les populations installées en France sont encadrées et contrôlées par des imams nommés par le gouvernement. Enfin, ils gardent aussi la mémoire (l'*history remembered* de Bernard Lewis) d'une volonté de modernisation non pas directement imposée par une puissance occidentale, mais issue de l'initiative de leurs propres gouvernants (Mustapha Kemal), sous l'influence indirecte des modèles occidentaux, mais dans la continuité historique, sans la rupture et le choc politique qu'ont connus les pays colonisés. Cette mémoire explique sans doute l'absence de relations objectives et le mépris affiché pour l'autre population musulmane nombreuse en France, les Maghrébins, alors que la référence à l'islam est constante dans les propos de l'émigré turc.

1. B. Lewis, *History Remembered, Rediscovered, Invented*, Princeton U.P., 1975, p. 38.

Elle explique aussi la relation ambiguë, d'ailleurs caractéristique de tous les groupes minoritaires, que les émigrés entretiennent avec la société d'émigration : attirance non formulée à l'égard de la modernité et condamnation explicite des comportements des « Français » et des autres émigrés au nom de la supériorité morale et religieuse de l'islam. On sait que les populations minoritaires compensent souvent leur infériorité sociale objective par la référence à leur supériorité morale.

Le passé colonial, avec son inégalité juridique et politique entre le colonisateur et le colonisé, le souvenir de la guerre, resté très présent, continue à définir l'horizon des relations entre Français et Algériens, intimement conflictuelles et passionnées. Il nourrit l'hostilité et la xénophobie qui s'expriment tout particulièrement à l'égard des Algériens. L'image de la nation algérienne, socialiste et peu démocratique, ne constitue pas, d'autre part, une référence valorisante. Cet inconscient historique pourra sans doute, à la longue, avoir un effet intégrateur : les véritables conflits sont les conflits de famille. Mais, à court terme, il rend plus difficile aux parents algériens de reconnaître le fait indiscutable de l'acculturation et de l'intégration progressive de leurs enfants à la société française et risque de donner encore longtemps aux formes de cette intégration directement liées à la citoyenneté, en particulier la naturalisation et le service militaire, le sens d'une trahison, d'autant que, selon l'un des schémas de la culture islamique, nationalité et communauté sont étroitement liées. Dans cette dimension historique et politique, au sens étroit et large du terme, réside la spécificité de l'intégration des immigrés.

Quel que soit l'horizon historique des relations entre la France et le pays d'origine, les études des enfants et leur avenir deviennent les nouvelles justifications du projet migratoire. Les émigrés retrouvent ainsi le projet de tous les migrants ruraux, pour lesquels l'instruction est auréolée d'un prestige presque magique [1]. L'intérêt des enfants justifie rétrospectivement les épreuves de l'émigration et les échecs inévitables, si l'on définit ainsi l'écart entre les rêves que pouvaient former, avant leur départ, les émigrés et la réalité de leur condition en France.

---

1. M. Vincienne, *Du village à la ville*, Mouton, 1972, p. 184.

DOUBLE RÉFÉRENCE ET IDENTITÉ «DORMANTE»

Les enfants d'émigrés ne sont pas des «deuxième génération d'émigrés», en ce qu'ils ne sont ni migrants ni émigrés, que, pour 70 % d'entre eux, ils sont nés en France et qu'ils n'ont pas hérité d'une «culture d'émigrés». Ils connaissent une socialisation familiale, avec des parents déjà partiellement acculturés aux normes de la société d'installation, qui ne recoupe pas celle qu'ils auraient connue si leurs parents étaient restés dans leur pays d'origine, même si ce dernier a déjà connu la rencontre avec la modernité. Elle ne recoupe pas non plus celle que connaissent les autres enfants des mêmes catégories sociales, qui ne sont pas issus de l'émigration. La socialisation familiale se mêle — ou se heurte, éventuellement avec violence — à celle de l'école et du groupe des pairs, sans oublier l'influence des mass media et l'ensemble des interactions avec la société globale. Les enfants d'émigrés scolarisés en France sont culturellement français avant de le devenir juridiquement, pour la majorité d'entre eux, à 18 ans, quand ils ne le sont pas à leur naissance (c'est en particulier le cas des Algériens). Porteurs d'une culture et d'une condition spécifiques, ils démontrent l'irréalité fondamentale du projet ou du mythe du retour entretenu par leurs parents. À la fois parce que leur socialisation familiale transmet pour partie le noyau dur culturel et parce que, nés ou arrivés très jeunes en France, scolarisés dans la même école que tous les autres enfants, ils ne sont pas susceptibles de se livrer au même bricolage que leurs parents, ils risquent toujours de faire éclater la stabilité culturelle de leurs parents. Comme le dit une jeune Algérienne : «C'est nous qui sommes au centre de toutes leurs contradictions[1].»

Le fait massif, que confirment toutes les enquêtes, est l'acculturation des enfants de migrants scolarisés en France et leur volonté d'intégration. Ils ont les mêmes connaissances, les mêmes ignorances et les mêmes goûts, les mêmes références scolaires et cultu-

---

1. Extrait d'entretiens cités *in* A. SAYAD, «Les enfants illégitimes», *Actes de la recherche en sciences sociales*, n° 25, janvier 1979, p. 75.

relles, les mêmes comportements que les enfants français appartenant aux mêmes milieux sociaux. Cela n'implique pas pour autant que leur participation à la vie collective en sera facilitée. Par définition, ils n'ont pas le projet migratoire de leurs parents. Dans la mesure précisément où ils sont devenus proches des autres, ils suscitent tout particulièrement les passions xénophobes.

Les discours sur la double appartenance et la double identité qu'ils tiennent volontiers ne doivent pas être interprétés comme traduisant une « double appartenance » de fait. Le terme lui-même semble impliquer que l'individu « appartient » à une culture, comme si elle existait en dehors de lui, au lieu d'être le produit de son élaboration. Il peut s'agir d'une double référence identitaire, non d'une double appartenance. Le concept de référence souligne qu'il n'y a pas égalité entre les deux termes : la socialisation dans un pays et la participation à la vie collective n'ont pas le même sens que les séjours de vacances (provisoires, par définition) et les liens commerciaux ou les relations de nature sentimentale ou symbolique qu'ils continuent souvent à entretenir avec le pays d'origine de leurs parents. Peut-on imaginer le retour en Pologne des Polono-Américains, celui des juifs français dans le *Shtetl* ou la *mellah*, s'ils existaient encore, autrement que comme une autre migration, imposant à nouveau l'effort de l'acculturation et de l'intégration ?

À propos de cette identité, à peu près vide de contenu, où se mêlent impossibilité de fait, nostalgie et fidélité à un passé rêvé, les sociologues ont parlé d'« identité symbolique »[1] aux États-Unis et d'« identité affective »[2] au Canada. En analysant cette expérience dans les termes de l'identité « symbolique », les sociologues aux États-Unis soulignent le rôle que jouent dans leur pays les groupes ethniques — comme réalité et comme fondement des revendications sociales — dans les conflits de status et de prestige à l'intérieur de la société américaine, dans le fonctionnement de la vie politique. Au Canada, où les groupes sont moins reconnus

1. H. GANS, « Symbolic Identity », *in* H. GANS, D. GLAZER, D. MOYNIHAN (éd.), *On the Making of Americans, Essays in Honor of David Riesman*, University of Pennsylvania Press, 1979, pp. 193-220.
2. M. WEINFELD, « Myth and Reality in the Canadian Mosaic : "Affective Ethnicity" », *Canadian Ethnic Studies/Études ethniques au Canada*, 1981, 13, 3, pp. 80-100.

comme des acteurs légitimes de la vie sociale, le terme *affective* insiste sur le caractère plus proprement sentimental de la référence identitaire. Je proposerais de la qualifier, en reprenant les termes généralement utilisés par les juristes à propos de la nationalité, de « dormante », c'est-à-dire provisoirement oubliée, mais susceptible d'être réactualisée, si l'individu regagnait son pays d'origine. Quels que soient les termes utilisés, ils désignent la même expérience : celle de ces Français, de ces Américains et de ces Canadiens — par la culture et le plus souvent par la nationalité — d'origine italienne, algérienne ou portugaise, qui maintiennent avec le pays d'origine de leurs pères éventuellement quelques formes d'échanges (vacances, commerce), mais surtout des liens sentimentaux et symboliques, d'autant plus revendiqués que leur pays d'origine fait l'objet de mépris ou qu'ils se heurtent à la xénophobie de la société dans laquelle ils vivent.

Résumons les traits essentiels qui caractérisent le projet migratoire des populations massivement arrivées dans l'Europe occidentale entre les années 1950 et 1975. Cette immigration dite « économique » peut être analysée comme une forme spécifique du procès de modernisation que connaît l'ensemble des pays. Elle constitue une étape dans un projet de mobilité, qui suppose la maîtrise des moyens de participer à une société moderne. Vécue comme un projet économique, au sens étroit du terme, elle provoque une acculturation à la modernité en fonction de laquelle le projet initial se trouve réinterprété. On peut en analyser les effets sur l'évolution des normes familiales : certains émigrés réélaborent une combinaison culturelle spécifique autour du noyau dur de l'identité culturelle, tandis que d'autres se trouvent renvoyés à une attitude de blocage culturel, interdisant l'acculturation aux normes de la société d'installation et l'intégration. Pour la majorité d'entre eux, la socialisation anticipatrice, le projet migratoire ont favorisé la participation à la société française.

Il va de soi — les recherches empiriques le démontrent — que les diverses populations actualisent de manière différente ce schéma général. Le procès diffère selon l'origine nationale des populations. Les familles italiennes se rapprochent plus du style des familles françaises de même niveau social que les familles turques ou maghrébines. Il diffère à l'intérieur du même groupe national selon l'origine sociale : pour certains, la migration signifie aussi le passage du monde rural au monde urbain. D'autres avaient déjà connu dans le pays d'origine une rupture avec la société paysanne, une première forme d'urbanisation ou de semi-urbanisation et de mobilité. La migration vient alors accélérer un processus dont les conditions avaient déjà été au moins partiellement intériorisées avant la migration. Il diffère aussi selon que les migrants sont dispersés dans un espace urbain large, où le contrôle social s'affaiblit progressivement, ou, au contraire, concentrés dans un foyer (ainsi de certains villages d'Afrique noire dont les hommes ont été collectivement réinstallés dans un même foyer), ou bien encore regroupés dans un quartier d'une ville petite ou moyenne, dans laquelle la vie communautaire et le contrôle social exercé par les autres contraignent les individus à se conformer autant que possible aux normes traditionnelles. Il diffère enfin selon les liens qui unissent ou opposent leur pays d'origine et le pays d'installation.

CHAPITRE 5

Les modes d'acculturation

Les enquêtes à partir desquelles a été défini le « projet migratoire » permettent de décrire les formes variées que prend le procès de modernisation. Rappelons que les conditions du recueil des données statistiques interdisent de préciser la répartition des attitudes que dévoilent les enquêtes qualitatives. Rappelons aussi que les analyses qui suivent portent essentiellement sur la masse de l'immigration économique arrivée jusqu'au milieu des années 1970 et stabilisée en France et ne concernent pas les immigrés plus récents, originaires de pays plus lointains [1].

L'ACCULTURATION À LA MODERNITÉ

La société d'installation, dont les besoins en main-d'œuvre au cours des Trente Glorieuses sont à l'origine de la migration, ne perçoit l'émigré que comme un travailleur. L'émigré est un travailleur étranger, venu pour un temps limité remplir une tâche précise, et qui accumule les sommes d'argent en vue de repartir dans son pays. Cette définition du *Gastarbeiter* en Allemagne vaut pour tous les émigrés au début de leur séjour.

De fait, les enquêtes empiriques confirment l'intériorisation, pour un temps, par les émigrés d'une condition sociale conforme

---

1. Par leur caractère synthétique, les analyses qui suivent ne manqueront pas de paraître schématiques aux spécialistes de chacune des populations immigrées. Il importe à certains moments de la recherche de mettre en relief l'essentiel. J'espère néanmoins qu'elles ne trahissent pas les travaux sociologiques sur lesquels elles sont fondées.

à cette définition. Les émigrés turcs, par exemple, pendant les premières années de leur présence en France et en Allemagne, travaillent le plus possible afin d'accumuler au maximum et de transférer les sommes épargnées vers leur pays, où ils se constituent un capital par des achats immobiliers ou de fonds de commerce [1]. La consommation est réduite au profit de l'épargne envoyée en Turquie. Le logement, quand il ne s'agit pas seulement du foyer pour travailleurs, ne comprend que le minimum de meubles. Les relations avec le pays d'immigration, où le séjour est considéré comme provisoire, sont limitées aux relations de travail indispensables. Les migrants ne s'intéressent qu'aux événements politiques et sportifs de la Turquie, négligeant l'actualité allemande ou française. Le refus d'apprendre la langue du pays d'installation ne fait qu'illustrer l'attitude d'ensemble.

Mais toutes les enquêtes démontrent que ce rapport purement instrumental à la vie économique n'excède pas les deux ou trois premières années. La présence dans la société d'immigration, l'acculturation, même partielle, aux normes du travail collectif transforment le sens du projet, ce d'autant plus que, comme l'ont montré les travaux de M. Tripier, l'identité professionnelle est positive. L'acculturation liée à l'emploi est bientôt prolongée par les conséquences de la venue des familles. Au nom du « regroupement familial », près de 600 000 personnes sont entrées en France entre 1965 et 1973. Le changement de politique de l'immigration intervenu en 1974 a plutôt intensifié le mouvement. La structure de la population émigrée selon le sexe s'est rapidement rééquilibrée. Dès lors, l'« émigré » a cessé d'être seulement un « travailleur », exclusivement défini par ce rôle. L'« émigré », c'est désormais une population d'hommes, de femmes et d'enfants qui multiplie les occasions de pénétration des normes de la société d'installation : par la scolarisation des enfants, par la participation des femmes à la production industrielle ou à la vie quotidienne des classes moyennes ou supérieures grâce au

1. Sur les émigrés turcs en Allemagne, voir M. Cetinsoy, « Les Turcs à Stuttgart, évolution et adaptation d'une communauté étrangère dans une grande agglomération allemande », *Greco 13, Recherches sur les migrations internationales*, 1982, 4/5. Sur les Turcs en France, R. Kastoryano, *Être turc en France, réflexions sur familles et communautés*, L'Harmattan, 1986.

travail domestique. On sait que, contrairement à une idée reçue, une part croissante des femmes immigrées participe au marché du travail, sans oublier, bien entendu, la part croissante des enfants de migrants. Une immigration économique, définie par et pour le travail, est devenue une immigration de peuplement. La distinction classique entre une immigration de travail et une immigration de peuplement est illusoire.

Dans bien des cas, le projet des femmes est plus spécifiquement culturel. Les hommes sont d'abord partis pour accumuler en vue du retour. Les épouses qui les rejoignent au nom du regroupement familial ont souvent pour but de réaliser un nouveau projet de vie et de s'intégrer dans une société moderne. C'est ce que montre l'exemple, étudié par Yeza Villac, de femmes jeunes et alphabétisées, qui ont épousé un émigré plus âgé, souvent analphabète, pour pouvoir quitter l'Algérie. L'émigré apporte le droit de séjourner en France, d'y développer un projet de vie, à court terme d'obtenir et de revendre des devises et des produits français. La stratégie matrimoniale s'inscrit alors dans une stratégie de mobilité et d'accès à la modernité. Il faut aussi ajouter l'émigration de femmes seules, célibataires munies d'un diplôme, qui ne parviennent pas à s'intégrer dans la société algérienne [1].

Les femmes, qui ont tout intérêt à une remise en question de la tradition, accélèrent le processus d'acculturation. Lorsqu'elles sont employées dans le travail domestique, elles partagent, pour une partie de la journée, les logements occupés par des membres des classes supérieures et acquièrent une intimité et une familiarité avec un mode de vie qui font d'elles des instruments privilégiés de la diffusion des modèles de la société d'installation. C'est ainsi qu'elles ont intériorisé les nouvelles normes de consommation : équipement ménager, logement, nourriture, vêtements, rapport au corps, entraînant une série de pratiques. Les familles d'émigrés acquièrent en particulier l'équipement électroménager et la voiture qui, dans l'Europe des trente dernières années, ont constitué les indices privilégiés de la réussite sociale. La machine à laver, symbole d'une nouvelle conception du travail

---

1. Y. Boulhabel Villac, *Stratégies professionnelles et familiales des femmes algériennes*, rapport pour la C.N.A.F., février 1989.

domestique, la voiture, condition de l'indépendance familiale et symbole de la réussite, montrent l'accentuation des conduites de consommation aux dépens de l'épargne. Le poste de télévision, toujours présent, toujours allumé, même quand les émigrés ignorent la langue du pays, donne-t-il une forme de connaissance du pays d'installation ? Ou bien permet-il seulement de regrouper autour d'une occupation commune les membres de la famille, inégalement acculturés ? Il contribue en tout cas à effacer, dans le cas des musulmans, la séparation traditionnelle entre le domaine masculin et le domaine féminin.

Aucun milieu d'émigrés, même parmi les plus traditionnels, n'échappe à la logique de la consommation. Une enquête consacrée, en 1980, à des familles d'agriculteurs arrivées depuis peu en France et, pour 90 % d'entre elles, du même village d'Anatolie centrale, en donne un exemple significatif[1]. Ces familles gardent les normes les plus traditionnelles : plusieurs des hommes ont deux épouses, le mariage patrilocal reste fréquent, les adolescents sont mariés entre 16 et 18 ans, leurs comportements étroitement surveillés. Les signes extérieurs confirment le maintien des mœurs d'origine. Comme à Terrasson, où s'était déroulée l'enquête de Maryse Tripier, toutes les femmes et les jeunes filles sont vêtues du costume des paysannes anatoliennes : blouse par-dessus le pantalon bouffant et fichu noué autour de la tête. L'analphabétisme est élevé : 20 % des femmes savent lire et écrire, 75 % ignorent complètement le français, 50 % se font difficilement comprendre dans les démarches de la vie quotidienne. Pourtant, cette population que tout devrait conduire à n'envisager qu'un séjour provisoire, défini comme une étape dans un procès d'accumulation financière avant le retour en Turquie, déclare pour 80 % souhaiter changer de logement, pour 60 % de quartier, trouver un appartement dans une H.L.M. et avoir des voisins français.

C'est le logement qui oppose longtemps les émigrés aux Français des mêmes groupes sociaux — proposition qui s'applique à toutes les populations défavorisées. L'exemple des Noirs aux

---

1. J. Barou, « L'insertion urbaine des étrangers dans une ville moyenne », *Greco 13, Recherches sur les migrations internationales*, 1982, 2, pp. 16-28.

États-Unis le montre. Malgré leur progression globale entre 1975 et 1985, la ségrégation du logement s'est encore accrue : il reste plus cher, moins bien équipé et plus peuplé que celui des Blancs de même niveau social [1]. En France et en Allemagne, c'est prioritairement autour des problèmes de logement que se sont manifestés depuis une décennie les mouvements de revendication des travailleurs émigrés. Dans les villes petites et moyennes, ils occupent souvent, en tant que derniers arrivants, les quartiers anciens les plus pauvres et les H.L.M. les plus dégradées. À Paris, les Turcs, qui ont une entreprise de couture à domicile, l'ont installée au milieu de la vie familiale dans des appartements minuscules. Les conditions économiques et sociales qui pèsent sur le logement des classes populaires conjuguent leurs effets à ceux de l'attitude propre aux émigrés, qui, dans leurs premiers choix économiques, privilégient l'acquisition de biens mobiliers susceptibles d'être ramenés dans le pays d'origine (voiture, équipement électroménager, télévisions, magnétoscopes, etc.) aux dépens du logement en France.

Les municipalités, de leur côté, se sont efforcées d'éviter, comme l'a montré V. de Rudder, la constitution des ghettos [2]. Les étrangers sont évidemment regroupés dans les mêmes quartiers, parce que ce sont les quartiers pauvres. Mais ils côtoient les Français : les émigrés constituent moins de la moitié de la population des quartiers nord de Marseille ou de la Goutte d'or, à Paris. Eux-mêmes sont originaires de tous les pays : dans les quartiers d'immigrés de Dreux, on a compté jusqu'à 66 nationalités. Sans doute certains quartiers jouent-ils le rôle de ralliement symbolique pour telle ou telle population. La rue des Rosiers, à Paris, où les juifs ne forment que 25 % de la population, sert de centre d'informations, de loisirs et de commerce, de symbole collectif, bien au-delà des résidents. Mais, dans aucun cas, il ne s'agit d'un ghetto où vivrait une seule population organisée et isolée du reste de la société. C'est d'ailleurs cette cohabitation de populations

1. O. PATERSON, « The Black Community : Is There a Future ? », *in* S. M. LIPSET (éd.), *The Third Century, America as a Post-Industrial Society*, Hoover Institution Press, 1979, pp. 269-270.
2. V. DE RUDDER, « Vivent les ghettos ? », *Greco 13, Recherches sur les migrations internationales*, 1982, 4/5, pp. 52-67.

diverses par leur mode de vie qui est souvent à l'origine des problèmes quotidiens dans les banlieues des grandes villes.

L'exemple des émigrés italiens qui, après quelques années, font des économies sur tous les postes de dépenses pour acheter un terrain où construire une maison avec l'aide de leur famille, montre pourtant que la « crise » du logement des émigrés n'est pas, pour tous et toujours, définitive.

La contradiction entre le premier comportement du migrant et les demandes de consommation de ses enfants apparaît rapidement et conduit à réinterpréter toutes les relations familiales. L'autorité du chef de famille est contestée, les relations entre les époux remises en question. Le renouvellement du lien entre les époux est particulièrement visible dans le cas des émigrés italiens. Le rôle masculin, fortement défini dans la société d'origine, l'est évidemment moins en France. Le mari, au lieu de sortir seul, regarde la télévision avec sa famille ou l'emmène à la campagne. Chez les plus modernes, ceux qui déclarent jouer au « mari français », il va jusqu'à collaborer aux tâches domestiques. Dans toutes les familles, certains éléments des modèles de conduite perçus comme modernes, donc valorisés, sont intériorisés, modifiant en particulier le sens et l'intensité des relations à l'intérieur du couple et l'attitude à l'égard des enfants. « La famille a besoin d'être ensemble, on n'est pas des chiens, un qui va à droite, un qui va à gauche [1]. » Même dans le cas des immigrés turcs ou maghrébins issus du monde rural, le couple prend une importance que lui interdisait la famille patriarcale. C'est encore plus net lorsqu'ils avaient connu l'urbanisation avant la migration et se sont installés à Paris. Il est frappant que les émigrés algériens refusent à 96 % la polygamie (ils sont d'ailleurs 89 % dans ce cas en Algérie, où la polygamie n'a jamais été pratiquée que par une faible minorité). On sait depuis les travaux d'Élizabeth Bott qu'un réseau de relations serrées exerçant un contrôle plus fort sur ses membres entraîne ceux-ci à se conformer plus strictement aux normes traditionnelles. Quand une famille n'entretient plus

---

1. Extrait d'entretiens cités *in* D. Schnapper, « Centralisme et fédéralisme culturels : les émigrés italiens en France et aux États-Unis », *Annales E.S.C.*, octobre 1974, pp. 1140-1160.

avec les autres que des relations lâches, le contrôle est affaibli. Dans le cas des émigrés qui, pour la plupart, ont quitté une communauté de petite taille où le contrôle social était fort, le comportement masculin est moins soumis à la pression du groupe. C'est ce qui explique que le renouvellement de la vie conjugale est plus affirmé à Paris, où la vie communautaire est plus faible, que dans une ville de province.

La plus grande solidarité du couple s'accompagne d'une relation plus chaleureuse aux enfants. Unanimement, les émigrés déclarent attacher de l'importance aux études de leurs enfants, décider de leur installation définitive au nom de leurs études et de leur avenir. Bien des parents algériens transfèrent sur les études de leurs enfants le projet initial de mobilité sociale que leur absence de qualification et le chômage actuel rendent impossible à réaliser pour eux-mêmes. Toutes les familles de migrants italiens, portugais, même ceux qui sont issus de l'émigration la plus récente et des régions les plus traditionnelles, déclarent attacher autant d'importance aux études de leurs filles qu'à celles de leurs fils et rejettent avec indignation l'idée qu'un garçon pourrait renoncer à ses études pour doter ses sœurs. « L'école, je pense que c'est la chose plus mordiale du monde. Si l'on n'a pas d'école, on n'a rien, quand on n'a pas appris, on n'a rien, moi je suis zéro [1]. »

Dans les familles algériennes, l'attitude à l'égard des études des filles est souvent plus ambiguë et varie fortement selon les groupes. On peut toutefois constater que, quels que soient les discours, la scolarisation des filles d'origine maghrébine ne cesse de s'allonger. Les conflits violents sur ce sujet ne sont pas rares avec les pères (les mères semblent souvent plus favorables), mais le sens général de l'évolution paraît clair.

« NOYAU DUR » ET COMBINAISON CULTURELLE

Les enquêtes montrent dans toutes les populations la résistance du noyau dur culturel. « L'immigrant est et reste diffé-

---

1. Extrait d'entretiens cités *in* D. Schnapper, « Tradition culturelle et appartenance sociale : émigrés italiens et migrants français dans la région parisienne », *Revue française de sociologie*, 17, 3, 1976, p. 486.

rent[1]. » Les familles les plus modernisées gardent dans l'ordre du privé familial des spécificités liées à leur socialisation primaire : d'où les difficultés souvent signalées de la cohabitation de populations différentes.

Il est frappant, par exemple, que les émigrés italiens, dont tous les comportements sont proches de ceux des ouvriers français, n'en conservent pas moins des formes spécifiques de vie familiale. Il reste entre les membres des familles d'émigrés une solidarité que les Français de même niveau social ignorent. Cette solidarité est plus instrumentale que morale ou expressive. Comme chez les migrants de l'Italie du Nord ou les Italo-Américains, dont les relations familiales sont plus étendues que celles des autres groupes ethniques, elle intervient dans les moments de difficultés ou de crise : la famille élargie aide à l'installation en France, contribue à l'achat du terrain, puis à la construction de la maison, à son amélioration continue, apporte son aide au moment des deuils ou des maladies. Le sentiment de solidarité est assez conscient pour que les émigrés soulignent eux-mêmes ce qui les oppose aux Français qu'ils côtoient : « Ils sont très gentils, mais chacun est chez soi. » C'est dans les formes familiales que se maintiennent les formes d'une spécificité italienne[2].

C'est d'ailleurs la raison pour laquelle la collaboration au travail de populations d'origines diverses a toujours suscité moins de heurts et de conflits que la cohabitation et le voisinage. Dans le premier cas, les émigrés ont tous accepté les termes de l'acculturation imposée par la vie professionnelle et l'universalité du poste de travail. Dans le second, ce sont les exigences liées au noyau dur culturel, au particularisme le plus intime qu'ils entendent continuer à respecter.

Depuis des siècles, l'honneur de l'homme, dans les populations méditerranéennes et, en particulier, maghrébines, passe par le comportement sexuel de la femme, qu'il s'agisse de la mère, de l'épouse, de la fille ou de la sœur. La socialisation à la fois la plus intime et la plus politique implique de manière nécessaire et fondamentale l'opposition du domaine de l'homme (l'extérieur)

---

1. A. Girard, J. Stoetzel, *op. cit.*, p. 121.
2. D. Schnapper, « Tradition culturelle... », art. cité, pp. 487-490.

à celui de la femme (l'intérieur), la différence sexuée des comportements et du travail quotidiens.

> La position de la femme dans la tradition méditerranéenne au milieu de toutes les variantes qui existent obéit au moins à un principe constant : le monde féminin est toujours considéré par opposition au monde masculin, auquel il est à la fois essentiel — aussi bien moralement que pratiquement — et contraire de par les valeurs que les femmes symbolisent : celles-ci incarnent, si l'on peut dire, le contre-principe de la société masculine, sa version antithétique et complémentaire[1].

Cette culture qui lie de manière nécessaire l'honneur de l'homme au comportement sexuel de la femme continue à inspirer les jugements moraux portés par les émigrés turcs ou algériens sur les Français et à dicter les conduites.

> Nous, on est turc. Il ne peut y avoir d'amitié entre filles et garçons. Il faut qu'ils sachent la différence de vie entre les Français et nous. Une fille ne peut pas aller à la piscine. Elle ne doit pas se mettre en maillot de bain [...]. J'interdis à ma fille de sortir, de regarder certains films à la télévision, d'avoir des amis ici, de s'habiller comme des Françaises. Comme ça, elle n'aura pas de problème en Turquie, car elle est éduquée d'après la culture turque[2].

De même, les femmes respectent ces normes lorsqu'elles éduquent leurs filles et leurs fils en fonction des rôles traditionnels, en enseignant les travaux ménagers à leurs filles et en surveillant leur conduite, en laissant les fils « aussi libres que leur père ».

L'émigré s'efforce ainsi de transmettre à ses enfants le noyau dur de sa propre culture. À Birmingham, les parents pakistanais ont obtenu que, en dépit de l'obligation de l'uniforme dans les écoles anglaises, les filles puissent l'adapter aux règles de la pudeur musulmane et ne pas porter de jupes courtes. C'est d'ailleurs la raison pour laquelle les conflits entre les sexes et à l'intérieur

---

1. J. PITT-RIVERS, *Anthropologie de l'honneur*, Sycomore, 1983 (1977).
2. Extrait d'entretiens cités *in* R. KASTORYANO, *op. cit.*, pp. 88 et 96.

du groupe familial se révèlent les facteurs et les indicateurs privilégiés des conflits de culture.

Quant aux émigrés turcs, ils affirment, au nom de la supériorité de leurs valeurs morales, leur volonté que leurs enfants restent turcs, ils s'efforcent de leur imposer la conception traditionnelle des rôles sexuels et le respect des règles alimentaires, en particulier celles dont la valeur symbolique est la plus forte, la non-consommation de porc et d'alcool.

La sociologie spontanée des émigrés se révèle dans ce cas singulièrement éclairée. On peut rappeler que les juifs, qui ont maintenu une identité spécifique à travers les siècles d'une histoire mouvementée, se sont toujours efforcés de maintenir, d'une part, les règles alimentaires de la *cacherout* et, d'autre part, les normes d'une morale familiale spécifique, qui s'exprime et se renforce par le respect scrupuleux des fêtes où se trouvent indissolublement liées la célébration de la famille elle-même et celle de la tradition juive.

L'attachement aux pratiques culinaires que manifestent tous les migrants est lié à ce que l'élaboration culinaire est partie intégrante du rôle de la mère. On ne comprendrait pas l'attachement que manifestent les migrants et même les fils de migrants — participant pleinement à la société française — pour certains aspects de la cuisine familiale, si l'on oubliait qu'à travers la fabrication, la consommation familiale et l'appréciation des pâtes ou du couscous les jours de fête, c'est tout le rôle de la mère et, d'une certaine façon, tout l'ordre du monde qui s'exprime. Plus que d'autres, les sensations gustatives (qui sont en même temps tactiles et olfactives), forgées tout au long de l'intimité de l'enfance, sont recherchées au titre d'expression privilégiée du retour à soi. En interdisant de manière passionnée la consommation de porc à leurs enfants, ce qui les conduit à leur faire refuser la commensalité et la convivialité normales, donc à ne pas fréquenter la cantine de l'école et à refuser les invitations des camarades, les migrants tentent de transmettre à leurs enfants tout l'ordre moral, qui est aussi tout l'ordre social de l'islam. C'est aussi pour imposer la viande *hallal* que les musulmans ont mené de longs combats avec la municipalité de Birmingham. Dans les enquêtes de Rémi Leveau et Gilles Kepel, la question sur le respect des interdits alimentaires s'est révélée la plus efficace pour analyser le rapport à l'islam.

À travers les pratiques culinaires, c'est tout l'ordre du monde, dont les formes de la division selon le sexe constituent une dimension essentielle, que les parents émigrés s'efforcent de transmettre, dans un effort désespéré, à leurs enfants. C'est aussi la raison pour laquelle ils s'efforcent de contrôler leurs autres comportements. C'est pour les empêcher de « faire les quatre cents coups » dans les allées et les escaliers des cités H.L.M. que les parents disent organiser des cours d'islam [1]. On peut penser, plus généralement, que la demande d'islam est souvent, de la part des émigrés, une demande d'« ordre ».

La combinaison culturelle

L'élaboration d'une culture stable, dans laquelle le respect du noyau dur se combine avec des négociations périphériques, permet à l'émigré de participer à la société d'installation, tout en maintenant son identité la plus profonde. Le fondement de la culture d'émigré réside dans cette dichotomie. Comme le formulent clairement deux migrants italiens installés en Australie :

> À l'intérieur de la maison, nous sommes en Italie [...]. Nous mangeons, nous agissons, nous pensons, nous parlons, nous crions comme en Italie. Dehors, je suis un bon Australien [...]. Je me suis bien débrouillé ici. Mais ma famille est typiquement italienne. 39, rue B. est un morceau d'Italie. Vous êtes à Catania. Dehors, c'est australien [2].

La reconstitution de ce que la littérature américaine qualifie de communautés plus ou moins organisées dans le pays d'immigration est toujours apparue comme un facteur favorisant le maintien et le développement de la culture d'émigré. L'exemple américain, où se reconstituent des communautés culturelles,

---

1. St. COURTOIS, G. KEPEL, « Musulmans et prolétaires », *in* R. LEVEAU, G. KEPEL (éd.), *op. cit.*, p. 31.
2. Extrait d'entretiens cités *in* C. CRONIN, *The String of Change*, Chicago University Press, 1970, p. 166.

organisées et reconnues en tant que telles, est à cet égard instructif. Les communautés particulières — celles des Italo-Américains, des Polono-Américains, des juifs américains — favorisent la participation de leurs membres à la société globale. Grâce à l'appui moral et social du groupe, les individus sont plus susceptibles de maintenir leur identité profonde tout en participant à la vie de la société dans laquelle ils sont installés. L'existence de quartiers italiens, où tout le monde connaît tout sur tout le monde, où le contrôle social contribue à préserver, au moins pour un temps, les comportements familiaux et sociaux, où la forme des relations à l'intérieur de la communauté, entre la communauté et le monde extérieur, se conforme aux modèles de la société italienne — ces quartiers dont l'existence traduit la perpétuation de véritables communautés permettent de préserver, au moins pour la première et la deuxième génération, le noyau dur de la culture d'origine et favorisent une participation progressive, en deux ou trois générations, à la société américaine [1].

La France ne se concevant pas comme un pays d'immigration n'a pas la même tradition. Elle ne favorise pas la constitution d'une « culture d'émigré » stable et transmissible, mais une simple combinaison culturelle chez les migrants eux-mêmes. Leurs enfants, eux, sont acculturés à la société française. Ne reconnaissant pas l'existence de communautés particulières dans l'ordre politique, elle n'admet pas le même mode de participation sociale. Mais les populations étrangères sont libres de respecter les normes de leur culture d'origine, dans la mesure où elles ne troublent pas l'ordre public. Au cours des années 1930, les émigrés polonais s'étaient installés en groupes organisés sous l'autorité de leurs prêtres, publiant des journaux, créant des sociétés de loisirs (gymnastique, broderie, etc.) et obtenant même du gouvernement français la présence d'instituteurs de leur pays (en 1932, la France comptait 150 maîtres polonais et 20 000 enfants bénéficiaient de leur enseignement). Une enquête des années 1960 auprès des Français d'origine polonaise, installés dans le nord de la France,

---

1. En Argentine, au contraire, où l'on n'admet pas le même pluralisme, où l'on impose une unité culturelle au nom du caractère national argentin, les immigrés italiens étaient plus nombreux à retourner dans leur pays d'origine, bien que les Espagnols, les Portugais et les Italiens constituassent 80 % de la population argentine.

a montré que la forte insertion dans le milieu polonais était corrélée avec la participation et la réussite dans la société française[1].

On a vu des cas où la réinstallation d'émigrés issus de la même région d'Anatolie, dans une même ville de petite taille, permettait de reconstituer un groupe fortement intégré. Le cadre de la ville moyenne et le regroupement dans les mêmes H.L.M. de la population immigrée contribuent au maintien des normes traditionnelles. Certains ouvriers maghrébins vivent en France sans leur famille presque comme s'ils n'avaient pas quitté leur pays ; travaillant avec d'autres Maghrébins, vivant dans des foyers, ils limitent leurs relations à leur travail, dirigé par un autre Maghrébin, et à leur fréquentation de la mosquée.

> Maintenant je ne fréquente personne. Le travail et la maison, et la mosquée, voilà ce que je fais. Je ne vais pas dans les cafés. Je ne bois pas, je ne joue pas. Je voudrais fréquenter des gens qui sont dans le bon chemin. Je vis droit. Je travaille. Je fais le ramadan, je fais la prière. Moi je ne fais pas de politique[2].

C'est la même intégration limitée, mais stabilisée, que connaissent des populations africaines issues du même village, logées dans le même foyer de travailleurs migrants qui, regroupées autour d'un « chef » traditionnel, respectent l'essentiel des normes de leur culture. On peut comparer l'effet de ces « colonies » à celui des bidonvilles pour les sous-prolétaires, étudiés par Colette Pétonnet : dans les bidonvilles se recréait une forme de communauté, avec ses normes et ses solidarités qui atténuaient pour un temps le choc des relations avec la grande ville[3].

Les nombreuses associations portugaises (environ 900) assurent des fonctions comparables, bien qu'elles ne soient pas officiellement reconnues. Les Portugais bénéficient d'une tradition de défense de leur identité nationale : pendant toute leur histoire, ils ont affirmé leur indépendance à l'égard de leur voisin espagnol. Les associations créées par les migrants eux-mêmes dès

---

1. R. BOUDON, *Les Méthodes en sociologie*, P.U.F., coll. « Que sais-je ? », 1968, p. 18.
2. Extrait d'entretiens cités par R. LEVEAU et D. SCHNAPPER, art. cité, p. 108.
3. C. PÉTONNET, *On est tous dans le brouillard*, Galilée, 1978.

leur arrivée au début des années 1960, soit à partir des solidarités prééxistant à la migration, soit à partir des nouvelles solidarités créées par la nouvelle proximité spatiale, prolongent une
tradition née au Portugal. Elles rassemblent toutes les générations autour du bar, des cours de langue, des équipes de football
et des troupes de danses folkloriques (ces deux dernières activités étant les plus fréquentées), et des activités festives, banquets
ou bals. Elles contribuent à entretenir les liens objectifs avec le
Portugal, en organisant matériellement les voyages, en assurant
la présence des émigrés à la fête du village, en facilitant la diffusion des produits locaux (dans un pays où l'économie informelle
garde une grande importance). Elles créent un milieu social, grâce
auquel se maintient un contrôle serré des comportements des jeunes, sans que l'État et les travailleurs sociaux interviennent : c'est
ainsi qu'on peut comprendre que le taux de délinquance des jeunes Portugais soit inférieur à celui des Français. Elles favorisent
aussi un fort taux d'endogamie dans la population d'origine immigrée, entretiennent et dramatisent la perpétuation de l'identité
portugaise. Constituant un prolongement de la vie de famille,
elles aident enfin à régler collectivement les conflits qui s'élèvent entre les générations migrantes, soucieuses de maintenir les
normes traditionnelles, et les jeunes, en particulier les jeunes filles,
élevés en France, qui réclament des libertés nouvelles : les parents
plus traditionnels peuvent s'aligner sur l'attitude des plus libéraux sans perdre la face, les jeunes peuvent imposer leurs normes, tout en manifestant leur respect à leurs parents [1].

L'enquête de Bretelle et Boisvert sur les émigrés portugais dans
les années 1970 avait montré comment, à Poitiers, les relations
entre voisins, les échanges d'aides et de services, les rencontres
régulières au marché, pendant le travail, au tiercé, les réunions
du dimanche autour des bavardages des femmes, des jeux de cartes
des hommes et de la télévision perpétuent, de manière diffuse
et réduite, une forme de contrôle social, longtemps ignoré à Paris
lorsque les associations ne s'étaient pas encore organisées [2].

1. M. Do Ceu Cunha, *Portugais de France*, L'Harmattan, 1988.
2. C. B. Bretelle et C. Callier-Boisvert, «Portuguese Immigrants in France : Familial and Social Networks and the Structuring of the Community», *Studi Emigrazione*,
n° 46, juin 1977, pp. 149-203.

Comparant systématiquement les comportements des émigrés turcs installés à Paris à ceux d'autres vivant dans une petite ville du Sud-Ouest, Riva Kastoryano a constaté, au début des années 1980, que les premiers ne reconstituaient pas de « communauté » à l'intérieur de l'espace parisien. Leurs comportements se rapprochent de ceux des ouvriers parisiens, tant en ce qui concerne les pratiques vestimentaires et alimentaires que la définition des rôles familiaux. L'acculturation est beaucoup plus forte que celle de la même population installée dans une petite ville, où le contrôle social exercé par le groupe continue à imposer le vêtement traditionnel, le respect strict des pratiques alimentaires, la séparation du domaine masculin et féminin, la morale sévère en fonction de laquelle sont jugés les comportements des femmes et des jeunes filles, soumises à la critique vigilante du groupe tout entier.

Il faut pourtant se garder de voir dans la perpétuation des liens communautaires un simple facteur de conservation de la vie traditionnelle. Comme la famille, ils fournissent aussi à l'émigré une forme d'intégration à la société d'installation en aidant à résoudre les conflits avec la société globale, en favorisant la réduction des conflits familiaux et l'élaboration d'une acculturation limitée. L'exemple des émigrés portugais, fortement intégrés autour de leurs organisations — paroisses, clubs de sport, associations de sociabilité et de culture —, montre que la solidarité communautaire empêche la déculturation et, à long terme, favorise l'intégration de ses membres dans la société d'installation.

Même les émigrés qui ont élaboré une culture stabilisée risquent pourtant de connaître une épreuve particulière à l'occasion du chômage. Dans la mesure où l'émigré a d'abord été exclusivement défini comme travailleur et dans la mesure où il reste un travailleur pour lequel la réussite relative (par rapport à ceux qui n'ont pas émigré) doit justifier la dure expérience de l'émigration, il connaît le même ennui, la même humiliation et la même désocialisation que les autres chômeurs. Mais, en outre, le chômage révèle les contradictions qui continuent à exister, malgré la stabilité apparente de la culture d'émigré :

> Je n'ai rien à faire, que voulez-vous que je fasse [...]. Puisqu'on est venu pour travailler, je préfère travailler là où il y a du travail [...].

Avant ils ont fait venir des émigrés pour travailler et maintenant, il n'y a rien [...]. Si je reste à la maison, qu'est-ce que je fais ? Je suis un travailleur, il faut que je travaille [...]. On attend, on attend, on attend toujours [1].

De ce point de vue, leur condition est différente des exilés politiques, originaires de l'Asie du Sud-Est ou du monde communiste, qui savent que la rupture est définitive. Ce qu'on peut appeler mythe du retour ou illusion du provisoire permet de résoudre en termes magiques la situation contradictoire des travailleurs émigrés économiques installés dans un pays moderne. Tout laisse à penser d'ailleurs que les femmes, qui ne trouvent que des avantages à la remise en question de la tradition, apprécient les facilités nouvelles de la vie matérielle et attribuent une importance toute particulière aux études de leurs enfants, résistent plus particulièrement à ce que le projet de retour se réalise.

Cette instabilité peut aussi se révéler à l'occasion d'une crise liée au cycle de vie. Tobie Nathan constate que la névrose traumatique est la maladie psychique la plus fréquente parmi les émigrés qui semblent stabilisés. Elle apparaît chez des travailleurs qui ont séjourné plus de vingt ans en France, apparemment sans problèmes d'adaptation, avec une activité professionnelle régulière et une vie familiale stable. Le passage au statut d'adulte des enfants, matérialisé par les études, puis l'activité professionnelle des filles, contrairement à la tradition, le service militaire des fils, symbole de leur nouvelle nationalité, la conclusion des mariages des uns et des autres, indépendamment des règles que fixait la tradition (accord entre deux familles et non entre deux individus), remettent profondément en question le « noyau dur » culturel, tel que l'a élaboré la socialisation de la prime enfance dans la société d'origine. La rupture psychologique vient, d'après le psychiatre, de ce que ces événements de la vie signifient « au sujet qu'il ne pourra transmettre à sa descendance ce que lui-même a reçu de ses pères » [2].

1. Extrait d'entretiens cités *in* D. Schnapper, *L'Épreuve du chômage*, Gallimard, 1981, p. 57.
2. T. Nathan, *Le Sperme du diable*, P.U.F., 1988, p. 204.

Le blocage culturel

Ceux qui, pour des raisons sociales ou individuelles, ne peuvent bricoler une culture d'émigré se trouvent renvoyés à un traditionalisme renforcé, réaffirmé jusqu'à l'absurde dans un effort passionné pour ne pas sombrer dans la déculturation.

Cette attitude est assez fréquente parmi ceux que l'on nomme les harkis, c'est-à-dire les anciens Algériens qui avaient été liés, d'une manière ou d'une autre, au pouvoir colonial et qui ont été amenés en France. Leur condition particulière est le produit de ce qu'on peut appeler un piège historique. Les Français ne les ont acceptés qu'avec réticence, dans la mesure où ils avaient, en fait, admis la reconstruction des événements imposée par le F.L.N. victorieux, selon laquelle les harkis avaient joué pendant la guerre d'Algérie le rôle des collaborateurs français lors de la Seconde Guerre mondiale, condamnant les harkis au rôle de traîtres. Le F.L.N. avait aussi gagné la bataille de la mémoire, par laquelle il se constituait en parti des résistants, légitimant la République algérienne comme la Résistance avait légitimé la IVe République. Plus que d'autres désireux de « s'assimiler », et d'autant plus qu'il leur était interdit de cultiver l'illusion du provisoire et d'entretenir le mythe du retour, également mal acceptés par les Français et par les émigrés algériens, les harkis se sont retrouvés dramatiquement désarmés pour s'intégrer à la société française. Faisant de nécessité vertu, c'est-à-dire transformant en volonté ce qui était d'abord l'effet d'une condition objective, ils ont été brutalement renvoyés à un traditionalisme exacerbé et pathologique. C'est plus particulièrement dans les familles de harkis que les filles, nées et élevées en France, découvrent, lors de leurs voyages en Algérie, qu'elles ont été traitées de manière plus sévère et conforme à la tradition que leurs cousines restées dans une Algérie touchée elle aussi, bien que d'une autre manière, par la modernité.

Les filles d'émigrés économiques font d'ailleurs la même expérience, même si la condition de l'émigré, qui réalise un projet, est plus favorable que celle de l'ancien harki.

Ce qu'elles ne savent pas, c'est qu'ici en France, c'est pire : on est élevées comme là-bas ou c'est pire encore, dans la mesure où mes parents ici se sentent complètement isolés du contexte social [1].

Dans tous ces exemples, la référence de leurs parents reste l'Algérie de 1960, qui n'existe plus.

Dans les campagnes turques aussi, la famille patriarcale commence à se disloquer sous l'effet de l'urbanisation et la remise en question des rôles familiaux, en sorte que certains enfants turcs élevés par des parents venus directement des villages d'Anatolie et installés en groupes compacts dans des villes de province françaises, et réduits à ce traditionalisme de blocage, risquent aujourd'hui d'être élevés de manière moins « moderne » que leurs cousins urbanisés en Turquie.

Reste que l'intégration des émigrés, quelles que soient les épreuves qu'imposent l'acculturation et la xénophobie, n'est pas un vain mot. Selon les résultats de l'enquête « Étude des conditions de vie », menée par l'I.N.S.E.E. en 1986-1987, un tiers des émigrés après dix-huit ans de présence continue en France restent O.S. ou manœuvres et 54 % ouvriers, mais 36 % sont des « cols blancs », soit deux fois plus qu'à la génération des pères ; 34 % d'entre eux avaient un père ouvrier et ont connu une mobilité ascendante ; 20 % vivent dans la pauvreté, mais 25 % ont une aisance financière moyenne ou même bonne [2].

Analyser l'émigration en terme d'acculturation à la modernité permet de comprendre les difficultés et les échecs des retours au pays d'origine. L'adoption des modèles urbains et industriels rend difficile la réinsertion des Italiens du Sud après un séjour en France. La tension qui règne entre les Portugais de France et les Portugais du Portugal, quand les premiers retournent pendant l'été dans leur village, traduit les décalages culturels en même temps que les rivalités entre les deux groupes. Les anciens émigrés retournés en Algérie doivent être constitués en équipes

---

1. Extrait d'entretiens cités *in* A. SAYAD, art. cité, 1979, p. 65.
2. J.-L. BORKOWSKI, « L'insertion sociale des immigrés et de leurs enfants », *Données sociales*, I.N.S.E.E., 1990, pp. 310-314.

séparées dans les entreprises de sidérurgie. Sans doute, les « locaux » nourrissent à l'égard des émigrés des sentiments ambigus, voire franchement hostiles. Mais, plus profondément, ces conflits révèlent l'ampleur des acculturations dans les deux pays.

Émigrés et politique

Dépourvus du droit de participer à la vie politique, au sens strict du terme, les émigrés, de la fin des années 1950 au milieu des années 1970, ne participaient guère à la vie politique, juridiquement interdite, ni même à la vie syndicale. De leur côté, les responsables syndicaux étaient souvent réticents à prendre en compte les problèmes créés par la présence des émigrés, massive dans certains secteurs. Tout au plus les émigrés pouvaient-ils faire l'objet des discours politiques ou sociologiques, ils n'apparaissaient pas comme des acteurs politiques.

Les mouvements de revendication liés aux conditions de logement entre 1969-1970 et 1979, les grèves sauvages à propos du statut juridique, les grèves de la faim contre la circulaire Marcellin-Fontanet, la multiplication des associations d'immigrés depuis 1970 et plus encore depuis 1981-1982, les défilés de protestation contre les attentats « racistes », les grèves spectaculaires dans les usines (depuis Pennaroya, à Lyon, en 1971, jusqu'à Poissy, en 1982-1983) ont montré que l'acculturation des émigrés à la société française permettait, au moins à certains d'entre eux, d'intervenir désormais de manière active sur la scène politique.

Toutefois, les formes d'expression politique spécifique apparues, depuis le début des années 1970, parmi la génération migrante semblent moins exprimer des revendications identitaires ou politiques (au sens étroit) que défendre des droits économiques et sociaux — dimension essentielle de la condition de l'émigré. Bien qu'ils soient privés des droits politiques (au sens étroit), les émigrés ne sont plus seulement les enjeux des conflits politiques et syndicaux, ils sont devenus des acteurs de la vie sociale, donc politique (au sens large) de la société d'installation. Les difficultés du retour ont aussi une dimension politique : les émigrés ont au moins appris l'indépendance des comportements démocratiques, ils ont assisté, par l'intermédiaire de la télévision, à la politique française, ils ont adopté le style quotidien de la vie en démocratie : le retour dans le pays d'origine remettrait aussi en question cette dimension du procès d'acculturation.

LA RÉINTERPRÉTATION NATIONALE
DU PROJET MIGRATOIRE

Outre la trajectoire qui a précédé l'émigration et la forme de l'installation en France, l'histoire des contacts qui se sont établis entre la société d'origine et les modèles occidentaux, et en particulier avec la société d'installation, constitue un facteur expliquant l'inégal renouvellement des normes familiales.

Ce sont les Italiens qui insistent le plus fortement et le plus fréquemment sur l'évolution de leur pays d'origine, qu'il s'agisse de la richesse matérielle, des relations à l'intérieur du couple ou de la liberté des mœurs, également perçues comme des dimensions positives de la modernité.

> Il y a beaucoup de changements et partout. Maintenant, là-bas, les gens, ils vivent bien... à côté de ce que j'ai connu. Et puis, maintenant, c'est évolué, c'est évolué, il y a du travail [...]. Cela a changé. Avant, l'Italie, quand moi j'étais mariée, les hommes, ils sortaient tous les soirs, ils allaient au bistrot, ils allaient au bal, n'importe quoi, et puis, les femmes à la maison ! Elles n'avaient pas le droit de sortir avec leurs maris. Mais maintenant, cela a changé. Maintenant, le mari, il est avec sa femme, et quand ils sortent, ils sont ensemble avec les gosses. Il a changé beaucoup, beaucoup l'Italie, je vous dis, il a vraiment changé... Maintenant les filles sortent, elles rentrent à minuit, n'importe quelle heure, les parents, ils disent plus rien[1].

Pour l'aisance matérielle comme pour la «civilisation des mœurs», selon l'expression de Norbert Elias, les émigrés italiens viennent d'un pays comparable au pays d'accueil. Du coup, les relations avec la France prennent un sens nouveau.

---

1. Extrait d'entretiens cités *in* D. Schnapper, *La Représentation...*, *op. cit.*, p. 40.

S'ils ne peuvent aller voir leur famille en Italie, c'est elle qui viendra. Ils peuvent construire une maison en France ou en Italie, éventuellement ouvrir un commerce dans l'un ou l'autre pays. Dans tous les cas, ils ont le sentiment que le sens des relations peut s'inverser. Ils peuvent ainsi rétrospectivement penser qu'ils sont venus en France sous l'effet d'un choix rationnel.

C'est aussi le cas des Portugais, qui, depuis le rétablissement de la démocratie, insistent sur leur participation à la construction européenne.

> Pour nous, le fait de devenir français, c'est en plus dans une logique de construction de l'Europe [...]. Depuis que le Portugal est entré dans le Marché commun, et c'est le deuxième axe symbolique, les Portugais aspirent fondamentalement [...] à devenir non pas étrangers en France — je voulais rappeler ça —, mais les Portugais refusent fondamentalement depuis très longtemps d'être émigrés. L'émigration portugaise a toujours mal assumé son statut d'immigrée et en même temps son assimilation à l'ensemble de l'émigration. Donc, l'émigration portugaise a toujours voulu, en tant que telle, avoir sa stratégie de dialogue avec la société française et sa stratégie d'insertion dans la société française[1].

La culture nationale, d'autre part, s'est élaborée par la résistance à l'influence espagnole : la langue unifiée autour de laquelle se concentre le sentiment national, le réseau d'organisations locales qui regroupent les populations dispersées et se maintient dans l'immigration, contribuent à la perpétuation de l'identité collective. L'identité portugaise, enfin, se fonde sur une haute idée du destin national, forgée par l'évocation des moments glorieux de l'histoire : les « découvertes », qui firent de ce « petit pays géant » l'acteur essentiel de l'origine des temps modernes, la libération obtenue contre l'Espagne, la lutte contre les « Maures infidèles ». Le souvenir des « découvertes », en particulier, omniprésent, contribue à transfigurer le sens de l'émigration : le départ des émigrés prolonge celui des conquistadores ; ils s'ins-

---

1. M. DIAZ, témoignage devant la Commission de la nationalité, in *Rapport*, t. I, p. 666.

crivent dans l'épopée des héros d'antan et écrivent à leur tour les pages de l'histoire de l'expansion portugaise. Le gouvernement portugais fait explicitement référence à cette interprétation « historique » de l'émigration. L'absence de passé conflictuel avec la France renforce encore le rôle de « bons émigrés » que jouent en France les Portugais.

L'identité espagnole est aussi marquée par la gloire passée d'un empire sur lequel « le soleil ne se couchait jamais », et par sa décadence. Comme les Portugais, ils peuvent assimiler sur le mode imaginaire leur départ à celui des colons conquérants et se percevoir comme des Espagnols « de l'extérieur », au même titre que ceux qui partirent autrefois pour l'Amérique. Mais le sentiment d'une égalité croissante entre les deux pays depuis le retour à la démocratie, l'essor économique dont on s'accorde à souligner la vitalité et l'entrée dans la Communauté européenne les conduisent de plus en plus à interpréter leur choix, sur le modèle italien, comme une première étape vers la construction européenne.

On a dit combien l'histoire de l'Empire donnait aux émigrés turcs une conscience collective glorieuse et entretenait leur mépris pour les autres musulmans, combien le passé colonial continuait, des deux côtés, à peser sur les relations entre Maghrébins, en particulier Algériens, et Français. Difficile sur le plan national, la réinterprétation du projet migratoire par les Algériens se concentre autour du projet de mobilité des enfants par l'intermédiaire de leurs études.

> Mon père est venu faire de l'argent comme tous les autres, mais ses projets, il ne les a jamais réalisés, il n'a toujours pas de maison en Algérie. Maintenant ses projets, c'est nous, c'est l'école. Il ne parle plus de retour maintenant [1].

Attribuant à leurs seuls enfants les difficultés que ces derniers et eux-mêmes rencontrent pour se réinstaller dans leur pays d'origine et transférant sur eux les projets d'ascension sociale qu'ils nourrissaient pour eux-mêmes et n'ont pu satisfaire, les émigrés

---

1. Extrait d'entretiens cités par Z. Zeroulou, « La réussite scolaire des enfants d'immigrés. L'apport d'une approche en termes de mobilisation », *Revue française de sociologie*, 29, 2, 1988, p. 456.

algériens — comme tous les émigrés — trouvent dans l'avenir de leurs enfants la raison et la justification pour prolonger, souvent définitivement, leur séjour en France. C'est d'ailleurs pourquoi leurs attentes à l'égard de l'école française et, quand il y a eu échec, à l'égard de l'armée comme lieu de formation sont particulièrement fortes : les études des enfants sont au cœur de la réinterprétation de leur projet migratoire.

L'INTÉGRATION DES ENFANTS D'ÉMIGRÉS

Les adolescents d'origine maghrébine et musulmane, par leur appartenance aux familles socialement les plus modestes, les plus nombreuses, par leur référence à la tradition musulmane, par la xénophobie qui s'attache à eux de manière privilégiée semblent concentrer toutes les difficultés objectives pour s'intégrer à la société où ils sont nés. Il est donc permis d'étendre pour l'essentiel les résultats des enquêtes qui leur sont consacrées aux enfants issus d'autres immigrations, en particulier celles de l'Europe du Sud, en fonction d'un raisonnement *a fortiori*. Comme le dit une élève de sixième, d'origine algérienne, qui avait gentiment répondu à un questionnaire que lui soumettait son professeur d'arabe (français) pour évaluer ses connaissances sur l'islam et ses rapports avec le Maghreb :

> Pour moi en particulier, je pense qu'il y a beaucoup de questions bêtes, des questions qu'on nous pose comme si on était des étrangers [1].

Il faut nuancer les affirmations quelque peu hâtives qu'on a pu formuler sur la nouvelle inefficacité du système d'enseignement, en tout cas en ce qui concerne la transmission du mode de vie et du système de valeurs. Si échec scolaire il y a, il ne concerne pas l'école comme instance de socialisation. D'autant que, contrairement à une affirmation souvent répandue, l'échec scolaire des enfants d'immigrés n'est pas supérieur à celui des enfants des mêmes milieux sociaux [2].

1. Extrait d'entretiens cités *in* Y. Gonzalez Quijano, art. cité, p. 89.
2. Voir chap. VI, p. 209.

L'effet de cette acculturation est, on l'a déjà vu, que leur connaissance et leur pratique de l'islam sont faibles, souvent nulles. La faveur qui s'exprime pour la construction de mosquées se fonde ou, en tout cas, se justifie par le respect de l'égalité des droits et de la dignité, plutôt que par la solidarité nationale ou religieuse. L'identification à l'ensemble français est passée par l'école, où l'échec scolaire de beaucoup n'empêche ni la constitution de groupes de pairs ni la socialisation au monde scolaire, fût-ce celui de l'échec ; par le sport et par « la galère » des banlieues des grandes villes, par la diffusion des médias et des instruments audiovisuels de la chanson et du rock. Comme les autres jeunes des catégories populaires, ils entretiennent une sociabilité instable et peu organisée, fondée sur les goûts personnels et les convictions privées, et partagent avec eux la culture des médias et de la « communication »[1]. L'action de l'école est aujourd'hui relayée et amplifiée par la télévision et l'ensemble des moyens audiovisuels, qui sont aussi producteurs de normes ; par les éducateurs et travailleurs sociaux chargés d'animer ou de contrôler les banlieues populaires. On verra ci-dessous le rôle que peut jouer dans leur intégration leur nouvelle participation à la vie politique. Comme le remarque justement une jeune fille, née en France de parents émigrés d'Algérie et bachelière :

> C'est pas vraiment qu'on ne veut pas s'insérer. Qu'on le veuille ou non, on est inséré. On parle du problème de l'insertion des jeunes, des émigrés. Mais moi, je vais vous dire un truc, on est déjà insérés[2].

C'est d'ailleurs précisément, comme l'a remarqué Didier Lapeyronnies, parce qu'ils sont objectivement acculturés qu'il leur est impossible d'organiser une action collective à partir de cette identité[3]. Leur participation à la vie politique se fonde sur des principes et des pratiques « non ethniques ».

1. Fr. DUBET, *La Galère : jeunes en sursis*, Fayard, 1987.
2. Extrait d'entretiens cités par R. LEVEAU et D. SCHNAPPER, *art. cité*, p. 126.
3. D. LAPEYRONNIES, « Assimilation, mobilisation et action chez les jeunes de la seconde génération de l'immigration maghrébine », *Revue française de sociologie*, 28, 2, 1987, pp. 287-318.

L'acculturation des jeunes issus de l'émigration leur rend le retour au pays d'origine des parents difficile, sinon impossible. Quelle que soit la fidélité avec laquelle les jeunes Portugais et Espagnols, scolarisés en France, retournent chaque été dans le village d'origine de leurs parents, ils font l'expérience des tensions qui opposent aux « émigrés », désignés comme « Français », ceux qui sont restés sur place. Les jeunes Franco-Algériens, qui rentrent faire leur service militaire en Algérie, sont rapidement jugés inassimilables par les responsables de l'armée, d'une part parce qu'ils savent mal l'arabe, mais, plus profondément, parce que leur attitude indépendante, née de la socialisation en France, est mal acceptée par les autorités militaires.

Cela ne signifie pas qu'ils aient perdu toute spécificité. Dans la mesure où leur condition sociale est plus problématique que celle des jeunes Français appartenant aux mêmes milieux sociaux, ils ont une conscience et un engagement politiques supérieurs. Ils ont des attitudes moins permissives en ce qui concerne la vie sexuelle et le rapport au corps, qui traduisent l'effet de la transmission du noyau dur culturel par leurs parents. Ils sont, d'autre part, plus indulgents à l'égard de la petite délinquance et du chapardage[1]. Appartenant majoritairement à des milieux populaires, ils ont plus de chances de se retrouver dans les grandes banlieues désorganisées par la fin de la culture prolétarienne et de provoquer, en priorité, les manifestations de xénophobie. L'apparition récente de bandes de jeunes, définies par leur identité ethnique, si elle se développait, pourrait constituer un facteur nouveau et dangereux pour la vie sociale.

Aidés par l'armée des travailleurs sociaux et des sociologues amateurs et professionnels, qui se font leurs porte-parole, ils n'en formulent pas moins un discours du déracinement et de la double identité. Pour une part, il décrit la réalité des conflits de culture, comme le montre la violence de certains drames familiaux. Mais il constitue aussi, dans d'autres cas, un moyen de dramatiser ou de justifier les accommodements et les ruptures inévitables. Les

---

1. A. MUXEL, « Les attitudes sociopolitiques des jeunes issus de l'immigration maghrébine en région parisienne », *Revue française de science politique*, 38, 6, 1988, pp. 925-939.

discours identitaires, dont les jeunes issus de l'immigration ou
les jeunes juifs sont friands, comme tous ceux pour lesquels l'identité ne va pas de soi, sont parfois d'autant plus dramatiques dans
la forme que les comportements sont plus adaptés à la société
présente. Il importe donc de s'interroger sur la fonction qu'ils
jouent au cours du processus d'élaboration culturelle.

Dans quelle mesure cette double « appartenance » — que j'ai
analysée dans les termes d'une double référence — décrit-elle une
réalité ? Tous les jeunes issus de l'émigration, qui jugent « dépas-
sées » ou « archaïques » les mœurs de leurs cousins restés au
Maghreb ou au Portugal, ne se sentent pas chez eux quand ils
retournent dans le pays d'origine de leurs parents : ils prennent
conscience du fait qu'ils sont effectivement « français ». Mais,
d'autre part, outre l'attachement aux parents et la transmission
du noyau culturel dur, l'attitude des Français à leur égard ne
leur donne pas le sentiment d'être acceptés en France et traités
comme les autres : la xénophobie dont ils sont victimes leur interdit une identification simple à la société française. Cette double
expérience nourrit le discours du déchirement :

> Ils sont toute une armée, l'armée de ceux — dont je suis — qui
> n'arrêtent pas d'aller et de venir entre le pays et la France, l'aller
> et le retour, c'est tout ce qu'ils font.

L'expérience des enfants d'origine portugaise, turque ou italienne n'est pas différente. Les enfants d'immigrés ne peuvent
profiter du luxe d'une identité qui aille de soi. Ils sont contraints
de formuler les termes de leur identité. Leur revendication identitaire est essentiellement différente de celle de leurs parents. Ils
constatent leur appartenance objective à la France et s'efforcent,
à cause de leur attachement à leurs parents et du souci d'affirmer leur dignité, de formuler une référence au pays d'origine,
d'autant plus nécessaire qu'ils ont le sentiment qu'il fait l'objet
d'attaques ou de mépris : retourner le stigmate en valeur positive est un mode bien connu d'affirmation de sa propre dignité.

Significative de cette identité spécifique est l'expérience que
décrit Maria Cunha. Les jeunes Portugais de France, pendant
leurs vacances dans le village d'origine de leurs parents, se regrou-

pent pour former une équipe de football qui joue contre les villageois, l'équipe «française» se baptisant les «Verts», l'équipe «portugaise» le «Sporting». De retour en France, les mêmes garçons jouent dans une équipe «portugaise» et refusent de rejoindre l'équipe locale. Les identités ne sont pas des données, mais s'affirment en fonction des situations et des relations sociales.

Cette double identité peut être analysée par les individus, selon leur système de valeurs et leur réussite dans la société française, comme une source de richesse ou, au contraire, comme une double non-appartenance.

> Je ne me sens pas musulman, en tout cas sur le plan religieux. Disons qu'au niveau culturel, c'est sûr, j'ai quelque chose en mieux, c'est un petit peu une richesse, j'ai autre chose. Ça a été un moins parce que mon éducation a été complexée à l'école. Mais en fait, c'est devenu un plus maintenant, je le ressens comme ça.

En revanche :

> À la limite, il faut renier quelque part quelque chose. Alors on ne veut pas choisir, on ne veut pas renier quoi que ce soit. Toute sa vie, on vit en balance. Moi je peux vous dire que mes gènes, ils viennent d'ailleurs, mais enfin personnellement, moi, je suis d'ici, quelque part dans ma tête, quelque part dans mon corps. La France, ce serait mon berceau éducatif et culturel. Non, je dirais que l'Algérie est mon berceau éducatif et la France mon berceau culturel. En fin de compte, tous les deux sont la même chose [...] nous, les bâtards [...], on est le brassage de deux cultures sans vraiment en connaître totalement l'une ou l'autre, et c'est ça qui est atroce[1].

Ces deux discours apparemment opposés définissent les termes d'une même condition objectivement plus difficile que d'autres à assumer : ceux qui, par leurs qualités sociales et individuelles, peuvent la surmonter la considèrent comme une richesse. Pour les plus modestes, l'épreuve peut devenir trop lourde et provoque la désocialisation, que traduisent toutes les formes de mar-

---

1. Extrait d'entretiens cités par R. Leveau et D. Schnapper, art. cité, p. 132.

ginalité et de délinquance. L'effort d'élaboration culturelle auquel doivent se livrer tous les adolescents, qu'ils soient enfants d'émigrés ou non, est plus rude dans le cas des enfants de migrants, comme pour tous les enfants de milieux populaires soumis à la nécessité de la « sursélection » : ceux qui la surmontent en tirent un bénéfice supplémentaire dans la logique de l'affirmation de soi et de la recherche de la distinction, mais le risque d'échec est statistiquement élevé pour ceux qui n'ont pas les mêmes atouts individuels et sociaux. Dans le premier cas, le discours de la double appartenance vient glorifier la réussite et le dépassement du conflit, dans le second, il justifie et transfigure l'échec.

La crise familiale

C'est autour des jeunes filles que les conflits familiaux sont les plus violents dans les familles maghrébines, puisque c'est autour de leurs comportements, comme nous l'avons vu, que s'affirme l'honneur familial, que s'exprime le noyau dur culturel. L'attitude des parents à l'égard des filles a d'ailleurs pour effet de donner un avantage aux filles par rapport aux garçons, en ce qui concerne la réussite scolaire : plus surveillées que leurs frères, confinées dans le domaine familial, elles savent que leur réussite à l'école est la condition de leur indépendance.

Le transfert par les parents algériens du projet migratoire sur les études des garçons *et* des filles constitue la source d'une remise en question radicale de la tradition familiale. L'école transmet de manière explicite la valeur de l'égalité entre les sexes. De plus, la meilleure réussite scolaire des filles leur facilite l'entrée sur le marché du travail, par rapport aux garçons, bouleverse les fondements mêmes de l'autorité à l'intérieur de la famille et, par conséquent, tout le noyau dur culturel.

L'intériorisation des valeurs de l'égalité les conduit à s'insurger contre le destin que leur attribue la tradition islamique. L'incompréhension par les jeunes filles scolarisées en France du système de l'« honneur » méditerranéen, qui lie de manière nécessaire l'honneur de l'homme et les comportements sexuels des femmes, conduit à une véritable révolution à l'intérieur de la famille, même si, dans leur majorité, elles ne rejettent pas le contenu de la tradition, mais elles veulent désormais l'assumer non sur le mode institutionnel, mais sur le mode moral.

C'est surtout ça le dilemme qui se passe pour les jeunes beurs qui sont des filles. On n'accepte plus d'être l'objet de convoitise pour s'insérer dans une famille plus tard. On n'accepte plus d'être dirigée, embrigadée. On a envie d'éclater [...]. On éclate d'ailleurs. Mais comment on éclate, c'est toujours par en dessous, c'est-à-dire on se donne les moyens d'arriver à une certaine indépendance, à une presque indépendance. C'est surtout par l'éducation scolaire, c'est surtout par ce biais que les filles s'en sortent [...]. Parce qu'on n'a pas le courage, parce qu'on ne veut pas casser les liens familiaux, parce qu'on trouverait que c'est une trahison envers la famille, parce que la famille, c'est le pilier. Sans la famille, on n'est rien. Les questions d'honneur, on ne sait pas trop ce que cela veut dire. Est-ce que cela veut dire qu'il faut être vierge au mariage ? Est-ce que cela veut dire qu'il faut se marier avec n'importe quel bonhomme, parce qu'on a dit que c'est celui-là, et que tu dois obéir à ton père, sinon tu ne le respectes pas ? Alors, toutes ces histoires d'honneur, de respect et de considérations familiales [...]. En tant que nana, en tant que fille, c'est très dur, c'est beaucoup plus difficile, en tout cas, que pour un garçon beur [...]. Arrivent l'âge de 15 ans, la puberté, l'adolescence, les classes mixtes, les classes deviennent mixtes en pleine période où moi je suis en pleine période adolescente, la puberté, plein de questions dans la tête. Je me rends compte que, chez nous, oui, c'est vrai, il y a une différence entre un garçon et une fille. Pourquoi ? Parce qu'une fille, il y a des interdits, une fille, elle est l'honneur de sa famille, elle doit se faire respecter [1].

On peut dans ce cas écouter les témoignages des jeunes filles : placées entre deux cultures et au cœur même du conflit, elles sont en position de sociologues et analysent l'effet sur les relations familiales de la dévalorisation de l'activité professionnelle du chef de famille (souvent ouvrier ou chômeur) et de leur propre promotion sociale, grâce à leur entrée sur le marché du travail [2].

1. *Ibid.*, p. 131.
2. « Que tout les dépasse, les écrase comme tu dis, passe encore quand c'est dehors, hors de chez eux, hors d'eux-mêmes. [...] Mais, quand c'est avec leurs enfants, c'est intolérable, je suppose. » « Un père qui se croyait indispensable — tant qu'il est là — pour

La remise en question de la supériorité du père est d'autant plus déchirante que les filles sont, plus que les autres membres de la famille, susceptibles d'adopter la tenue et les consommations liées au mode de vie urbain et symboliques de la modernité (vêtements, parfums, etc.), et d'accéder au marché du travail (postes de vendeuses, d'employées qualifiées ou non, sans compter le petit nombre qui atteint le niveau de l'enseignement supérieur). C'est l'expérience qu'avaient connue les migrantes françaises, issues de la paysannerie, qui, moins liées à la propriété et à l'exploitation de la terre, souvent plus avancées dans la scolarité que les garçons, statutairement investies du monopole du goût et de la tenue, se trouvaient plus aptes à adopter les comportements urbains, au moins dans leurs formes extérieures. C'est ainsi que leur installation massive en milieu urbain avait ébranlé le système de reproduction du monde paysan, condamnant au célibat les hommes, dont le destin social restait lié au sort de l'exploitation[1]. À travers cette remise en question du rôle du père, assumant la direction morale et la responsabilité de la famille, à travers la fin de la supériorité du frère, c'est tout le système mythique de l'opposition complémentaire (pour reprendre l'expression d'Evans-Pritchard) entre les sexes, c'est toute la conception et la perception du monde social, tout le noyau dur culturel qui sont remis en question. Aussi sont-elles plus nombreuses (65 %) que les garçons (43 %) à refuser l'idée de donner à leurs enfants l'éducation qu'elles ont reçue[2].

Mais l'évolution, difficile, parfois dramatique ou violente, va dans le sens d'un alignement progressif sur les comportements de la majorité des Français du même milieu. L'opposition passionnée des parents maghrébins au mariage de leurs filles avec

que ses enfants vivent, et cela même s'ils travaillent, et à qui on vient dire, on vient apporter la preuve, la démonstration qu'il n'est pas indispensable, qu'on n'a pas besoin de lui [...]. Dans les familles algériennes, l'important, c'est le garçon. Mais voilà maintenant que eux aussi se mettent à sortir comme les filles, que eux aussi ne rapportent pas, rapportent encore moins que les filles, cela donne à réfléchir. » Cf. extraits d'entretiens cités *in* A. SAYAD, art. cité, 1979, pp. 75 et 80, et «Les enfants illégitimes», 2ᵉ partie, *ibid.*, n° 26/27, p. 122.

1. P. BOURDIEU, «Célibat et condition paysanne», *Études rurales*, n° 5/6, avril-septembre 1962, pp. 32-136.

2. A. MUXEL, art. cité, p. 928.

un non-musulman, la scolarisation des filles, souvent payée par un taux de célibat élevé (comme dans le cas des premières femmes ayant exercé une activité professionnelle), montrent que l'évolution ne sera ni rapide ni facile. Chacun, étant donné l'impossibilité des statistiques, fonde son sentiment sur son expérience personnelle, qu'il n'est pas toujours facile de relativiser. Il est probable, bien que les enquêtes ne puissent le démontrer, que les conflits violents qui aboutissent aux renvois de jeunes filles élevées en France dans le pays d'origine pour y épouser le cousin inconnu représentent des «combats d'arrière-garde», qui deviennent de plus en plus rares. On ne peut jamais exclure les réactions violentes, inspirées par des exemples étrangers. Toutefois, pour les populations définitivement stabilisées en France, on voit mal que l'évolution prenne une voie qui serait perçue comme une rétrogradation (sans qu'on puisse, pour autant, faire de prévisions sur le rythme).

Les indicateurs démographiques

Les comportements démographiques donnent des indications en ce sens. Indications seulement, puisqu'ils sont fondés sur la nationalité. Or une forte proportion de la population d'origine étrangère est de nationalité française. Beaucoup des couples mixtes selon les statistiques sont homogames du point de vue de l'origine nationale ; des mariages franco-français selon la nationalité unissent des conjoints d'origine différente. Tout en tenant compte de ces critiques fondamentales, on peut penser que la multiplication par trois du nombre des mariages unissant un Algérien à une Française et la multiplication par dix du nombre de couples formés d'un Français et d'une Maghrébine entre 1965 et 1982, malgré l'opposition des familles à une union religieusement illicite constituant une sorte de trahison, sont plutôt des signes d'intégration. L'âge au mariage, qui tend à s'aligner sur celui des Françaises (l'âge moyen des Algériennes qui célébraient leur mariage en France était, il y a vingt ans, de 19,1 ans ; aujourd'hui, il est de 23,9 ans), irait dans le même sens, même s'il peut traduire aussi bien le dérèglement des processus traditionnels de conclusion des alliances que la difficulté pour les jeunes filles

« modernisées » de trouver un conjoint, soit parmi les hommes de leur nationalité, soit parmi les Français. La fécondité des Maghrébines reste nettement plus élevée que celle des Françaises (d'autant que sont comptées parmi les Françaises celles qui sont d'origine maghrébine). L'indicateur conjoncturel de fécondité est en effet de 4,35 pour les Algériennes, 5,84 pour les Marocaines et 5,11 pour les Tunisiennes, alors qu'il n'est que de 1,89 pour les Françaises. Malgré tout, l'évolution va dans le sens de l'alignement sur les comportements français, puisque cet indicateur a baissé de moitié pour les Algériennes en vingt ans (de 8,54 à 4,35 entre 1962 et 1980-1981), alors qu'il restait compris entre 5 et 6 pour les Tunisiennes et les Marocaines. On peut interpréter ces différences comme traduisant l'effet d'une présence française plus longue et plus active pendant l'histoire coloniale. Notons enfin qu'on voit apparaître parmi la jeune population algérienne l'union libre[1].

Enfin, la mobilité sociale ne semble pas très différente de celle qu'on connaît dans tous les milieux modestes. D'après l'enquête de l'I.N.S.E.E. déjà citée, 24 % des fils d'émigrés sont employés, 30 % cadres; 11 % sont établis à leur compte.

Si l'acculturation objective des jeunes Français — Français le plus souvent par la nationalité et, en tout cas, par la culture — d'origine étrangère scolarisés en France apparaît comme un fait acquis, il s'en faut que les évolutions soient linéaires. Les attitudes des différentes populations ne se rangent pas sur un continuum. Malgré leur acculturation objective, les jeunes « Portugais de France » continuent, plus que les Français d'origine italienne, à garder des liens étroits, objectifs et symboliques, avec leur pays d'origine. Dans les années 1930, les émigrés polonais restaient aussi beaucoup plus attachés à leur pays et à leurs traditions que les émigrés italiens. L'inconscient historique est l'un des éléments qui donnent à chaque groupe national des formes d'évolution spécifique. Mais désormais, pour tous, le problème n'est plus de savoir s'ils sont intégrables, puisqu'ils participent à la société française, mais de savoir quels types de rapports sociaux vont

---

1. M. Audirac, « Cohabitation et mariage : qui vit avec qui ? », *Économie et Statistique*, n° 145, juin 1982.

s'instaurer entre les divers groupes, et de s'interroger sur l'importance que risque de prendre désormais la dimension de l'origine nationale dans les relations entre les individus et les groupes.

Que peut-on conclure de ces analyses ? Les populations migrantes, dans leur majorité installées en France depuis une quinzaine d'années, connaissent une acculturation qui conduit la plupart d'entre eux à une culture d'émigré stabilisée. Ils ne constituent pas une menace à l'unité nationale, d'autant que leurs enfants sont les premiers à faire référence au discours de la Révolution et des droits de l'homme et à invoquer les valeurs démocratiques.

La diversité objective des populations d'origine étrangère n'est pas telle qu'elle constitue un obstacle à l'intégration nationale, même si, par ailleurs, les fidélités historiques font intervenir, dans le cas des juifs et des « Arabes », des dimensions spécifiques aux conflits politiques. L'optimisme mesuré de ces analyses doit être corrigé par deux considérations. D'une part, les émigrés sont nombreux dans les banlieues mal intégrées des grandes villes, où la désagrégation de la culture ouvrière laisse la place à des situations anomiques. Les problèmes sociaux concernent prioritairement les enfants de migrants de certaines origines, en particulier maghrébine. Ils portent à l'extrême, comme l'a montré François Dubet, la condition des jeunes sans qualification issus des catégories populaires, installés dans les banlieues, qui ont cessé d'être organisés par les organisations communistes et la culture prolétarienne. Les Algériens, en particulier, sont surreprésentés dans l'enseignement spécial et dans les statistiques du chômage. Plus que les autres, ils participent à la petite délinquance des banlieues [1]. De plus, leur visibilité, d'autant plus grande que travailleurs sociaux, sociologues, journalistes et hommes politiques contribuent, volontairement ou non, à l'accentuer, risque toujours de provoquer des sentiments de xénophobie, suscitant à leur tour des revendications identitaires violentes qui pourraient déclencher des conflits entre groupes d'origines différentes.

D'autre part, la situation économique et sociale peut multiplier,

---

1. J. Marangé, A. Lebon, *L'Insertion des jeunes d'origine étrangère dans la société française*, La Documentation française, 1982, p. 91.

au niveau des enfants, le nombre de ceux qui ne peuvent obtenir un emploi et dont la mauvaise intégration risque de conduire à la délinquance, au même titre que de nombreux groupes de populations, d'origine modeste et sans qualification. Les émigrés et les enfants d'émigrés sont effectivement nombreux parmi les populations désintégrées, mais, en plus, leur nombre sera toujours surestimé par les autres. Or il est essentiel que, dans des sociétés caractérisées par la mobilité, les handicaps sociaux et ethniques ne se superposent pas, comme c'est le cas dans nombre de ghettos noirs ou *hispanics* des États-Unis.

Les sociologues des migrations affirment désormais qu'il n'y a pas un «problème des immigrés», mais un problème de la société française. C'est aller trop loin. Faire cohabiter des populations différentes par leur mode de vie dans les quartiers les plus modestes des grandes villes exige des efforts de tous, y compris des émigrés. Mais il est vrai que les problèmes d'intégration sociale et nationale, dont on attribue volontiers la responsabilité aux émigrés, sont d'abord des révélateurs de certains traits des nations modernes. Ils imposent de s'interroger sur leur capacité d'intégration et sur la nature du lien social[1]. La similitude des manières de vivre et de penser n'entraîne pas nécessairement la conscience de former une entité. Il n'est pas sûr que le partage des mêmes valeurs et l'invention commune de modèles de comportements suffisent pour intégrer les popu-

---

1. Si l'acculturation des migrants aujourd'hui durablement installés ne constitue pas une menace pour l'unité nationale, il ne faut pas oublier qu'ils viennent de pays proches ou qui avaient connu par la colonisation une acculturation à la France depuis plusieurs générations. D'une part, ces évolutions peuvent subir le contrecoup des événements internationaux. En cas de crise avec les pays «arabes», les musulmans pourraient apparaître comme des ennemis «de l'intérieur». L'évolution des pays du Maghreb peut avoir des conséquences sur ces processus. Des événements internationaux peuvent rendre les relations entre populations originaires de différents pays plus difficiles en France. D'autre part, des populations nouvelles, plus nombreuses, originaires de pays n'ayant pas eu les mêmes contacts avec la culture française, pourraient poser des problèmes d'intégration difficilement solubles. Une situation de sous-peuplement dans les pays riches ne peut manquer d'attirer les populations nombreuses des pays pauvres voisins. Contrôler l'immigration dans l'avenir est sans doute une nécessité pour qu'un pays riche et fragile ne voie pas remettre en question ses équilibres sociaux et politiques ; il n'est pas sûr que ce soit possible. Malgré les décisions prises en 1975, l'immigration n'a pas cessé.

lations autour d'un projet national. Assistons-nous à la dissolution du lien social, qu'ont toujours crainte les penseurs de la modernité ?

S'interroger sur l'intégration des émigrés et de leurs enfants impose, de manière nécessaire, de s'interroger sur les modes d'intégration caractéristiques de la nation moderne.

Troisième partie

L'INTÉGRATION
AUTOUR D'UN PROJET POLITIQUE ?

CHAPITRE 6

L'émiettement des institutions nationales

L'idée nationale est née en France au Moyen Âge, la monarchie a mené pendant des siècles le projet national. Mais les républicains, à leur arrivée au pouvoir dans les années 1880, ont créé en toute conscience des institutions chargées de construire la nation moderne. Ils ont confié à l'école la tâche d'éduquer les enfants dans le patriotisme. On a souvent souligné le rôle que le *Tour de France de deux enfants,* dont le sous-titre était *Mémoire et Patrie,* tiré à plus de 12 millions d'exemplaires entre sa parution et la Première Guerre mondiale, a joué pour diffuser le patriotisme dans l'ensemble de la population, qui bénéficiait désormais de la scolarité primaire gratuite, laïque et obligatoire. Ils ont aussi chargé l'armée d'une fonction proprement civique, en instaurant le service militaire universel. Si l'Église catholique, à cette époque, n'entretenait guère les valeurs républicaines, elle ne s'en référait pas moins à l'autre image de la France, à la France, fille aînée de l'Église, éternelle par-delà la forme républicaine de son régime politique. Armée, école ou Église organisaient la vie collective autour de pratiques régulières (distribution des prix, certificat d'études primaires, examen d'entrée en sixième, conseil de révision, messe dominicale, catéchisme, communion solennelle, cérémonies familiales) et diffusaient un système de valeurs cohérent et autoritaire. Les institutions nationales étaient d'autant plus efficaces que le mythe de la Révolution permettait de réconcilier l'idée nationale et l'ambition universelle : le patriotisme français pouvait se penser et se vivre comme celui des droits de l'homme.

À leur action s'est ajouté, pour une autre partie de la population, l'effet de l'organisation des partis ouvriers et des syndicats, qui ont fourni à leurs membres un système d'interprétation du monde à forte valeur identitaire. Malgré le développement de l'idéologie internationaliste dans les milieux ouvriers, l'efficacité de cette action a été démontrée au moment de la guerre de 1914.

On assiste aujourd'hui à une remise en question de ces institutions, nationales par leur organisation et universelles par leur ambition et par les populations concernées : l'école, l'armée, qui avaient été chargées par les républicains de 1880 d'intégrer les populations de tous milieux et de toutes origines dans l'unité politique, les Églises, qui furent des objets privilégiés de la contestation « gauchiste ». La remise en question des syndicats et des partis de gauche, qui entendaient organiser l'ensemble de la classe ouvrière (encore qu'ils aient toujours eu des difficultés à traiter des ouvriers étrangers) autour d'« un nouvel universalisme social fondé sur la prise en compte d'une exclusion de classe »[1], n'est pas moins forte. La critique des « appareils idéologiques d'État » selon Louis Althusser — l'Église, l'école, la famille, le droit, le système politique, les syndicats, l'information, la culture — fut d'ailleurs pendant une dizaine d'années un thème en vogue.

Les institutions nationales sont remises en question dans la mesure où toute l'attitude intellectuelle de la modernité consiste à penser :

> que toute norme, toute institution intellectuelle, morale et politique est le produit d'une histoire dont la reconstruction est censée épuiser le sens[2].

Les individus se donnent le droit de ne pas les accepter en tant que telles, d'apprécier leur légitimité. Elles ne s'imposent plus « naturellement » en fonction de leur autorité reconnue par tous ; chacun s'estime en droit de les évaluer et de décider de les respecter ou de les refuser. Les événements de 1968 ont révélé brutalement une évolution plus longue et plus profonde. Sans doute

---

1. P. ROSANVALLON, *La Question syndicale*, Hachette, coll. « Pluriel », 1988, p. 181.
2. L. FERRY, *Homo aestheticus*, Grasset, 1990, p.39.

les institutions n'ont-elles jamais été établies une fois pour toutes ; elles sont par définition le résultat des négociations et des interprétations des héritages du passé par les nouvelles générations. Les évolutions sur certains points ont probablement été plus rapides que dans le passé. Mais ce qui caractérise la situation actuelle, c'est moins la rapidité de la transformation des normes elles-mêmes que la remise en question de la légitimité de toute institution normative. À travers son discours ou son humeur « anti-institutionnelle », l'individu justifie ses comportements par son besoin d'épanouissement personnel et par son jugement personnel. S'agit-il du prolongement de ce mouvement de fond commencé à la Renaissance qui pose le principe de l'autonomie comme fondement de l'ordre intellectuel et social ou connaissons-nous une véritable rupture depuis les années 1970 ? S'il n'existe pas de réponse formelle à ce genre d'interrogation, je suis personnellement sensible à la continuité du processus.

Reprenons quatre des institutions — l'enseignement, l'armée, l'Église, les syndicats — dont le rôle fut capital pour la nation : à travers leur évolution, on pourra s'interroger sur les nouveaux modes de la participation sociale.

L'ENSEIGNEMENT ET L'ACCULTURATION

Les révolutionnaires de 1789 avaient remplacé les anciens termes de maître d'école, de régent et de recteur par celui d'*instituteur*, parce que ce dernier avait désormais pour mission d'*instituer* la nation [1]. Cette tradition s'est prolongée. En 1880, les élèves-enseignants devaient « par-dessus tout apprendre que leur premier devoir est de faire aimer et comprendre la patrie ». Dès le début de leur scolarité, les enfants apprenaient qu'ils devaient avant tout défendre leur patrie en tant que soldats [2]. L'enseignement de l'histoire, en particulier, était chargé de faire naître et de « maintenir le patriotisme dans les générations que nous éduquons ». Ernest Lavisse se proposait de rénover les études histo-

1. E. Weber, *op. cit.*, p. 480.
2. *Ibid.*, p. 481.

212   L'intégration autour d'un projet politique?

riques pour en faire un moyen d'éducation nationale. La géographie aussi, dont un directeur de l'enseignement secondaire
soulignait l'«utilité patriotique», contribuait à cette œuvre : on
a souvent souligné le rôle de ces cartes de France, distribuées
dans toutes les écoles, où la représentation des provinces perdues
en 1870 entretenait le sentiment que la revanche était un devoir.
L'instruction civique, de son côté, justifiait le patriotisme : « La
France est la plus juste, la plus libre, la plus humaine des patries. »
À l'histoire sainte de l'Église, les instituteurs ont ainsi substitué
l'histoire sainte de la République, le 14 juillet, le 4 août et la
fin des privilèges, les soldats de l'an II et Valmy, le *Chant du
départ*. En 1883, on publia 45 manuels d'instruction civique.

La sociologie de l'éducation, très riche en France depuis les
années 1960, a pris pour objet premier les rapports entre la structure sociale et le système d'enseignement, l'effet de la scolarisation sur la reproduction de la société et sur l'inégalité des chances
des individus. Sensibles avant tout à la problématique des classes sociales, les sociologues ne se sont pas interrogés sur le rôle
de l'enseignement pour constituer et maintenir la collectivité nationale. Les plus critiques se contentaient de reprendre la critique
marxiste, en démontrant que, loin de les « rassembler et de les
unifier » socialement et culturellement, l'école avait pour fonction sociale de diviser les enfants en fonction de leur classe sociale,
puisque «la base réelle sur laquelle fonctionne l'école», «c'est
la division de la société en deux classes antagonistes et la domination de la bourgeoisie sur le prolétariat »[1]. C'est seulement en
traitant de la scolarisation des enfants d'émigrés que le problème
a été indirectement abordé.

La représentation commune est que le système d'enseignement
fut, de ce point de vue, admirable et efficace avant la Seconde
Guerre mondiale et que la «crise de l'enseignement» depuis les
dernières décennies, dont témoignent, d'une part, la «relégation»
notable des enfants issus des catégories populaires dans les filiè-
res les moins prestigieuses et, d'autre part, l'illettrisme de 10 %
environ d'une classe d'âge, a rendu l'école incapable d'intégrer

1. Chr. BAUDELOT et R. ESTABLET, *L'École capitaliste en France*, Maspero, 1971, pp. 15
et 18.

les enfants d'origine étrangère. Il ne s'agit pas ici de traiter de tous ces problèmes. On voudrait seulement préciser quelques résultats essentiels : l'acculturation des enfants d'immigrés, déjà mentionnée, montre que l'école garde une efficacité certaine, même si elle est aidée dans ce rôle par d'autres instances ; le niveau ne baisse pas de manière absolue, il baisse dans certains domaines, pour certaines populations et il monte dans d'autres, pour le plus grand nombre ; mais, assurément, l'école ne diffuse plus les thèmes du patriotisme et de la supériorité de la France.

L'acculturation

Il faut rappeler que la parfaite efficacité de l'école primaire de la IIIe République est plus un mythe qu'une réalité : 30 % des enfants seulement obtenaient le certificat d'études primaires. La scolarisation des enfants d'étrangers ne devint obligatoire qu'en 1936 et nous savons maintenant que certains instituteurs de la Belle Époque traitaient avec brutalité les petits Italiens ou les petits Polonais. Aujourd'hui, tous les enfants étrangers sont scolarisés comme les Français. Si l'on définit l'échec scolaire comme la non-obtention d'un diplôme négociable sur le marché du travail, il ne s'ensuit pas que l'échec scolaire — si échec il y a — signifie aussi l'échec de l'école comme instance de socialisation.

On peut d'autant moins le penser que les enfants étrangers ont dans l'école les mêmes comportements et obtiennent les mêmes résultats que les enfants français appartenant aux mêmes milieux sociaux. Si l'on compare les résultats scolaires de l'ensemble des enfants étrangers à l'ensemble des enfants français, les premiers connaissent un échec scolaire supérieur, quel que soit l'indicateur retenu. Mais cette relation ne fait que traduire l'inégale appartenance des enfants étrangers et français aux catégories défavorisées. Lorsque la comparaison porte sur les mêmes catégories sociales, le lien entre la nationalité et les résultats scolaires disparaît ou même se renverse légèrement en faveur des enfants étrangers.

Une étude par panel du ministère de l'Éducation nationale a montré que sur 100 enfants d'ouvriers qualifiés français entrés en sixième en 1980, 45 % étaient entrés à l'âge normal (11 ans ou moins). Pour les enfants étrangers nés en France de même origine sociale, le pourcentage était de 43,7 % ; pour les enfants étrangers nés à l'étranger, de 24,6 %. 58 % des enfants français, tous milieux sociaux confondus, entrés en sixième parvenaient en classe de troisième et 24,7 % en terminale. Le pourcentage des enfants étrangers nés en France, tous milieux sociaux confondus, atteignait respectivement 61 % et 28,9 %, soit des résultats légèrement supérieurs à ceux des enfants français. En revanche, les résultats des enfants étrangers nés à l'étranger étaient moins bons : respectivement 47,5 % et 23,3 %. Il apparaît clairement que les résultats scolaires opposent non les enfants français aux enfants étrangers, mais les enfants scolarisés en France depuis l'école maternelle aux autres. L'appartenance sociale continue à apparaître plus discriminante que la nationalité : les enfants français, dont les pères sont ouvriers non qualifiés, ne sont que 46 % à atteindre le niveau de la troisième et 16,2 % celui de la terminale ; pour les enfants étrangers nés en France du même milieu social, les chiffres sont de 47,5 % et 18,1 %, et pour les enfants étrangers nés à l'étranger de 30,6 % et 11,1 %[1].

Ces résultats peuvent s'éclairer par le fait que la même appartenance sociale n'a pas toujours le même sens pour les émigrés et pour les Français. Les émigrés ont souvent connu un fort déclassement social à la suite de leur migration. Même quand ce n'est pas le cas, ils ont transféré sur les études de leurs enfants, comme nous l'avons vu, leur propre projet de mobilité, lié aux sacrifices auxquels ils ont consenti lors de leur migration. L'appartenance des parents français aux catégories défavorisées a plus de probabilité, après la période des Trente Glorieuses, de traduire des insuffisances personnelles ou sociales.

Des indicateurs indirects montrent la bonne compréhension du système d'enseignement par les émigrés : selon des travaux

1. Ces chiffres, issus des statistiques du ministère de l'Éducation nationale, ont été présentés et utilisés par Serge BOULOT et Danièle BOYZON-FRADET dans l'ensemble de leurs travaux. Voir en particulier *Les Immigrés et l'École, une course d'obstacles*, L'Harmattan, 1988. A. Léger et M. Tripier constatant aussi, à partir d'une enquête locale, qu'«à classe sociale équivalente l'origine nationale n'induit pas un taux d'échec plus grand». Cf. A. LÉGER et M. TRIPIER, *Fuir ou construire l'école populaire?*, Méridiens Klincksieck, 1986, p. 117.

réalisés à Marseille, sous la direction de Bruno Étienne, beaucoup d'enfants d'origine maghrébine refusent d'apprendre l'arabe au profit des matières considérées comme « nobles » (latin, allemand), qui permettent la fréquentation des meilleurs établissements, suivant en cela le comportement de toute la population. Rappelons que la politique des langues et cultures d'origine, qui prévoyait un enseignement dans la langue du pays d'« origine » par des maîtres venus de ces pays, à l'intérieur de l'école, a été, dans l'ensemble, un échec, essentiellement parce que les populations concernées préféraient l'obtention de diplômes français à l'acquisition de la culture d'« origine ». Selon la boutade de Cavanna, « la langue maternelle, je vais vous dire, c'est la langue de l'école ».

De plus, nombre d'émigrés connaissent des réseaux de solidarité et d'entraide, des formes d'intégration fondées sur la famille et parfois sur le voisinage qui compensent les handicaps « socioculturels ». C'est ainsi qu'on a pu expliquer que des groupes d'enfants étrangers habitant dans des immeubles particulièrement « défavorisés » n'en obtiennent pas moins des résultats scolaires satisfaisants [1].

Le système d'enseignement français s'était donné pour fonction, dans les années 1880, de réunir des populations diverses par leurs origines régionales et nationales autour d'une langue et d'une culture communes : d'où son caractère centralisé et autoritaire. Il continue à être plus efficace pour acculturer les enfants d'origine étrangère, qui y obtiennent les mêmes résultats que les autres, qu'un système décentralisé et peu autoritaire comme celui de la Grande-Bretagne, par exemple, qui supposait que les enfants bénéficient d'une forte socialisation familiale. L'efficacité actuelle du système d'enseignement, en ce qui concerne l'acculturation des enfants de migrants, n'est pas inférieure à ce qu'elle fut dans le passé. La France tire parti à cet égard de sa tradition de pays d'immigration.

Le contenu « national » de l'enseignement

Sur le problème du « niveau », Chr. Baudelot et R. Establet ont écrit un livre qui a eu le mérite de rompre avec la représentation

1. *Ibid.*, p. 113.

commune[1]. Ils rappellent que les enfants fréquentent plus longuement l'école, que le nombre des diplômes augmente, mais ils montrent aussi que certaines capacités sont en progrès. Cette dernière proposition est illustrée par l'analyse des tests que les autorités militaires font passer à l'ensemble de la population masculine au cours des trois jours précédant le recrutement pour le service national. Le passage des mêmes tests soumis au même âge aux futures recrues démontre qu'en vingt ans leur niveau moyen a augmenté, passant de 10 sur la base de 1967 à 13,5 en 1987. Rappelant que les filles sont dans l'ensemble plus diplômées que les garçons, les auteurs concluent à une élévation du niveau de la population. Bien entendu, il s'agit d'un niveau moyen, ce qui n'exclut ni les effets contradictoires ni la perpétuation parmi les conscrits de 8,5 % d'illettrés, dont la position relative est plus grave dans une société où la qualification moyenne s'est élevée.

Il importe de prolonger la réflexion et de nuancer non les résultats, mais leur signification. Ce que mesurent les tests militaires, c'est la maîtrise des instruments scientifiques et techniques nécessaires pour participer à l'armée moderne et, plus généralement, à une société technico-administrative. La hausse du niveau moyen n'exclut pas, par ailleurs, la baisse de la culture classique, qu'elle soit scientifique (au sens de la science fondamentale), littéraire, philosophique ou artistique dans les milieux qui avaient déjà une fréquentation scolaire élevée. C'est le savoir moyen qui s'est diffusé plus largement. De plus, le contenu même s'est transformé : ce que l'école transmet mieux, ce sont les connaissances scientifiques et techniques, c'est-à-dire — paradoxalement — les moyens de participer à une société où l'exigence technique a augmenté ; ce qu'elle transmet sans doute plus mal, ce sont les fondements intellectuels de la modernité. La majorité des jeunes en sortant de l'école ont plus de connaissances en techniques et en informatique, ils ont moins fréquenté les auteurs anciens, les écrivains et les philosophes, ils connaissent moins bien l'histoire de France et la géographie que les catégories cultivées des générations précédentes. Les résultats des tests militaires ont montré que l'école apporte d'abord les moyens d'obtenir un emploi, même si, bien

---

1. Chr. Baudelot et R. Establet, *Le niveau monte*, Le Seuil, 1989.

évidemment, ces moyens ne sont pas par eux-mêmes suffisants. C'est le « niveau » des connaissances les moins spécifiquement « nationales » qui a le plus « monté ». Même si les mathématiques et leurs applications techniques se transmettent différemment, elles constituent pourtant la langue universelle de la modernité. Or, l'apprentissage de la langue et de la littérature, qui jouait un rôle prépondérant dans l'enseignement français jusqu'aux années 1960, diffusait implicitement l'idée nationale en développant l'attachement à la langue commune. Il fut toujours l'un des instruments de la constitution de la nation.

La fin du patriotisme à l'école

L'histoire, la géographie et l'instruction civique, pendant la IIIe République, entretenaient le patriotisme. Peut-être sous l'influence de Jaurès, seule une faible minorité d'instituteurs a été antimilitariste. Dans l'enseignement primaire et secondaire, on a aujourd'hui gommé l'aspect patriotique ou nationaliste des programmes. On enseigne moins les événements glorieux ou dramatiques, les héros mythiques de l'histoire de France qu'une histoire « générale », dans laquelle la part de la France a diminué, où la dimension économique et sociale prend la place des guerres, des traités et des révolutions.

L'évolution des manuels d'instruction civique est à cet égard significative. La loi du 28 mars 1882, fondant l'enseignement primaire, posait dans son article premier :

> L'instruction primaire comprend : l'instruction morale et civique ; la langue et l'écriture ; la langue et les éléments de la littérature française ; la géographie, particulièrement celle de la France ; l'histoire, particulièrement celle de la France jusqu'à nos jours.

Dans sa lettre aux instituteurs du 17 novembre 1883, Jules Ferry confirmait que :

> la loi du 28 mars 1882 place au premier rang l'enseignement moral et civique [...]. Elle affirme la volonté de fonder chez nous une éducation nationale et de la fonder sur les notions du devoir et du droit

que le législateur n'hésite pas à inscrire au nombre des premières
vérités que nul ne peut ignorer.

Les instructions du ministère aux maîtres ont montré qu'il s'agissait essentiellement de diffuser un enseignement «moral», transposition laïque de la morale chrétienne. Mais si l'école primaire
enseignait les devoirs, le premier de tous était de servir la France.
L'enseignement «civique» apparaissait dans les programmes au
niveau du cours moyen.

Pour le mois de mars, le programme officiel prévoyait en effet :

> 1. *La patrie.* Il faut aimer sa Patrie. Pourquoi : le sol, la maison
> natale, nos concitoyens, même langue, mêmes intérêts. Comment :
> vouloir la prospérité, la gloire de la France.
> 1. *Il faut se dévouer à sa patrie.* Pourquoi : reconnaissance pour
> ce que nous devons à la patrie. Comment : bon citoyen, bon sol-
> dat.
> 3. *Il faut obéir aux lois.* Pourquoi : ordre nécessaire, besoin social.
> Comment : connaître la loi, obéir scrupuleusement, prêter main-
> forte à l'autorité.
> 4. *La France.* Ses grandeurs et ses malheurs. Ce qu'elle attend de
> nous [1].

En 1985, Jean-Pierre Chevènement réintroduisit l'enseignement
de l'instruction civique, tombé en désuétude depuis une trentaine
d'années. Le programme retrouve les accents de la République
triomphante :

> L'éducation civique apprend à l'enfant qu'il ne vit pas seul, qu'il
> procède d'une histoire, qu'il a des droits reconnus mais aussi
> des devoirs. Éminemment morale, l'éducation civique développe
> l'honnêteté, le courage, les refus des racismes, l'amour de la Répu-
> blique.

Mais il ne s'agit plus de transmettre l'idée de la supériorité de
la France.

---

1. Fr. Mutelet et A. Dangueuger, *Programmes officiels des écoles primaires élémentai-
res*, Hachette, 1910 (2ᵉ éd.).

Il faut aimer son pays sans pour autant être nationaliste et être patriote sans placer son pays au-dessus des autres[1].

D'ailleurs, dans les collèges, on doit enseigner « la diversité des origines, des croyances, des opinions, des modes de vie. La tolérance. Le refus des racismes » (programme de cinquième), « la diversité des cultures » (programme de troisième). Une enquête de Viviane Isambert-Jamati a montré l'embarras des enseignants devant ce programme. Les professeurs de collège, peu engagés dans le militantisme partisan, ne manifestent pas d'adhésion à l'égard des symboles du patriotisme (drapeau, hymne national). De fait, *La Marseillaise* n'a été réintroduite ni à l'école ni au collège. Ils s'efforcent de choisir certains thèmes du programme et de transmettre les valeurs universelles (les droits de l'homme), en évitant de traiter directement de la France et du patriotisme.

L'action pédagogique, de ce point de vue, aboutit plus à diffuser un savoir qui permette de participer à une société de haut niveau technique et administratif — et la demande d'enseignement est très forte — qu'à entretenir les valeurs patriotiques.

Divers facteurs, souvent analysés, font comprendre les difficultés, que connaissent tous les pays occidentaux pour recruter des enseignants, dues en particulier à la faiblesse de leurs salaires et à la dévalorisation relative de leur savoir par rapport à celui du reste de la population. Mais cette crise prend une forme spécifique en France. L'enseignement primaire et secondaire a été plus qu'ailleurs non seulement un instrument privilégié de la mobilité ascendante, mais une instance à laquelle était confiée une mission nationale. Les difficultés de recrutement, malgré le chômage, la féminisation accrue à tous les degrés, confirment la crise. Le montant des salaires et la gestion des carrières plutôt selon l'ancienneté que selon les efforts ou le talent, le rôle excessif joué par les syndicats et les inconvénients liés à une lourde organisation bureaucratique contribuent à l'aggraver. Mais l'essentiel est que les enseignants ont cessé d'être les missionnaires pacifiques d'une ambition universelle miraculeusement incarnée par leur patrie — ce qui

---

1. J. Billard, *Traité d'éducation civique à destination des maîtres du C.P. au C.M.2*, Nathan, 1985, p. 191.

explique la distance qu'ils manifestent désormais à l'égard de l'institution. L'enseignement n'est plus l'instrument de la mobilité sociale des fils de paysans et d'ouvriers qui, grâce à cette promotion et au nom de la noble mission d'instituer la nation, acceptaient des conditions de vie matériellement modestes, mais qui n'excluaient pas un certain prestige social. Il devient le refuge des membres des catégories intermédiaires intellectuelles, soucieux de se protéger par l'entrée dans la fonction publique contre l'âpreté de la compétition, en particulier des femmes, souvent issues de milieux sociaux moyens ou même supérieurs. Étant donné leurs handicaps sur le marché du travail et la forte probabilité pour les femmes munies d'un diplôme élevé de ne pas se marier, elles acceptent de « payer » à un prix élevé la possibilité de concilier sans trop de difficultés activité professionnelle et vie de famille. Mais, ni pour elles ni pour les hommes, il ne s'agit plus d'adhérer à une institution universelle et, à travers elle, à la nation, dont la valeur supérieure transfigurerait la médiocrité de la condition matérielle.

Ces analyses peuvent s'appliquer à la magistrature, dont les fonctions dans un État de droit sont, plus que d'autres, étroitement liées à l'institution de la nation. L'École nationale de la magistrature connaît des difficultés relatives de recrutement : un reçu sur six candidats, contre un sur dix à l'École nationale d'administration. De plus, comme le note prudemment un rapport officiel, « l'on dit que pour l'heure le niveau de recrutement par concours à l'E.N.M. laisse, pour le dernier tiers des reçus, à désirer » [1]. La féminisation s'accroît et atteignait près des deux tiers en 1986. Quant au recrutement extérieur, le même rapport reconnaissait qu'il attirait « surtout les avocats n'ayant pas réussi dans leur profession ». La carrière, essentiellement à l'ancienneté, où « les mérites ne sont pas suffisamment récompensés » [2], reste nettement inférieure à celle des membres des grands corps (Cour des comptes ou Conseil d'État) et même des membres des juridictions administratives. Les primes de début de carrière, les indemnités de

---

1. *Magistrats et Avocats : formation, carrière, activité professionnelle*, rapport au garde des Sceaux, sous la direction de F. Terré, La Documentation française, 1987, p. 34.
2. *Ibid.*, p. 91.

fonction sont toujours inférieures à celles des ministères proches de la vie politique (Intérieur ou Finances) ou des grands corps. La pauvreté matérielle et le petit nombre de collaborateurs compétents ne font que traduire la dévalorisation de la fonction. La grève, illégale, du 21 juin 1990 traduisait le sentiment de révolte devant cette situation.

La modestie des conditions matérielles, comme dans le cas de l'enseignement ou de l'armée, avait longtemps été compensée par le prestige social qui s'attachait à l'idée de justice et à celle d'indépendance à l'égard de tout pouvoir, en particulier politique. L'une et l'autre sont remises en question. À un niveau modeste, on constate que les critères politiques déterminent le choix des magistrats enseignant à l'E.N.M.[1]. Au niveau général, le Conseil supérieur de la magistrature, qui assure les nominations et les avancements, continue à être présidé et dirigé par le président de la République. Comme l'enseignement, la magistrature risque de devenir une profession refuge.

L'ARMÉE ENTRE LA TECHNIQUE ET LA FONCTION PUBLIQUE

Valmy a scellé un pacte entre la nation et son armée qui a été renouvelé par les levées de Gambetta et la guerre de 1914. Le souvenir ou le mythe de la « nation armée » et du soldat-citoyen restent vivants et expliquent, autant que les raisons financières, que les gouvernements français refusent de remplacer le service militaire universel par l'armée de métier, comme l'ont fait la Grande-Bretagne et les États-Unis. Mais, dans les faits, les nécessités techniques d'une armée moderne aboutissent au renforcement du recrutement de professionnels. L'armée de terre compte 55 % d'hommes sous contrat ou de militaires de carrière. La marine s'appuie, pour les trois quarts de ses effectifs, sur des engagés, l'armée de l'air pour les deux tiers.

13. *Ibid.*, p. 55.

Sans que ce soit officiellement reconnu, le recrutement est mixte. En 1987, ce panachage entre appelés et volontaires donne 178 unités composées de conscrits, 24 régiments mixtes et 20 régiments de métier[1].

La présence du contingent garde toutefois une part de sa valeur symbolique.

C'est la raison pour laquelle le gouvernement reste réticent pour aligner la condition des militaires de carrière sur celle des fonctionnaires civils, comme on tend à le faire en R.F.A. Pour extirper toute trace de « militarisme » prussien, les militaires, comme des fonctionnaires, se rendent à la caserne à horaires réguliers, sans uniforme. Ils disposent d'un droit, reconnu par l'article 9 de la Constitution, de participer à la discussion sur leurs conditions de travail et leurs salaires (toutefois, après cette concertation, les pouvoirs publics prennent des décisions unilatérales). Ils ont aussi le droit d'association.

En France, la loi du 13 juillet 1972 modifiée par la loi du 30 octobre 1975 a atténué les spécificités de la condition militaire, sans la rapprocher, autant qu'en R.F.A., de celle des fonctionnaires civils. Dès la Libération, les militaires avaient retrouvé le droit de voter et d'être élus. Depuis 1975, ils peuvent adhérer à une association sans autorisation préalable, sauf s'il s'agit de syndicats et de mouvements politiques. Le droit de grève reste interdit. Les dispositions concernant l'autorisation préalable au mariage ont été limitées au seul cas des mariages avec une étrangère. La liberté d'opinion et de croyance a été assurée et peut s'exprimer librement en dehors du service , « avec la réserve exigée par l'état militaire »[2]. Il apparaît toutefois aux autorités qu'il n'est ni possible ni souhaitable d'aligner totalement la condition militaire sur la condition des fonctionnaires : leur disponibilité doit être « totale », ainsi que leur devoir d'obéissance et leur neutralité politique.

Les caractéristiques objectives des militaires ne diffèrent guère de celles des milieux civils appartenant aux mêmes catégories

---

1. J. Ch. JAUFFRET, « La spécificité de l'armée de métier dans la France républicaine », in B. BOËNE (éd.), La Spécificité militaire, Armand Colin, 1990, p. 36.

2. J.-Cl. ROQUEPLO, « Le cantonnement juridique : existe-t-il une fonction militaire spécifique? », ibid., p. 94.

sociales. Leurs salaires sont alignés sur ceux de la fonction publique. L'hérédité professionnelle élevée ne l'est pas plus que celle du secteur public en général. Les taux de nuptialité et de fécondité sont légèrement supérieurs à ceux des mêmes catégories dans l'ensemble de la population. Seule la mobilité géographique reste spécifique : elle forme un obstacle à l'activité professionnelle des épouses, à l'établissement de relations sociales en dehors du milieu militaire, à l'investissement dans la propriété du logement, à la scolarité régulière des enfants. Par un paradoxe qui n'est qu'apparent, plus la famille militaire se rapproche du modèle civil, plus les dernières sujétions paraissent difficiles à supporter.

L'évolution vers la fonction publique, toutefois, n'est pas complète. Les militaires maintiennent des rituels d'appartenance spécifiques comme l'uniforme et les cérémonies ; le fonctionnement reste inévitablement marqué par les nécessités de l'autorité et de la hiérarchie. L'armée a des obligations spécifiques. Quelles que soient les limites de fait que l'interdépendance des nations impose à la politique extérieure de chacune d'elles, l'armée reste l'un des instruments essentiels — éventuellement utilisé dans les guerres périphériques, comme au Tchad — de la politique internationale. Dans la vie quotidienne de l'institution, l'organisateur ou le gestionnaire tend à prendre le pas sur le combattant. Mais le fondement de la spécificité et de la légitimité de l'institution militaire reste la guerre — ou la possibilité de la guerre —, même s'il s'agit d'une guerre technique.

Malgré tout, elle paraît si improbable que la légitimité militaire a perdu de sa force. L'armée refuse de penser les conséquences de la stratégie nucléaire sur son organisation. Mais elle recherche — en particulier dans l'armée de l'air et la Navale — une nouvelle forme de légitimité dans le haut niveau technique de ses armements et dans la qualification accrue de son personnel. L'exemple des sous-officiers est à cet égard significatif. Le nombre élevé des départs avant que la limite d'âge dans le grade soit atteinte montre que beaucoup d'entre eux sont « de passage » dans les armées et nourrissent un projet, que J.-P. Thomas qualifie d'« individuel ou industriel » : l'armée est le lieu où ils obtiennent une qualification professionnelle, qu'ils négocieront, aussi rapidement que possible, dans le secteur privé au cours d'une « deuxième

L'intégration autour d'un projet politique ?

carrière »[1]. Ils n'intériorisent pas les normes de l'institution et ne manifestent qu'indifférence vis-à-vis des valeurs militaires : courage, virilité, solidarité et désintéressement. Désormais, parmi les anciens élèves de Saint-Cyr, on assiste aussi à des départs vers les entreprises privées. Pour un nombre croissant de militaires, le technicien remplace progressivement le meneur d'hommes.

Les Français restent plus attachés à leur armée que les autres Européens — le succès du défilé militaire du 14 juillet en est un témoignage —, dans la mesure où elle a été intimement associée à la nation. Seuls la Grèce et le Portugal, en Europe occidentale, célèbrent aussi leur fête nationale par un défilé militaire. On peut toutefois remarquer que, dans les faits, un tiers de chaque classe d'âge, pour diverses raisons (dispenses dues au mariage, aux charges d'enfants ou de parents, aux obligations professionnelles), échappe à l'obligation militaire, ce qui ne traduit pas un enthousiasme débordant. La proposition de limiter le service à dix mois a été accueillie avec soulagement dans l'opinion. Parmi les recrues, les plus diplômés, engagés dans la coopération, dans l'assistance technique, les affectations confidentielles et les relations publiques, échappent au contrôle des militaires. Ces derniers remarquent que la « présence au corps » des soldats du contingent « est au total de durée limitée et surtout étonnamment fractionnée ». La tendance du contingent « est d'être ailleurs » et de « "fuir vers la permission" [...]. Or la disponibilité d'une unité est fonction des effectifs sur les rangs. Si les effectifs sont incomplets ou fluctuants, l'unité perd de son efficacité »[2].

La gestion du contingent par les militaires de carrière se ressent en effet de la double évolution vers la technique et la fonction publique. L'improbabilité de la guerre limite les effets intégrateurs de l'armée. Il n'y a pas d'ambition comparable à l'idée de revanche qui a animé la vie politique en France entre 1870 et 1914. L'armée, comme l'école, a renoncé à l'enseignement du patriotisme.

La fonction civique de l'armée était pourtant une tradition en

1. J.-P. Thomas, « Fonction militaire et système d'hommes : système organisationnel et système opérationnel », *ibid.*, p. 246.
2. P. Saint-Macary, « Vivre l'arme au pied », *in* H. Mendras (dir.), *La Sagesse et le désordre*, Gallimard, 1980, p. 205.

France. Lorsqu'on a établi le service militaire universel en 1873, « on voyait dans le service militaire le moyen de généraliser l'instruction »[1]. Pour les ministres républicains des années 1880, la formation militaire était inséparable de l'œuvre éducative. Les instituteurs, devenus sous-officiers, devaient poursuivre leur double mission : alphabétiser les recrues et en faire des patriotes. La circulaire du 13 août 1904 « fixe à l'officier instructeur un programme cohérent et complet d'instruction civique et morale »[2]. Aussi efficace dans l'acculturation des populations d'origine étrangère que l'école, l'armée de la IIIᵉ République collaborait aussi à son œuvre « patriotique » : la présentation des recrues, l'hymne au drapeau, le défilé du 14 juillet, cérémonies devenues presque religieuses, faisaient participer activement l'armée et la population à la symbolique nationale. Pendant la guerre de 1914-1918, les seuls mouvements de révolte auxquels on assista furent ceux de groupes politiques engagés contre les nationalismes, non de Français de fraîche date. Les jeunes recrues, citoyens français nés de parents étrangers, se sentirent, comme les autres, les héritiers de l'armée de la « Grande Nation ».

Les responsables considèrent que l'armée continue à remplir sa « vocation d'intégration » et soulignent « qu'il n'y a pas de problème majeur concernant les jeunes gens en fonction de leurs origines [...]. Il n'y a qu'une vingtaine de cas majeurs qui aient été relevés »[3]. De ce point de vue, l'armée semble prolonger l'action qu'elle a toujours menée auprès des enfants d'émigrés. Elle conserve une fonction essentielle, celle d'assurer la formation continue. « Il s'agit d'une part d'une société jeune, il s'agit d'autre part d'une société d'apprentissage[4]. » Mais, à l'armée, on bénéficie d'une formation moins civique que technique. L'armée offre à certains jeunes une occasion de formation complémentaire et permet parfois de compenser des échecs du système d'enseignement. Dans les meilleurs cas, elle contribue à une intégration

1. E. Weber, *op. cit.*, p. 425.
2. R. Girardet, *La Société militaire dans la France contemporaine, 1815-1939*, Plon, 1953, p. 290.
3. J.-Cl. Roqueplo, témoignage devant la Commission de la nationalité in *Rapport*, t. I, p. 214.
4. R. Girardet, « Du rôle éducatif de l'officier et de sa vocation », in *La Spécificité...*, *op. cit.*, p. 82.

comparable à celle que donne l'emploi, par la collaboration à une entreprise commune. Mais elle ne contribue plus guère à l'intériorisation de valeurs patriotiques.

DE L'ÉGLISE AUX NOUVEAUX MOUVEMENTS RELIGIEUX

L'Église, qui contrôlait les croyances et les pratiques collectives, constituait, malgré sa résistance à la forme républicaine de la nation, une instance d'intégration nationale. La crise récente de l'Église en tant qu'institution a été maintes fois évoquée[1]. Les difficultés de recrutement du clergé et l'affaiblissement des pratiques en sont deux indicateurs.

10 % des hommes et 16 % des femmes ont une pratique religieuse régulière, 22 % des hommes et 26 % des femmes une pratique occasionnelle. La pratique varie selon les classes d'âge : 9 % des 14-24 ans, 8 % des 25-39 ans, 14 % des 40-59 ans, 21 % des 60 ans et plus ont une pratique régulière. Enfin elle est inégale selon les catégories sociales : 18 % des agriculteurs exploitants, 20 % des retraités et 16 % des inactifs, 12 % des cadres supérieurs, 10 % des artisans et commerçants, 8 % des catégories intermédiaires et des employés et 7 % des ouvriers[2].

On a assisté à la fin de la «civilisation paroissiale», que connaissait encore la Bretagne jusque dans les années trente : l'ensemble de la population villageoise participait à la messe, les fêtes et rassemblements religieux scandaient le rythme de la vie collective, les cérémonies religieuses offraient les occasions privilégiées de la sociabilité, la perception du monde était organisée par les valeurs diffusées par un clergé continuellement présent.

Les difficultés pour recruter des prêtres ou des pasteurs révèlent la même crise.

---

1. D. HERVIEU-LÉGER, *Vers un nouveau christianisme?*, Cerf, 1986.
2. Z. DJIDER, M. MARPSAT, «La vie religieuse : chiffres et enquêtes», *Données sociales*, I.N.S.E.E., 1990, p. 377.

On compte dans les années 1980 une centaine d'ordinations par an au lieu d'un millier dans les années 1950, une baisse des effectifs de 3 760 personnes entre 1975 et 1981. Le vieillissement du clergé s'accentue : en 1965, 24 % des prêtres avaient moins de 40 ans, 7 % en 1981 [1].

Devant la faiblesse des vocations, le vieillissement des prêtres et les départs, on se prend à évoquer la fin des prêtres comme catégorie sociale.

Ce que ces chiffres montrent n'est toutefois ni la fin du sentiment religieux ni la disparition de toute pratique, mais l'affaiblissement brutal de certaines formes institutionnalisées de comportements, la baisse d'influence des structures religieuses sur la vie locale, la remise en cause de l'Église en tant qu'organisation à ambition universelle. Les différentes pratiques sont inégalement abandonnées : le nombre des baptêmes et des mariages religieux baisse, mais celui des confessions s'effondre. La crise du recrutement révèle la crise de l'organisation du pouvoir clérical : il n'existe plus de légitimité *a priori*, liée à l'institution, chaque prêtre doit créer la sienne. L'Église ne diffuse plus un discours unifié qui organise de manière cohérente les croyances, les valeurs et les conduites. Ses frontières elles-mêmes sont devenues floues : les prêtres jouent le rôle de travailleurs sociaux, les laïcs interviennent massivement dans l'enseignement du catéchisme. Ce n'est pas à la fin du christianisme, comme on avait pu l'annoncer, qu'on assiste, mais au développement, chez les plus modernes, de formes de religiosité « spontanées » en dehors de l'Église, même si elle finit souvent par les reconnaître et s'efforce progressivement de les réintégrer et, en contrepoint, à des mouvements de retour aux sources de style fondamentaliste, dont les groupes de Mgr Lefebvre sont le plus fameux. La modernité tend à détruire l'adhésion aux institutions ecclésiastiques mais, en même temps, les facteurs sociaux suscitant l'incertitude existentielle augmentent et nourrissent le besoin de croire des individus.

Les nouveaux mouvements religieux apparus en France dans les années 1972-1975 traduisent cette évolution du sentiment

---

1. D. Hervieu-Léger, *op. cit.*, pp. 69-70.

religieux. Le mouvement charismatique catholique, venu des États-Unis dans les années 1970, a touché des populations nombreuses : 200 groupes avaient été recensés pour la seule région de l'Ouest au début de l'année 1983, comprenant chacun quelques centaines de participants. Ce sont des groupes de prières qui se réunissent une fois par semaine, en s'efforçant de combiner l'expression spontanée et improvisée des participants avec une prière commune structurée par des chants et des lectures. Cette « recherche de la prière » a pour objet le « renouveau spirituel » et se traduit par la diffusion de « dons » dans l'assemblée (prophétie, guérison). Les prières collectives s'accompagnent de danses, d'improvisations gestuelles, en harmonie avec l'attention portée au corps, qui doit épanouir l'être sensible et affectif tout entier. Dans les divers groupes que Françoise Champion rassemble sous le terme de « nébuleuse mystico-ésotérique », les individus recherchent collectivement une expérience mystique de fusion avec le divin, qui doit leur apporter « harmonie », « plénitude » et « bonheur ». Chacun, selon son itinéraire personnel, conjugue des croyances issues de sources aussi variées que le christianisme, les religions orientales, les traditions ésotériques occidentales ou le chamanisme, et recompose sa propre « religion du cœur »[1]. Ces « communautés émotionnelles », pour reprendre l'expression de Max Weber, recréent des liens sociaux en dehors des institutions établies, mais par leur instabilité essentielle — on y entre, on en sort en fonction de son inspiration, sans démarche et sans contrôle —, leur refus d'admettre des règles extérieures aux volontés des individus qui les composent, on peut douter qu'elles aient le même effet d'intégration par conformité que les rituels qu'imposait l'Église pour sanctionner les grands passages du cycle de vie, ou les cérémonies qui scandaient le rythme de la vie collective.

Le développement des mouvements charismatiques, dans la mesure où ils sont en affinité avec les valeurs centrales de la modernité, ne sont que la forme la plus visible d'un mouvement de fond qui entraîne l'ensemble des manifestations religieuses. À l'intérieur de l'Église elle-même, les fidèles et les prêtres les

---

1. Fr. CHAMPION, « La nébuleuse mystico-ésotérique », in Fr. CHAMPION et D. HERVIEU-LÉGER, De l'émotion..., op. cit., pp. 17-70.

plus modernes s'efforcent de subordonner les pratiques formelles à un retour à l'authenticité de la foi et au caractère personnel de l'engagement religieux. Les pratiques encouragées ou imposées par la hiérarchie sont progressivement influencées par la demande d'authenticité. Les préparations pour le baptême ou pour le mariage, suggérées aux fidèles, représentent un effort pour rendre les sacrements conformes à la valeur moderne de l'authenticité, aux dépens, éventuellement, de la fonction d'intégration sociale. De même que le consistoire régule mal les pratiques des juifs, et que les protestants, divisés entre des Églises concurrentes, tendent de plus en plus à s'autorégler en dehors de toute organisation, l'Église catholique contrôle désormais avec difficulté les expressions nouvelles du sentiment religieux.

On constate aussi le renouveau de la prière aux dépens d'autres pratiques collectives, en particulier l'assistance à la messe : groupes de prières, retraites, sessions de prières se multiplient. Deux groupes de la presse catholique (Malesherbes et Bayard Presse) leur consacrent chacun une publication mensuelle. Ce renouveau s'accompagne du refus quasi unanime des formes ritualisées des prières, pratiquées dans le milieu familial et confessionnel, qui ne laissaient guère de place à la participation subjective. Les prières toutes faites sont remplacées par des prières spontanées, inventées par l'orant. Mauss avait déjà analysé le développement de la prière comme un signe de l'individualisme croissant. Le rite n'est plus réservé à une classe sacerdotale, mais accessible à chaque fidèle. Chacun devient créateur de sa pratique, libre des contraintes de l'espace, du temps, des circonstances et des formes institutionnelles. Le refus du ritualisme traditionnel et l'invention de nouveaux rituels traduisent la volonté de substituer une religion de conviction, où chacun est créateur de sa foi et de ses pratiques, à une religion d'appartenance. La relation avec Dieu doit être l'occasion de l'épanouissement de soi et de l'enrichissement des relations avec autrui. Les manifestations du renouveau religieux sont en affinité avec les valeurs propres de la modernité.

Enfin, l'Église a cessé d'être une institution unique, à l'image de l'État, jouant en face de lui, éventuellement contre lui, un rôle d'intégration parallèle au sien, fût-ce au nom d'autres valeurs. Elle est devenue une institution spécialisée s'adressant à une population particulière : les dévots catholiques, à côté des musulmans, des protestants, des juifs et de la masse des catholiques d'origine qui ne gardent avec l'Église qu'un lien distendu, s'exprimant éventuellement à l'occasion des quatre grands rites de passage, baptême, communion, mariage, enterrement. La solennisation de la mort reste la plus respectée ; c'est à la Toussaint que les églises sont le plus fréquentées. La hiérarchie catholique refuse d'intervenir dans l'ordre étroitement politique et se « spécialise » dans les problèmes de la vie morale et sexuelle. Mais ce magistère moral est affaibli pour tous, y compris les émigrés portugais, pour lesquels la religion joue désormais un rôle essentiellement identitaire. Même dans le domaine des mœurs, — et sans tenir compte du rôle accru des religions minoritaires —, elle a cessé d'être la source unique de la normativité. Le monopole du clergé est remis en question par l'intervention croissante des laïcs et la constitution de milieux « néo-cléricaux ». Les travailleurs sociaux, les psychiatres, les « militants moraux » se multiplient, contraignant de nombreux prêtres à se transformer à leur tour en travailleurs sociaux. Les comités d'éthique ou les comités de sages comprennent des représentants de toutes les religions et de tous les courants de pensée (francs-maçons, libres-penseurs) ou de professions prestigieuses (médecins ou scientifiques). Dissémination des croyances et des pratiques : l'Église, comme institution à la fois nationale et universelle, organisant par un discours unique le rapport au monde, s'est émiettée.

LA CRISE DE LA LÉGITIMITÉ SYNDICALE

Les syndicats connaissent la même crise de fréquentation que l'Église catholique. Certes, les syndicats ouvriers en France n'ont jamais réuni la majorité ou la quasi-totalité des salariés, comme dans les grandes démocraties nordiques ou en Grande-Bretagne. Divisés en plusieurs organisations, dont la plupart formulaient un projet révolutionnaire, leur rôle dans la gestion sociale et économique au sein de l'entreprise a toujours été plus faible que dans les autres pays européens. Le nombre des syndiqués est toujours difficile à établir, puisqu'il constitue l'enjeu des rivalités et des conflits entre les organisations. Mais, si la précision est impossible, le sens de l'évolution n'est pas douteux. On estime aujourd'hui que 9 % des salariés — 6 %, si l'on ne tenait compte que du secteur privé — font partie d'un syndicat. Le déclin du taux de syndicalisation traduit une transformation de leur rôle et une crise d'identité. Or les émigrés italiens et polonais des précédentes vagues d'immigration, plus activement catholiques que les Français dans certaines régions, plus anticléricaux dans d'autres, ont été moins intégrés par l'Église que par le militantisme, éventuellement anticlérical, des partis de gauche et des syndicats qui donnaient aux militants les plus engagés des occasions d'éducation et de promotion sociale. On peut se demander s'ils sont encore susceptibles de jouer ce rôle auprès des émigrés plus récents.

Vieille classe ouvrière et nouvelles couches salariées

Quels qu'aient été leurs rapports historiques avec le système des partis et l'État, différents d'un pays européen à l'autre, les syndicats étaient l'expression identitaire et politique de la culture ouvrière, élaborée dans ce que l'on nomme aujourd'hui les vieilles industries : une culture masculine et industrielle. Le syndicat unique en tirait sa légitimité : séparés par leur métier, leur mode de vie et leurs aspirations du reste de la société, les ouvriers voyaient dans l'adhésion au syndicat le moyen privilégié d'une expression identitaire collective. Aujourd'hui, dans tous les pays européens, bien qu'à des degrés différents, l'évolution économique conduit au déclin de l'industrie et de la culture ouvrière traditionnelle.

La majorité des ouvriers est maintenant formée de jeunes, de femmes et d'immigrés dont les demandes sont plus diversifiées et bien souvent différentes des revendications habituelles des syndicats, augmentation des salaires et réduction du temps de travail. Les jeunes ouvriers, plus longuement scolarisés que leurs parents, avides de reconnaissance sociale et de carrière personnelle, désireux de participer aux consommations et au style de vie liés à la vie urbaine, admettent mal l'autorité syndicale et le contenu des revendications (beaucoup, par exemple, souhaitent des heures supplémentaires). Ils ne se reconnaissent ni dans les pratiques collectives de l'action syndicale ni dans le système de valeurs austère

et contraignant que diffusent les syndicalistes. La féminisation croissante de la classe ouvrière menace aussi le pouvoir syndical, non
seulement parce que le taux de syndicalisation des femmes est toujours inférieur à celui des hommes, mais parce que leurs revendications, centrées autour de la flexibilité du travail et des horaires,
ont toujours été mal assumées par les syndicats, attachés à une
organisation collective de style militaire. La multiplication du nombre des chômeurs qui entretient chez les salariés la crainte de perdre leur emploi, le nombre des titulaires d'emplois intérimaires,
partiels, précaires ou atypiques, dont les revendications portent
sur la permanence de l'emploi, non sur sa rétribution ni sur la
réduction du temps de travail, contribuent encore à limiter la participation syndicale. Les syndicats, enfin, ont toujours eu de la
peine à traduire les demandes des émigrés, soucieux d'accumuler
en rêvant d'un retour dans leur pays, peu sensibles à l'idéologie
de la lutte des classes.

L'évolution des postes de travail va dans le même sens. Dans
beaucoup d'industries nouvelles, le collectif de travail et les solidarités qu'il entraîne sont remplacés par des postes de contrôle
individuels (beaucoup, en particulier, sont directement liés à l'informatique). C'est dans les P.M.E. les plus performantes, où la réorganisation du travail est la plus avancée et la plus individuelle,
où la tertiarisation est la plus poussée que le recrutement syndical est le plus faible. La syndicalisation baisse parmi les ouvriers
et les cadres.

La fonction de proposition, que pourrait tenir le syndicat, semble aujourd'hui mieux remplie par le patronat. Ce dernier a eu
une double stratégie : individualisation des salaires, des carrières
et des promotions d'un côté et, de l'autre, organisation de nouveaux collectifs de réflexion sur les conditions et l'organisation
du travail, la production, les qualifications dans l'entreprise. Malgré
les efforts pour redéfinir plus concrètement la stratégie syndicale
depuis 1980, ce nouveau mode de gestion, plus souple, plus individuel, plus démocratique, en tout cas dans la forme, fait apparaître le style des syndicats, soucieux de négocier au niveau de
la branche ou au niveau interprofessionnel, comme rigide et autoritaire. De plus, la crise économique a brutalement souligné l'intérêt
commun des patrons et des salariés à la bonne marche de l'entre-

prise. Le spectre de la fermeture de l'entreprise et du chômage n'a pas été étranger à la réhabilitation de l'idée et de l'«esprit d'entreprise»[1].

La nécessité des syndicats est admise par tous, la crise porte sur ce qu'est devenue l'institution syndicale elle-même. Des deux grandes fonctions qu'ils peuvent aujourd'hui remplir, celle de gestionnaire du social et celle de revendication, les divers pays européens ont, selon leur histoire et leur mode de participation à la société politique, privilégié la première ou la seconde. Ceux qui, comme les Allemands et les Suédois, ont une large organisation de services et de gestion sociale ne voient guère diminuer les taux d'adhésions. La baisse de la syndicalisation est brutale en France, où la tradition était plus politique et revendicatrice, où les grandes centrales restent marquées par leur passé d'organisations de masse, fondées sur une culture de contestation. Les grèves sont devenues un «mécanisme de régulation sociale», imposant la nécessité de savoir négocier[2]. Les syndicalistes gardent une stratégie globale, unitaire, dont l'ambition semble encore à long terme politique ; la majorité de la classe ouvrière a désormais des demandes utilitaristes, individualistes et diverses. Cette inadéquation est à la fois organisationnelle et intellectuelle : le «masculin industriel», collectif et solidaire, n'est plus qu'une survivance, les jeunes ouvriers, les femmes et les immigrés ne se reconnaissent ni dans l'organisation syndicale ni dans les revendications traditionnelles. Les catégories les plus vulnérables, chômeurs, femmes, salariés du secteur privé, titulaires d'un emploi atypique, sont les moins représentés dans les syndicats, qui survivent grâce aux fonctionnaires.

La chute des effectifs, particulièrement sévère dans le cas français, traduit une crise spécifique. Plus qu'ailleurs, le syndicat unique tirait sa légitimité de son rôle d'expression collective de la classe ouvrière. La division syndicale selon des critères politiques, les liens étroits entre la C.G.T. et le P.C.F. avaient déjà remis en question cette conception. La multiplication d'organisations formées sur le modèle du syndicat ouvrier (syndicats des locataires, des

1. H. Verin, *Entrepreneurs, Entreprise, Histoire d'une idée*, P.U.F., 1982.
2. G. Adam, *Histoire des grèves*, Bordas, 1981, p. 124.

consommateurs, etc.) a contribué à banaliser les syndicats, qui sont devenus une organisation parmi d'autres, proposant un type de service spécifique. Le rapport aux syndicats a cessé d'être expressif et identitaire pour devenir instrumental : l'individu n'est plus l'adhérent d'un syndicat dans lequel s'exprime une identité personnelle à travers l'adoption d'un système cohérent de perception du monde et de principes d'action, mais le client, provisoire et, au sens propre, intéressé, d'une organisation parmi d'autres, susceptible de rendre un service particulier. Le déclin des grands secteurs industriels, où la tradition syndicale et politique et la culture ouvrière étaient fortes, l'application des lois Auroux n'ont fait que révéler et accélérer le processus qui a transformé des syndicalistes politisés et révolutionnaires, proposant une perception du monde historique et un programme d'action à long et à court terme, en prestataires de services.

La fonction revendicative est désormais contestée : si les syndicats ont continué à encadrer certains conflits comme Michelin au printemps 1988 ou la R.A.T.P. à l'automne, ce sont les comités de grève ou les coordinations qui ont déclenché et organisé les conflits de la S.N.C.F. dans l'hiver 1986-1987, des instituteurs contre les maîtres-directeurs au printemps 1987 ou des infirmières à l'automne 1988, en dehors des syndicats. Le rôle des militants, mieux formés à l'action politique, à titre individuel, a pu être décisif : c'est l'institution elle-même dont l'intervention était refusée. « Les grévistes se sont adressés aux syndicats comme à de simples prestataires de services de l'action revendicative [1]. »

Même s'ils n'ont jamais eu un rôle de prestataires de services aussi développé qu'en Grande-Bretagne, en Suède ou en Allemagne, les syndicats français se sont vu progressivement reconnaître par la réglementation, en dehors des « services de l'action revendicative », une sorte de concession de service public aussi bien dans l'entreprise que dans la fonction publique.

Des gestionnaires

Délégués du personnel, délégués syndicaux, membres des comités

---

1. P. ROSANVALLON, *op. cit.*, p. 35.

d'entreprise, ils participent à la gestion sociale et, indirectement, économique de l'entreprise. Le code du travail, dans son article L 432.2, précise en effet que le comité d'entreprise doit être « informé et consulté préalablement à tout projet important d'introduction de nouvelles technologies ». Ils négocient les conventions collectives et interviennent dans la résolution des conflits sociaux. Les nouveaux pouvoirs donnés aux syndicats par les lois Auroux ont d'ailleurs multiplié les occasions d'intervention : 2 000 accords d'entreprise sur les salaires, les horaires et les conditions de travail ont été signés au cours de l'année 1983 ; 5 000 en 1985. Ils interviennent aussi dans les conflits du travail en tant que conseillers aux prud'hommes. « Partenaires sociaux » (au même titre que les syndicats patronaux), ils assurent la gestion des caisses d'assurance-maladie et d'allocations familiales, des U.N.E.D.I.C., des caisses de retraite. Au total, plus de 400 000 d'entre eux jouent ce rôle de « représentants sociaux ».

Leur rôle est particulièrement sensible dans la fonction publique. Les syndicalistes, membres des commissions administratives paritaires de la fonction publique, contribuent à ce titre à la gestion du personnel et à la politique de formation, contrôlent le déroulement des carrières individuelles. Ils appartiennent aussi au Conseil supérieur de la fonction publique. Le cas de la F.N.S.E.A. est à ce point de vue exemplaire : le taux d'adhésion exceptionnellement élevé est lié aux services rendus par le syndicat, mais ces services sont directement ou indirectement financés par l'État ; le syndicat est devenu un organisme semi-public.

Les cotisations des adhérents, devenus trop peu nombreux, n'assurent plus qu'entre 10 % et 12 % des ressources financières ; le financement est assuré par une série de mécanismes justifiés par la reconnaissance implicite ou explicite de leurs fonctions sociales. Dans l'administration publique, la mise à disposition ou le détachement des fonctionnaires dans les organisations syndicales à temps complet ou partiel, le prêt de locaux et d'équipements, les subventions accordées par l'État, les collectivités locales et les organismes paritaires au nom des « indemnisations », des études économiques et techniques, des « expertises », de la formation ou des conseils représentent plus de 50 % du budget dont disposent les organes confédéraux et les organismes qui leur sont liés directement, soit une somme approximative de 3,75 milliards de francs 1986. Dans les entreprises, les crédits d'heures attribuées et les subventions de fonctionnement accordées aux comités d'entreprise équivalent aussi à des ressources financières complémentaires : depuis 1982, les entreprises doivent verser au comité d'entreprise 0,2 % de la masse salariale, à quoi s'ajoutent des aides comme le local, l'intervention d'un expert-comptable, des missions d'expertise. Au total, on a pu évaluer les subventions accordées aux syndicats par les entreprises à une somme comprise entre 11,54 et 9,472 milliards de francs 1985-1986[1]. Tout se passe comme si l'État et les entreprises finançaient directement les services de gestionnaires sociaux des syndicalistes.

Le rôle déterminant que jouent l'État et les entreprises pour entretenir les organisations syndicales contribue à atténuer l'effet d'un discours idéologique encore centré sur la dénonciation de la société capitaliste. Non seulement la conception du monde qu'il impliquait est décalée par rapport aux demandes de la nouvelle classe ouvrière, mais il est contredit par les pratiques de ceux qui le tiennent — ce qui lui fait perdre de son efficacité mobilisatrice.

La transformation des syndicalistes en gestionnaires, les avantages accordés aux militants syndicalistes dans la fonction publique, la faiblesse de la syndicalisation dans les entreprises privées aboutissent à ce que la part relative des fonctionnaires s'accroît dans toutes les organisations syndicales. Ils ne sont pas particulièrement aptes, étant donné leur origine et leur expérience professionnelle, à comprendre les problèmes des entreprises, dont les règles de fonctionnement sont très différentes de celles des P.T.T. ou de l'Éducation nationale. Inutile de préciser qu'ils sont aussi éloignés de l'expérience des travailleurs immigrés, par définition exclus de la fonction publique et même des secteurs protégés comme la marine marchande, les dockers, les pilotes de ligne ou l'imprimerie, contrôlée par le Syndicat du livre. Du coup, nombre de conflits sociaux tiennent plus de la compétition entre bureaucrates pour contrôler une population d'ouvriers et, de plus en plus, d'employés que de l'affrontement entre deux systèmes de valeurs

---

1. G. ADAM, H. LANDIER, « Les finances incertaines du syndicalisme français », *Commentaire*, n° 41, printemps 1988, pp. 236-247.

et deux conceptions du développement économique et social. On peut interpréter le déclin de la C.G.T. dont l'idéologie et les pratiques exprimaient le plus directement le monde ouvrier des grandes industries lourdes, par ces contradictions. Mais, si le déclin reste relativement limité, alors que s'effondre la classe ouvrière traditionnelle, c'est que la C.G.T. a su se faire reconnaître aussi comme le meilleur prestataire de services, qu'il s'agisse de revendications ou de gestion. Le Parti communiste — qui a longtemps résisté au niveau local pour les mêmes raisons —n'a plus la même position de repli sur la gestion. Il subit pleinement les conséquences du décalage entre son discours et l'évolution de la classe ouvrière et des classes moyennes qui lui donnaient leur appui.

Les syndicats continuent à avoir un rôle effectif dans la société, alors que le nombre de leurs militants et de leurs adhérents n'a jamais été aussi faible. Mais on peut s'interroger sur la fonction intégratrice de ces organisations, dont les ressources financières ne proviennent pas des cotisations de leurs membres, mais des subventions de l'État ou des entreprises, qui sont dirigées par des négociateurs et des administrateurs, souhaitant négocier au niveau national et non à celui de l'entreprise, et qui, par ailleurs, n'affirment plus une conception globale du monde et un projet politique à long terme. La désintégration de la culture ouvrière et du discours révolutionnaire proposé par les partis et les syndicats laisse la place au vide des grandes banlieues, où, en l'absence de normes et de repères dans le temps et l'espace, les jeunes sans qualification sont, pendant des années, réduits à « galérer ».

Le rôle intégrateur est d'autant plus affaibli que la légitimité du syndicat comme organisation est remise en question en même temps que son discours. Fonctionnaires du social, les syndicalistes ne bénéficient pas de la légitimité politique que donne l'élection, puisque la chute de la participation aux élections a été parallèle à celle du militantisme. On doute, dans ces conditions, que le vote serve de substitut à l'adhésion, qu'un syndicalisme d'électeurs puisse se substituer à un syndicalisme de militants [1] : dans une démocratie, le rôle de régulation sociale suppose la représentation et la représentativité. Mais ceux à qui on a accordé en fait une

---

1. G. ADAM, *Le Pouvoir syndical*, Dunod, 1983.

concession de service public ne disposent pas non plus de la légitimité que donnent le recrutement par concours et le contrôle des pratiques par les règles de la fonction publique. La critique largement diffusée du caractère élitiste des responsables syndicaux traduit cette contradiction. Échappant à la double logique de la politique et de l'administration, tenant des discours révolutionnaires adaptés à une classe ouvrière en voie de disparition, les syndicalistes ne contribuent plus à intégrer la population ouvrière réelle, qui leur échappe.

Les crises de fréquentation de l'Église ou de recrutement des syndicats, l'affaiblissement de la transmission des valeurs nationales par l'école ou l'armée traduisent des remises en question des institutions par lesquelles s'était constituée et maintenue la nation. Or les institutions fortes, dans la mesure où elles protègent les faibles, contribuaient à former, à contrôler, à intégrer les populations modestes ou marginales. La sociologie de l'éducation a démontré qu'un système d'enseignement peu structuré et peu exigeant favorisait les enfants qui bénéficiaient d'une socialisation familiale d'un niveau culturel élevé. Le militantisme spontané en dehors de tout syndicat et de tout parti, l'adhésion volontaire à des groupes religieux provisoires n'ont pas le même effet que le respect des rites collectifs assurés par les institutions nationales, universelles par leurs références et la population à laquelle elles s'adressent. Faut-il conclure à l'affaiblissement de la nation comme institution?

L'émiettement des institutions nationales laisse la place à la multiplicité des sources normatives, et pas seulement aux comités d'éthique et aux assemblées de sages. Les individus eux-mêmes prétendent fonder leur propre éthique et participent, en fait, pour certains d'entre eux, à l'élaboration de nouvelles normes. Les grandes lois des années 1975 sur la législation de la famille, le divorce, l'avortement, les droits des enfants illégitimes ou, dans un autre ordre d'idées, les dispositions en faveur des handicapés ont été votées à la suite de l'action de groupes de pression, qui ont fait légitimer leurs pratiques ou leurs revendications par le pouvoir politique. La réglementation de la grève s'est efforcée de codifier et de contrôler les pratiques des grèves sauvages. On peut faire l'hypothèse que l'intégration puisse être obtenue par d'autres mécanismes que par la conformité des comportements individuels aux normes imposées par des institutions nationales : dans la société démocratique moderne, formée de citoyens instruits, ne peut-elle reposer, d'une part, sur l'ordre collectif qu'impose l'activité économique, sanctionnée par le marché, et, d'autre part, sur le partage des mêmes valeurs et l'invention commune de modèles de comportements ? Dans ce cas, moins formelle et moins autoritaire qu'avant 1960, elle pourrait être plus profonde et plus solide.

CHAPITRE 7

Le projet d'une société productiviste

L'émiettement des institutions nationales ne signifie pas nécessairement que les sociétés modernes soient condamnées à l'atomisation ou à l'anomie, mais que, de plus en plus, l'intégration
est le produit de la participation des individus à l'action collective, ou, pour se tenir au niveau de l'individu, de leur capacité
à élaborer et poursuivre un projet. Cette participation peut être
analysée selon deux axes principaux : celui que définit le rapport à l'emploi et à la protection sociale, celui qui traduit l'ensemble des échanges et des relations sociales dans la famille et les
diverses instances de la société civile ou politique[1].

La distinction est d'ordre analytique : dans la réalité concrète,
il existe des liens étroits entre les deux axes. Les individus les
mieux intégrés sont en même temps titulaires d'un status élevé,
issu d'un emploi permanent à durée indéterminée, et membres
d'un groupe familial inséré dans un milieu social, où se multiplient les échanges matériels et symboliques. En revanche les
« sans-statut », qui n'ont ni emploi ni status né de la protection
sociale, sont aussi des isolés ; 75 % des « RMistes » vivent seuls ;
à âge égal, entre 20 et 24 ans, les jeunes chômeurs sont trois fois
moins souvent mariés que ceux qui ont un emploi. Les individus du niveau social le plus élevé connaissent la participation
la plus grande dans les deux dimensions. Les populations désocialisées par le chômage et une série d'échecs professionnels font

1. Je retrouve une distinction que R. CASTEL a mise en évidence dans son article « Les
désaffiliés, précarité du travail et vulnérabilité relationnelle », *Esprit*, février-mars 1991.

aussi l'expérience d'une non-participation dans l'ordre des relations.

Mais il n'existe pas toujours un lien nécessaire entre ces deux axes, comme c'était le cas, selon Robert Castel, dans les sociétés prémodernes : les formes et les modèles sont diversifiés. Il n'y a pas une simple homologie entre la vie de travail et la vie hors travail, comme nous l'ont expliqué les marxistes, la première déterminant la seconde. L'activité professionnelle n'est pas la seule source de l'identité sociale. Si, dans les cas extrêmes, les handicaps ou les avantages sont cumulatifs, dans toute la zone intermédiaire, celle de l'ensemble des catégories moyennes urbaines, les individus combinent de manière spécifique des formes différentes de participation dans l'ordre économique, familial, associatif, religieux. Une forte intégration selon un axe peut, selon des mécanismes complexes de recomposition, compenser la faiblesse de l'intégration selon l'autre. Ainsi de certains cadres supérieurs, qui, ayant connu une forte mobilité intragénérationnelle, ont perdu les relations de leur milieu d'origine sans avoir reconstitué une nouvelle sociabilité ou, inversement, de chômeurs ou retraités, pour lesquels la solidarité familiale atténue les effets de l'absence d'activité professionnelle. Dans le cas des retraités, elle peut même redonner un sens positif à leur condition. La majorité des individus définissent, au moins partiellement, leur participation à la vie en commun. Les sociétés modernes leur donnent une certaine possibilité de contribuer à définir leur mode d'intégration, à jouer avec les normes, à s'autodéfinir. Toutefois, dans la mesure où elles reposent sur les échanges de produits matériels, de flux financiers, d'informations et de symboles et entretiennent l'ambition d'accroître sans fin la production, la participation des individus à la production — autrement dit, dans la majorité des cas, l'obtention d'un emploi — garde un rôle essentiel.

LA PARTICIPATION À LA PRODUCTION

C'est d'abord dans et par l'activité professionnelle que la majorité des individus participent à une entreprise collective. Les modes d'intégration au travail restent à la fois l'instrument et le modèle de la vie commune. C'est à ce titre qu'il faut les analyser, pour comprendre les modes spécifiques de l'intégration dans la nation moderne.

La hiérarchie des status

La hiérarchie des status sociaux est directement liée à la place de l'individu dans le système de production[1]. Ceux qui sont titulaires d'un emploi à durée indéterminée bénéficient du status le plus élevé. Leur salaire est bien autre chose que le seul prix du travail effectué. Ils doivent respecter la législation du travail et payer leurs cotisations sociales. En revanche, ils bénéficient, outre leur salaire, d'une législation qui les protège contre les accidents, fixe l'ensemble des conditions matérielles du travail, la durée de leur présence dans l'entreprise, leurs droits aux congés et à la retraite. Ils ont aussi le droit d'obtenir une formation continue, des prestations en cas de maladie, grossesse ou chômage, de voter pour le comité d'entreprise et d'y être élus, de participer à l'élection des délégués du personnel, de bénéficier des œuvres sociales et culturelles du comité d'entreprise, etc. L'emploi permanent entraîne, outre le salaire, une série de droits sociaux et politiques, par quoi l'on peut définir un statut.

Dans le cas idéal-typique des fonctionnaires, ce statut, au sens juridique du terme, assure un véritable plan de vie professionnelle, impliquant un double rapport au temps : l'organisation du rythme quotidien, hebdomadaire et annuel, définissant le temps des vacances ou des loisirs ; la trajectoire contenue dans l'idée de carrière qui se déroulera tout au long du cycle de vie. Une part croissante de la population active est d'ailleurs formée de fonctionnaires ou assimilés en droit ou en fait : employés des collectivités locales, des grandes entreprises nationalisées, d'Air France ou de la S.N.C.F. disposent d'un statut, inspiré de celui de la fonction publique, qui assure à leurs titulaires un style de vie, la sécurité et l'ensemble d'une carrière, presque indépendamment du travail effectivement fourni. Dans le secteur marchand

---

1. D. SCHNAPPER, « Rapport à l'emploi, protection sociale et statuts sociaux », *Revue française de sociologie*, 30, 1, 1989, pp. 3-29.

244 L'intégration autour d'un projet politique ?

et contractuel, les conventions collectives et les divers systèmes de protection sociale rapprochent le titulaire d'un emploi à durée indéterminée du statut des emplois publics. Sans doute ne bénéficient-ils jamais du même degré de sécurité, leur statut reste dépendant du travail qu'ils effectuent et de la valeur marchande de leurs qualifications. Mais ils jouissent, quand ils exercent un emploi, du même status social que les fonctionnaires.

Les droits sont moindres pour ceux qui sont titulaires d'un emploi dit « atypique » ou « précaire », titulaires d'un contrat à durée déterminée, d'un contrat à temps partiel, intérimaires, vacataires de la fonction publique, stagiaires dont une partie du stage se déroule en entreprise ou personnes bénéficiant de toutes les formes d'emplois-formations (T.U.C., S.I.V.P., etc.). Ils cotisent à la Sécurité sociale et aux organismes de compensation pour les chômeurs et obtiennent la protection correspondante, mais pas l'ensemble des « droits sociaux », c'est-à-dire politiques, qui sont impliqués dans le salaire lié à l'emploi à durée indéterminée. Ils ont obtenu un salaire, même s'il est faible, l'identité liée à l'exercice d'une activité professionnelle régulière, l'organisation du temps quotidien. Mais il leur manque à la fois la sécurité à court terme et la perspective d'une carrière à long terme qui puisse préparer l'avenir et lui donner un sens. Leur salaire sanctionne leur activité immédiate, il ne leur donne pas l'ensemble des droits pour le présent et l'avenir, le status valorisé que donne l'emploi à durée indéterminée, public ou privé. Depuis les Trente Glorieuses et le développement de la législation du travail, ce status est devenu la norme. L'idée de carrière dévalorise le status de tous ceux qui ne disposent pas de l'équivalent d'un statut de l'emploi, dont l'exemple privilégié est celui de la fonction publique.

Le status des chômeurs, des retraités, des invalides du travail ou des conjoints au foyer, inférieur aux précédents, reste malgré tout défini par une référence à un emploi : un emploi passé dans le cas des retraités et des chômeurs, futur (par exemple pour certains stagiaires en formation) ou indirect pour les conjoints, concubins ou enfants à charge. Ils ne perçoivent plus de salaires ou de substituts de salaires soumis aux cotisations sociales, mais des indemnités ou des pensions, non soumises à cotisations, qui leur assurent la « couverture sociale ». Elles sont justifiées par une activité professionnelle, passée, future ou indirecte. Lorsqu'il est titulaire d'un emploi, l'individu cotise aux caisses de Sécurité sociale, d'allocations familiales, de retraite et de chômage. Devenu malade, retraité ou chômeur, il obtient des soins, des allocations ou des indemnités pour lesquels il avait souscrit une assurance obligatoire. Son status est inférieur aux précédents, comme l'ont montré les analyses des expériences vécues des chômeurs et des retraités, mais il est supérieur à tous les status de l'assistance, nés du rapport à la protection sociale et détachés de toute référence à l'emploi.

Les status évoqués jusqu'à présent gardent en effet une référence à un emploi. Ceux qui sont nés de simples droits à l'assistance sont toujours inférieurs. Ils reposent sur l'idée que l'État doit, au nom de la solidarité nationale et du respect des droits de l'homme, assurer la survie des plus modestes dans des conditions que la société, à un moment donné, juge décentes. Quelle que soit la justification de l'assistance (handicaps, charge d'enfants ou, depuis l'institution du R.M.I., absence de toutes ressources en dehors de tout handicap ou de toute situation de famille), l'absence de référence à un emploi condamne les assistés à un status dévalorisé par rapport à tous les autres.

Les acteurs sociaux ont une conscience aiguë de cette hiérarchie des status, même si elle reste informulée. Ils aspirent à se retrouver au niveau supérieur : après une période de quelques mois, les chômeurs déclarent préférer trouver un emploi, même atypique ; les intérimaires ou vacataires, eux, rêvent du « véritable emploi », c'est-à-dire de l'emploi à durée indéterminée. Tous redoutent de tomber dans un status inférieur : si les femmes chômeuses refusent d'adopter leur rôle de « ménagère », c'est parce qu'il leur donne un status inférieur à celui de l'emploi qu'elles ont perdu. À l'exception des allocations familiales, la protection sociale générale est, dans la législation française, liée à l'emploi. La protection sociale est d'autant mieux assurée que l'emploi est plus stable, consacrant le rôle privilégié de l'activité professionnelle.

Le projet professionnel

La hiérarchie des status sociaux montre que les individus construisent leur projet de vie, aussi bien dans son organisation quotidienne que dans son déroulement au cours du cycle de vie, autour de leur projet professionnel. Il se définit moins par un emploi à un moment donné que par une carrière que l'individu prévoit et organise. L'idée de carrière oriente les conduites et donne un sens aux différents moments de son déroulement. Le projet professionnel peut d'ailleurs inclure des périodes de chômage, à condition qu'elles soient reconnues comme une étape nécessaire (de formation, de réorientation, de réflexion, etc.) et contrôlées à l'intérieur de ce plan de carrière. En revanche, le chômage imposé l'interrompt brutalement : c'est pourquoi il constitue un révélateur *a contrario* du sens que les individus accordent à leur projet professionnel.

Le chômage est toujours lié à la désocialisation. Pour certains, il constitue une étape qui déclenche le processus ; pour d'autres, il le prolonge et le consacre. L'idéologie de la carrière concerne en premier lieu les cadres, mais plus exclusivement [1]. La participation à l'activité économique est désormais l'instrument privilégié de l'intégration pour beaucoup d'employés et d'ouvriers, qui, comme les cadres, cherchent maintenant à « se réaliser », selon le terme de la presse spécialisée, dans l'entreprise.

L'expérience des cadres au chômage constitue pourtant le cas extrême qui éclaire le sens de l'activité professionnelle pour tous les individus, à des degrés différents. Pour eux, plus encore que pour les autres, la réussite professionnelle définit le sens de la réussite tout court, la manière privilégiée de définir son identité personnelle et sociale. La multiplication des enquêtes, des guides et des numéros spéciaux des journaux de cadres sur le déroulement des carrières indique bien qu'elle est pour eux le premier objet d'intérêt, d'attention et d'investissement. Mais cette carrière se déroule dans un univers changeant, qui connaît sans

---

1. R. SAINSAULIEU, *L'Identité au travail*, Presses de la Fondation nationale des sciences politiques, 1985 (2ᵉ éd.), p. 425.

interruption les réorganisations à la fois techniques (les réinventions de métiers) et juridiques (les « restructurations »), justifiées par les exigences de « rationalisation » technique, financière ou organisationnelle. Plus que les autres, ils sont contraints de définir et de redéfinir constamment leur poste de travail, jamais établi une fois pour toutes, de réélaborer leur projet de carrière, de passer d'une unité à l'autre, d'une entreprise à l'autre, d'une qualification à l'autre, bref, d'adopter une attitude qui consiste à créer, réellement ou symboliquement, leur identité individuelle à l'intérieur des exigences de l'organisation. La rupture brutale introduite par le chômage imposé remet en question tout ce projet de vie et, à travers lui, l'auto-définition de l'individu.

Les moyens utilisés par les cadres au chômage pour retrouver un emploi, quelle que soit leur diversité, ont tous pour fonction de maintenir leur capacité à rester des acteurs de leur vie professionnelle. Ayant intériorisé l'idée qu'ils sont ce qu'ils font, les cadres au chômage s'appliquent à continuer à faire, pour affirmer à eux-mêmes et aux autres, et, en particulier, aux employeurs potentiels, qu'ils continuent à être de véritables acteurs sociaux. C'est selon cette logique qu'ils réinterprètent les démarches qu'ils font pour retrouver un emploi : une nouvelle forme d'activité professionnelle exigeant les mêmes compétences, les mêmes qualités, la même activité ordonnée, systématique et qualifiée, l'application des mêmes méthodes que l'activité professionnelle. Comme le dit un article publié dans une revue destinée aux cadres : « Le chômage est une activité. C'est une période où il convient de s'organiser pour ne pas perdre son temps, de prendre des initiatives, d'exploiter des idées. » Propos repris presque dans les mêmes termes par un chômeur :

> Chercher du travail, c'est un métier et il faut l'apprendre [...]. Je me suis aperçu que j'avais des lacunes et qu'il fallait apprendre à chercher du travail, ce n'est pas une science infuse, c'est une méthode, cela demande une compétence [1].

C'est en maintenant une activité qui s'efforce de prolonger l'acti-

---

1. Extrait d'entretiens cités *in* D. Schnapper, *L'Épreuve du chômage, op. cit.*, p. 148.

vité professionnelle dans toutes ses caractéristiques, et en particulier dans ses capacités d'innovation, que les cadres, pendant leur première année de chômage, savent qu'ils peuvent pour un temps résister à la désocialisation et à la déprofessionnalisation. Mais la possibilité de cette réinterprétation n'a qu'un temps. Pour les cadres, dont le chômage dépasse un an, elle devient impossible, ils font alors l'expérience de l'ennui, de l'humiliation et de la solitude, expérience vécue qui révèle ce que représentait pour eux l'emploi défini comme le moment d'une carrière, la forme privilégiée de la participation sociale.

L'expérience vécue du chômage montre que le travail est le lieu de la véritable participation : il importe de s'interroger sur les formes qu'elle prend pour analyser les modes de l'intégration collective.

LES MODES DE PARTICIPATION

Ni les postes de travail ni les professions ne sont donnés une fois pour toutes. Les individus doivent redéfinir leur mode de participation, en imposant et en faisant reconnaître leur compétence personnelle. Mais il faut en même temps que soit reconnue la valeur de leur profession en tant que telle : le publicitaire ou le directeur de la production doivent tout ensemble faire admettre par le chef d'entreprise qu'il est impératif de créer tel poste de travail et que lui-même est la personne irremplaçable pour l'occuper. Réinterprétation des postes de travail à tous les niveaux et affirmation de la nécessité de la profession sont indissolublement liées.

La réinterprétation des postes de travail

Quel que soit son niveau, tout poste de travail, même lorsqu'il est inscrit à l'intérieur d'une organisation collective, implique une part d'innovation ou, tout au moins, d'initiative. Depuis que l'organisation du travail est devenue l'objet d'une approche scientifique, l'effort des chercheurs a consisté à montrer que, dans sa réalité concrète, aucune tâche ne relevait de la pure exécution, en sorte que l'effort pour réduire l'ouvrier à se comporter comme un simple exécutant est improductif.

La réalité des postes de travail est en effet le résultat des négociations, au double sens concret et abstrait du terme, entre les ouvriers eux-mêmes, entre les ouvriers et les syndicats, entre les uns et les autres et la direction. Aucune organisation économique ou administrative ne voit ses règles purement et simplement appliquées ; elles sont réinterprétées, au sens des anthropologues, individuellement ou collectivement. La pratique du travail industriel ou administratif ne correspond pas au poste de travail, tel que le définit théoriquement un ensemble de consignes ; il existe toujours une possibilité de jeu avec les règles. Qu'on interprète ce fait en opposant l'organisation formelle à l'organisation informelle, comme on le fait dans la sociologie des organisations, ou, comme le fait Jean-Daniel Reynaud, en opposant deux modes de régulations, le fait est qu'une organisation prend nécessairement ses distances à l'égard des règles théoriques qui la gouvernent. La liberté prise à l'égard du règlement lui permet de fonctionner. L'ouvrier ou le fonctionnaire qui appliquent la règle en l'interprétant participent modestement à un processus de régulation.

C'est d'ailleurs parce que la participation active favorise l'intégration des individus que les organisations pratiquent de plus en plus l'élargissement des tâches, que l'on accorde aux équipes d'exécution les moyens d'organiser elles-mêmes la répartition et le rythme de leur travail, le droit de ne pas voir leur rôle réduit à appliquer passivement un ordre imposé par une autorité supérieure. Les « cercles de qualité » ou « groupes de progrès » concentrent les propositions des salariés sur la marche de l'entreprise ou même de l'atelier. On a compté jusqu'à 30 000 cercles de qualité en 1987. Une certaine autonomie favorise le rendement. Depuis les années 1970, les responsables se sont efforcés de réduire le décalage entre la culture des acteurs et l'organisation du travail dans l'entreprise en limitant le caractère monotone, répétitif et subordonné des tâches, en accordant aux groupes de travail une marge d'initiative dans l'organisation collective de leur travail. Les grèves de la S.N.C.F. au cours de l'hiver 1987-1988 ont révélé la révolte des employés, auxquels une tradition d'organisation de type militaire n'accorde pas cette forme d'autonomie. Au-delà du poste lui-même, les individus entretiennent des relations différentes avec l'entreprise. Dans les années 1970, on avait élaboré quatre modèles de rapport au travail[1]. Le modèle dit « fusionnel », selon lequel des ouvriers peu qualifiés, dépendants à l'égard de leur chef, adoptaient une attitude de conformisme à l'égard de la réglementation et de solidarité collective. Le modèle par négociation, où des professionnels qualifiés, cadres ou techniciens, négociaient dans l'entreprise leur qualification, la reconnaissance de leur statut et de leur rôle. Le modèle des affinités caractérisait un milieu de travail, dans lequel des relations privilégiées avec les chefs permettaient la mobilité individuelle, en particulier pour les agents techniques, jeunes employés ou ouvriers diplômés. Enfin, le modèle du retrait, selon lequel nombre d'employés sans qualification entretenaient des relations purement instrumentales avec leur travail et réservaient leur investissement sentimental ou social aux domaines extérieurs à la vie professionnelle (c'est tout particulièrement le cas des immigrés, des femmes et des ouvriers non qualifiés).

Il ne s'agit pas de discuter ici du bien-fondé de cette typologie, ni de son caractère relatif à certaines entreprises et à une certaine époque. Ce qu'il faut souligner, de mon point de vue, c'est, d'une part, que le nombre des emplois industriels diminue au profit de ceux du secteur tertiaire, où la marge de négociation est la plus large et, d'autre part, que l'intégration la plus forte, celle qui caractérise les catégories les plus élevées et les plus qualifiées, dans le milieu du travail — le second modèle ou modèle « par négociation » —, est liée à la négociation d'un status fondé sur une compétence spécifique et sur la participation active à la vie collective de l'entreprise.

L'affirmation de la compétence professionnelle

Cette redéfinition individuelle des postes est d'autant plus nécessaire que les professions elles-mêmes sont engagées dans un processus continu de définition et de redéfinition. Si la compétence

---

1. R. Sainsaulieu, *op. cit.*

de l'individu peut être reconnue dans la mesure où la nécessité et la valeur de sa profession le sont, c'est parce que la composition socioprofessionnelle de la population change de manière continue. La structure de l'emploi se modifie à cause du progrès technique, qui condamne certains métiers à l'obsolescence et conduit à en inventer de nouveaux. Mais les nécessités proprement techniques sont toujours réinterprétées selon des logiques sociales : la représentation du progrès technique est parfois plus efficiente que la réalité. La diffusion des nouvelles techniques, même dans le monde industriel, subit des retards, des décalages ou même des refus, elle s'inscrit à l'intérieur des rapports sociaux existants et des segmentations du marché du travail héritées du passé. Le Syndicat du livre, par sa défense des droits acquis, a retardé d'une vingtaine d'années la modernisation de l'imprimerie. Bien des professions qui se sont créées au cours des deux dernières décennies — dans le travail social, culturel ou paramédical — sont moins le produit du progrès technique que les effets de la croissance du nombre des diplômés et de la nécessité politique de reconnaître leur qualification dans l'ordre professionnel.

Alors que l'emploi reste la source essentielle des status sociaux et l'expression privilégiée de soi, les modifications des qualifications, du contenu des métiers, de la place relative des catégories professionnelles suscitent des interrogations quasi existentielles. Nombre de professions se déclarent ou sont déclarées « en crise ». Le « désarroi », terme fréquemment utilisé dans tous les organes de la presse spécialisée, nourrit les discours sur la difficulté d'être, les interrogations sur l'identité. Mais ces discours constants ne font que traduire la nécessité où se trouve chaque profession de revendiquer sa spécificité.

On a vu que les membres des professions étroitement associées à la nation, enseignants, magistrats, militaires ou hauts fonctionnaires, dont la pratique avait été transfigurée par l'idée de vocation ou au moins de mission de service public, sont aujourd'hui socialement dévalorisés, à l'image des institutions nationales elles-mêmes. Ils sont moins susceptibles que les autres de redéfinir leur profession et celle-ci n'est plus fondée sur le projet d'instituer la nation, qui apparaît remise en question par la construction européenne et la revitalisation des patriotismes régionaux.

L'idée nationale, avec sa dimension politique, ne compense plus la modestie de la condition matérielle.

Les membres des professions libérales, eux, dont le modèle est hérité du passé médiéval, s'efforcent de maintenir une pratique individuelle et autonome à l'âge de l'organisation et de la technique, tout en gardant les revenus correspondant à leur prestige ancien.

L'exemple des architectes est à cet égard privilégié, parce que la crise qu'ils connaissent, dont témoignent les innombrables projets de réforme de la profession, a été plus précoce et plus aiguë [1]. Contrairement aux médecins ou aux avocats, ils n'ont jamais obtenu le monopole de l'exercice de leur profession. Leur titre est légalement protégé : l'article 1er de la loi du 31 décembre 1940 créant l'ordre des architectes reconnaît que « nul ne peut s'intituler architecte s'il n'est pas diplômé par l'une des écoles reconnues à cette fin par l'État ». La loi reconnaît ainsi l'identité professionnelle de l'architecte, fondée sur une compétence garantie par une formation spécifique. Mais elle n'impose pas l'obligation de faire appel à ses services. L'absence de monopole d'intervention rend illusoires les effets de la protection du titre. De plus, le secteur de la construction dans lequel ils interviennent est, plus directement que celui de la santé ou de la justice, soumis à la logique de la rentabilité économique et à la nécessité de collaborer avec d'autres intervenants. L'acte architectural est moins individuel et moins défini que l'acte du médecin ou de l'avocat. Aussi peut-on voir à travers cet exemple, particulièrement lisible, la logique des luttes menées par les individus pour faire reconnaître leur identité professionnelle.

Tout au long du processus de construction, il s'agit pour l'architecte d'affirmer sa compétence, par rapport à celle des autres acteurs, promoteurs, entrepreneurs, ingénieurs, métreurs-vérificateurs, géomètres-experts ou autres maîtres d'œuvre — chacun mobilisant dans ces luttes, qui ses diplômes, qui sa compétence technique ou économique, qui son expérience professionnelle. L'invocation par l'architecte de son rôle propre-

---

1. R. Moulin *et al.*, *Les Architectes, métamorphose d'une profession libérale*, Calmann-Lévy, 1974.

ment créateur, sa référence à une mission totale, justifiée par
l'idée du Beau, se heurtent aux pratiques effectives : les architectes n'interviennent que dans une minorité des entreprises de
construction. Même dans ce cas, leur action est dispersée, par-
cellaire, subordonnée aux exigences techniques des ingénieurs
et aux impératifs de rentabilité des promoteurs ou des entrepreneurs. L'image noble de la profession libérale invoquée par les
architectes dissimule mal la réalité concrète, c'est-à-dire l'altéra-
tion de fait du modèle professionnel que s'efforçait d'instaurer
la loi du 31 décembre 1940. La profession libérale apparaît ina-
daptée à la modernisation du processus de construction. Il importe
dès lors que l'architecte, pour survivre, affirme sa compétence
à l'intérieur d'une autre forme d'organisation. Au professionnel
libéral entretenant un colloque singulier avec son client, déten-
teur d'une compétence globale, chargé d'une mission totale, ne
peut que succéder un architecte susceptible de participer à une
organisation soumise au contrôle de la conformité bureaucratique, s'il est fonctionnaire, ou à l'objectif du profit, s'il agit dans
le cadre d'une entreprise privée. Il n'est pas exclu que les membres des professions libérales puissent ainsi redéfinir leur rôle
à l'intérieur d'un système économique où s'accroissent la rationalisation et la division du travail : dans les laboratoires des entreprises de produits pharmaceutiques, des médecins mènent des
recherches, dont les résultats peuvent ne pas être immédiatement
rentables. Mais ils devront se conformer à la règle générale de
la lutte pour la reconnaissance de leur spécificité à l'intérieur
des organisations.

Les luttes au nom de la compétence n'opposent pas seulement
les membres des professions libérales aux autres, mais aussi les
« libéraux » entre eux. C'est au nom de leur métier et de leur qualification que les médecins défendent le territoire de leurs
interventions face aux infirmières, sages-femmes, kinésithérapeu-
tes, psychanalystes et autres professions paramédicales ; que les
médecins généralistes s'affirment aux dépens des spécialistes, que
ces derniers revendiquent leur droit à traiter telle ou telle maladie ou s'efforcent de se doter du matériel permettant de mener
eux-mêmes des examens ou des analyses difficiles. Les médecins
ne sont pas plus exempts que les architectes de cette lutte autour

de la redéfinition de l'identité professionnelle et ils risquent de le devenir d'autant plus que s'accroît leur nombre et que se développe entre eux une véritable concurrence commerciale. La réinterprétation des professions libérales à l'âge de l'organisation et de la technique impose aux individus de redéfinir leur identité professionnelle. Les statisticiens insistent justement sur les liens réciproques entre les appellations des emplois et la structure sociale. Les difficultés de la taxinomie révèlent les zones de flou, qui sont aussi les lieux des luttes et des enjeux sociaux.

À l'intérieur des entreprises, les changements techniques et la nécessité de rationaliser les procédures pour améliorer la rentabilité conduisent, on l'a vu, à une réorganisation continue de l'organisation du travail. Les professions les plus directement liées à la production — ouvriers, ingénieurs, techniciens, gestionnaires ou financiers — sont contraintes de redéfinir leur poste de travail, de remettre en question leur qualification, de faire reconnaître leur compétence par les autres. Le décalage est constant entre les métiers tels qu'ils ont été définis et appris au cours de la scolarité et la pratique professionnelle. L'introduction de l'informatique dans l'économie française entre 1975 et 1985 a conduit à une réévaluation des qualifications et à une nouvelle interrogation sur les métiers. L'idéologie des cadres, que véhicule la presse spécialisée dans le management, fait depuis quelques années une référence constante à la notion de « métier », fondement de toute identité professionnelle et, en conséquence, de toute revendication. Le flou des critères de classement dans les entreprises n'est pas le résultat d'un complot machiavélique pour dissimuler les sources du pouvoir et les inégalités, mais d'abord le résultat de la structure complexe et diversifiée du pouvoir dans des organisations, travaillées à la fois par le progrès technique, l'idée que s'en font les acteurs et les rivalités de compétence entre les professions et les individus.

Les membres de ce qu'on appelle les nouvelles professions — qui touchent au domaine de la diffusion culturelle, de la communication ou du travail social (de l'assistante sociale au psychanalyste) — s'efforcent, eux, de faire reconnaître leur métier, en utilisant les instruments par lesquels se sont affirmées les professions libérales : recrutement et formation particulière organisés et contrôlés par les pairs, monopole d'intervention, contrôle de la pratique par la profession. La reconnaissance de la compétence par un diplôme garanti par l'État apparaît comme une étape essentielle : le diplôme de paysagiste a été reconnu en 1946, celui d'urbaniste en 1948, celui de conseiller d'éducation populaire en 1964, le brevet d'aptitude à la promotion des activités socio-éducatives en 1970, le diplôme d'État relatif aux fonctions d'animation en 1979, etc. Les paysagistes ont acquis l'homologation de leur diplôme dans la catégorie A de la fonction publique en 1979 et figurent depuis 1982 sur la nomenclature des postes des collectivités locales. Les urbanistes s'efforcent de l'obtenir à leur tour [1]. En reconnaissant les professions, l'État reste une source de l'élaboration des identités sociales. Pour les responsables des professions, il s'agit toujours d'affirmer une compétence spécifique, qui puisse être socialement reconnue. La justification de la publicité et de la profession elle-même fait partie du métier de publicitaire. Les différentes professions sont toutefois inégalement susceptibles de définir et de faire reconnaître un domaine d'intervention aux frontières clairement définies. C'est ainsi que les professions intellectuelles des nouvelles couches moyennes, spécialisées dans l'urbanisme et l'aménagement, l'animation culturelle et le travail social, dont les missions sont équivoques et indéterminées, laissant des marges d'autonomie et d'initiative, sont réduits à faire de cette imprécision le signe de leur identité. La créativité et l'innovation, le caractère problématique de la profession, l'interrogation identitaire deviennent les thèmes d'un discours professionnel : «Monopoliser le discours légitime — faute de monopoliser le secteur d'intervention — devient chez tous les experts l'enjeu principal [2].» C'est particulièrement vrai dans le cas des métiers du travail social, en grand développement (le nombre des travailleurs sociaux, selon la définition de l'I.N.S.E.E., a triplé en vingt ans), dont les missions et la compétence, entre le conseil juridique et psychologique, l'intervention paramédicale, la dif-

---

1. Fr. DUBOST, «Les nouveaux professionnels de l'aménagement et de l'urbanisme», *Sociologie du travail*, 27, 2, 1985, pp. 154-164.
2. *Ibid.*, p. 163.

fusion culturelle et l'action politico-sociale, sont particulièrement mal définies [1].

L'auto-affirmation de la compétence est particulièrement forte, lorsque les professions sont imprécises et qu'elles sont vécues sur le mode de la vocation. Les artistes et les intellectuels créateurs s'autodéfinissent désormais par la rupture radicale qu'ils introduisent avec la tradition et par la nouveauté absolue de leur projet. Au nom de la valeur suprême de leur inspiration créatrice, au nom de la liberté absolue qui fonde leur œuvre, ils refusent toute forme d'institutionnalisation et n'admettent la consécration d'aucune instance universitaire ou académique. Mais, à travers cette autodéfinition, en dehors de tout contrôle et de toute règle, ils n'en ont pas moins agi pour faire reconnaître leur identité professionnelle. L'artiste créateur — par rapport à l'artisan — se définit comme l'auteur d'une œuvre « originale » et « désintéressée », caractéristiques dont, par définition, aucun critère objectif ne peut rendre compte. Cette définition est reconnue par l'U.N.E.S.C.O., ainsi que par l'État français — ce qui implique, outre la reconnaissance morale et sociale, des droits sociaux (au sens de la Sécurité sociale) et patrimoniaux, des dispositions fiscales particulières [2]. L'accroissement du nombre des professions intellectuelles multiplie le nombre de ceux qui refusent de se définir par la conformité à un modèle déjà existant et qui prétendent, au nom d'une vocation, participer à la définition de leur pratique professionnelle.

Ces processus — qui se traduisent au niveau des individus par des discours à la fois d'affirmations et d'interrogations identitaires — montrent que toute participation professionnelle est active : il importe de se faire reconnaître. Dans certains cas, l'existence de la profession peut apparaître comme le produit presque direct d'un besoin technique, imposé et sanctionné par le marché. Dans d'autres, elle semble être d'abord le produit des représentations sociales : les professions ont réussi à imposer l'idée qu'elles sont nécessaires. Les contraintes techniques sont toujours réinterprétées selon la logique sociale.

---

1. J. ION, J.-P. TRICART, « Une entité professionnelle problématique : les travailleurs sociaux », *ibid.*, pp. 137-153.
2. R. MOULIN *et al.*, *Les Artistes, essai de morphologie sociale*, La Documentation française, 1985.

Malgré tout, les identités professionnelles s'inscrivent dans un univers, où s'exerce une double nécessité. La majorité des individus doit exercer une activité pour disposer d'un salaire régulier. L'organisation du travail collectif, au moins pour sa part non socialisée, est soumise à la sanction du marché. C'est parce que le monde du travail oppose « la résistance la plus opiniâtre à la logique de la séduction, en dépit des révolutions technologiques en cours »[1], qu'il reste l'instance de socialisation la plus efficace et que le développement du chômage, au moment où se stabilisaient les populations immigrées en France, a eu des effets perturbants sur l'intégration des enfants d'immigrés, comme sur tous les jeunes d'origine populaire. On verra que les identités religieuses ou ethniques, qui relèvent de la même auto-définition que les intellectuels et les artistes, mais qui sont moins soumises à l'ordre économique, révèlent plus clairement encore le sens des interrogations identitaires.

Un mode d'intégration exigeant et fragile

Ce mode d'intégration a pour effet de faire participer à la vie professionnelle ceux qui peuvent faire reconnaître leur compétence, soit par leurs diplômes, soit par la sanction du marché. Même si l'effet est plus direct dans la fonction publique — encore qu'on n'y ignore pas les décalages entre diplômes et fonctions exercées —, être titulaire d'un diplôme, c'est détenir des moyens de faire reconnaître ses droits à exercer tel poste de travail. Ceux qui ne peuvent participer au marché, public ou privé, de la reconnaissance technique et sociale risquent d'entrer dans le processus de la désocialisation et de la disqualification. C'est la source profonde du danger de dualisme de sociétés fondées sur un haut degré de compétence. Les uns participent, directement ou indirectement, à une production compétitive sur un marché mondial, les autres n'ont objectivement pas la compétence pour le faire, ou, en tout cas, elle ne leur est pas reconnue. Ce n'est pas seulement dans le monde agricole que l'entrée dans la modernité a eu pour effet de susciter « un clivage opposant moins les petits et les gros que les *dynamiques* et les sta-

1. G. Lipovetsky, *L'Ère du vide*, Gallimard, 1983, p. 22.

gnants »[1]. La société dite « duale » n'est pas le résultat d'un méchant complot des producteurs. C'est une menace continuelle dans des sociétés productivistes, où le niveau de compétence nécessaire pour participer à la production est élevé. Dans les sociétés modernes, le mode de participation à la vie collective est exigeant.

La solidarité née du travail en commun comporte des limites. Bien que, dans le lieu de travail, les individus s'identifient à leur tâche et à l'entreprise, trouvent un lieu de sociabilité, bien que l'organisation collective fasse sa place à l'invention de règles par chaque membre de l'organisation, à tous les niveaux, la solidarité imposée par les exigences du travail collectif reste d'abord objective et instrumentale.

Il est vrai, plus généralement, que la solidarité objective entre les individus — double effet du caractère collectif du travail et de la politique de l'État-providence — n'a sans doute jamais été aussi grande que dans les sociétés démocratiques modernes. La division du travail, l'interdépendance à l'intérieur des économies nationales et entre elles, le volume des transferts par les cotisations sociales et les impôts à l'intérieur de chaque unité nationale — entre 35 % et 50 % du P.I.B. dans les pays européens — constituent autant de facteurs qui contribuent à la renforcer. Mais cette forme de solidarité induit les caractères spécifiques de l'intégration sociale.

Le niveau d'exigence élevé des sociétés productivistes impose, en compensation, l'instauration d'une protection sociale — dans son sens le plus général — en faveur de ceux qui, par suite de handicaps personnels ou sociaux, ne peuvent participer, provisoirement ou définitivement, à une production sanctionnée par un marché international. Les sociologues insistent sur les fonctions intégratives de la Sécurité sociale. Au cours du siècle dernier, pendant la « première société industrielle », l'exode rural, les concentrations urbaines et industrielles, la misère matérielle et morale des premières générations du prolétariat ouvrier auraient entraîné une forme de « dissociation » du lien social. C'est la protection sociale, introduite directement ou indirectement par

---

1. Cité par H. LAMARCHE, « Localisation, délocalisation, relocalisation du milieu rural », in *L'Esprit des lieux, Localités et changement social en France*, C.N.R.S., 1986, p. 83.

l'action étatique, qui aurait assuré, dans une deuxième phase, la «restructuration de la société globale». L'État-providence aurait ainsi désamorcé les conflits sociaux et découragé la lutte des classes «en élargissant la zone de participation aux valeurs communes de la société industrielle»[1]. La Sécurité sociale, en créant de nouveaux liens d'appartenance, aurait joué, dans l'intégration sociale, le même rôle que le suffrage universel au siècle dernier. Le coût financier de la protection sociale serait le prix à payer pour intégrer les sociétés modernes et maintenir la paix sociale. Les critiques d'inspiration marxiste reprennent la même idée sous une autre formulation, lorsqu'ils voient dans la politique sociale «un ensemble de mesures destinées à contrôler et garantir la reproduction des classes ou reproduction sociale», assurant l'«intégration-exclusion» des «travailleurs»[2]. La protection sociale est alors critiquée dans la mesure précisément où elle aurait émoussé la conscience de classe et assuré l'intégration des «travailleurs» dans la société capitaliste.

La protection sociale n'a été qu'un élément de la «réintégration» de la classe ouvrière. La transformation technique de l'usine et les nouvelles relations sociales qui s'y sont établies, l'élévation du niveau scolaire, l'accroissement de la consommation homogénéisée par le marché y ont également contribué. Ces analyses, d'autre part, laissent échapper la spécificité d'une «intégration» objective, qui reste abstraite dans son principe et qui est mise en œuvre par une large organisation selon des méthodes inévitablement bureaucratiques. Ces liens objectifs ne se confondent pas avec le sentiment ou l'expérience vécue de la solidarité. Comme on conseille aux gens âgés d'entretenir avec leurs enfants adultes une «intimité à distance», il s'agit d'une «solidarité à distance». Dans une enquête en République fédérale d'Allemagne, on a constaté que le sentiment de sécurité croissait moins en fonction de la solidarité objective qu'avec le niveau culturel des interviewés[3]. N'est-ce pas lié au fait que les individus de niveau culturel élevé sont plus susceptibles de comprendre les

1. G. Perrin, «Pour une théorie sociologique de la Sécurité sociale dans les sociétés industrielles», *Revue française de sociologie*, 8, 3, 1967, p. 323.
2. X. Greffe, *La Politique sociale : étude critique*, P.U.F., 1975, p. 233.
3. G. Perrin, *op. cit.* p. 324.

mécanismes d'une solidarité, qui n'est pas ressentie, mais intellectuellement comprise, d'adopter le point de vue de l'observateur?

L'attachement massif de la population à la protection sociale, que les sondages ne cessent de montrer année après année et que l'opposition politique et syndicale sait exprimer et utiliser — c'est pour la «défense de la Sécurité sociale» que la C.G.T. peut encore rassembler une manifestation —, n'entretient pas pour autant le sentiment de solidarité. La majorité de la population accorde plus de prix à la santé et à la protection sociale qu'aux conditions de fonctionnement (la liberté de la presse) et aux institutions de la démocratie (la justice, le Parlement, les partis politiques)[1]. Un rapport instrumental sur le modèle de la sphère marchande (contributions-prestations) tend à remplacer l'adhésion ou la participation. Les organisations bureaucratiques nationales et les prélèvements obligatoires conduisent à une forte solidarité organique, au sens durkheimien, mais elle n'exclut pas que les individus, eux, fassent l'expérience de la solitude. L'intégration abstraite que donne la protection sociale comporte des limites intrinsèques : c'est par une contribution active et directe à la vie collective que les individus participent de la manière la plus intense et la plus spécifique aux sociétés modernes.

POLITIQUES COMPENSATOIRES
ET RÉGULATION DES NON-PRODUCTEURS

La capacité d'élaborer un projet de vie et de mener l'activité réglée permettant de le réaliser, qui donne la véritable intégration, n'est pas uniformément répartie parmi les individus et les groupes sociaux. Dans des sociétés où l'activité et l'invention sont les formes privilégiées de la participation à la vie collective, ceux

---

1. D'après un sondage S.O.F.R.E.S. du 10 novembre 1969, supprimer la Sécurité sociale apparaîtrait «très grave» à 82 % des Français, alors que 71 % porteraient le même jugement s'il s'agissait de supprimer la liberté de la presse, 68 % l'indépendance de la justice, 61 % le Parlement et 42 % les partis politiques. Cf. D. Schnapper, *La Révolution invisible*, Association pour l'histoire de la Sécurité Sociale, 1989, p. 24.

qui, par leurs qualités personnelles ou par leurs handicaps sociaux, sont moins bien armés pour faire reconnaître une compétence spécifique se voient interdire la participation à l'activité économique. Quel que soit le mouvement général vers l'homogénéisation sociale, il n'est pas incompatible avec l'accroissement des écarts entre ceux qui participent de manière active à la vie collective et ceux qui n'ont pas les moyens de le faire. Les non-producteurs risquent toujours de devenir des exclus. La hiérarchie des status et les nouvelles inégalités se définissent, on l'a vu, à partir du rapport à l'emploi. La politique sociale consiste à assurer l'autonomie financière aux non-producteurs, qu'ils soient écartés du marché du travail par l'âge, le chômage, la maladie, la situation de famille, les handicaps physiques, intellectuels ou sociaux. Elle a pour ambition de compenser les handicaps provisoires ou définitifs et, dans les cas les plus douloureux, de tenter de recréer une forme de lien social entre les individus qu'elle prend en charge. Elle donne un status, même s'il reste toujours inférieur à tous ceux qui sont liés, d'une manière ou d'une autre, à un emploi. En créant et en manipulant les catégories statistiques, l'État-providence contribue à élaborer les identités sociales.

Il existe deux types de protection sociale. Le premier, qu'on peut qualifier de général, est fondé sur le principe de l'assurance. Né à la fin du xixe siècle, il est le produit des aléas d'un marché du travail qui avait cessé d'être contrôlé par les corporations et exigeait des hommes une forte mobilité. À la suite de l'extension progressive du principe de l'assistance, dont les grandes étapes ont été la législation sur les accidents du travail en 1898, l'organisation des assurances sociales en 1930-1932 et celle de la Sécurité sociale en 1946-1947, le titulaire d'un emploi, aujourd'hui, cotise aux caisses de Sécurité sociale, d'allocations familiales, de retraite ou de chômage. Lorsqu'il est malade, retraité ou chômeur, il obtient des soins, des allocations ou des indemnités, pour lesquels il avait souscrit une assurance obligatoire. La protection sociale générale est directement ou indirectement liée à l'emploi.

Le second relève de l'assistance. Depuis le xive siècle, ceux qui étaient inaptes au travail ont toujours eu droit à être assistés. Comme l'a remarqué Robert Castel, les récentes catégories élaborées par la législation du travail prolongent sous d'autres noms les catégories de l'Ancien Régime qui avait organisé les moyens d'assurer la subsistance des indigents, des infirmes, des orphelins, des veuves sans ressources. Ce droit à l'assistance a pris un sens différent dans la société démocratique, où elle est justifiée par le droit qu'a chaque citoyen de mener une vie décente selon l'idée que la société se fait de la «décence». C'est ainsi que des catégories particulières de populations, dont les plus récentes sont les adultes handicapés et les familles monoparentales, ont été successivement définies par la législation sociale pour faire l'objet de prestations particulières et compensatoires.

Les contradictions des politiques particularistes

C'est le sens des politiques compensatoires qu'il faut examiner ici. Si la politique d'assistance a existé de tout temps, l'affaiblissement du rôle des institutions nationales — caractéristique de l'«intégration à la française» — a laissé la place aux animateurs socioculturels et autres travailleurs sociaux, s'occupant de populations particulières : immigrés, jeunes, handicapés, etc. Jusque dans les années 1970, cette action se conformait au modèle scolaire : équipements socioculturels lourds, avec des constructions de clubs, maisons de jeunes ou piscines dans les grands ensembles. Depuis la fin de la décennie 1970, il s'agit de gérer la décomposition sociale des banlieues; l'action sociale est multiple, éclatée, personnalisée; elle tend à transformer le bénéficiaire en client.

La crise économique récente a eu, d'autre part, pour effet de multiplier les populations écartées provisoirement ou définitivement du marché du travail et susceptibles de connaître un processus de désocialisation. L'État-providence, devant la crise, a créé des catégories nouvelles auxquelles on reconnaît des droits et qui bénéficient de transferts sous forme de pensions ou d'indemnités. La participation à la production cesse pour ces populations d'être la source de l'intégration. L'ensemble des liens qu'elles entretiennent avec le système de protection sociale et les droits qu'elles détiennent sur lui modifient les caractères de la structure sociale et définissent des formes nouvelles de participation à la vie collective. Rappelons que les actifs occupés forment moins de la moitié de la population adulte.

En dehors de la protection sociale générale, il existe, en effet, l'ensemble des mesures qui ne sont pas liées à un emploi présent ou dérivé d'un emploi passé (chômeurs, préretraités, retraités), futur (étudiants) ou indirect (conjoints). Elles sont destinées aux populations auxquelles la législation et la pratique administrative reconnaissent le droit de recevoir des revenus directs ou indirects sans conditions d'activité ou d'emploi. Ces assistés sont définis par la législation sociale qui fixe leurs droits et leurs devoirs et par l'activité des travailleurs spécialisés chargés d'appliquer cette législation. L'allocation aux adultes handicapés, par exemple, qui est accordée à tous les handicapés, quels que soient leurs revenus ou la source de leur handicap, constitue un véritable revenu de remplacement, indépendamment de toute activité professionnelle. L'allocation aux parents isolés est attribuée aux personnes qui, à la suite d'abandon, de divorce ou de veuvage, se retrouvent seules, chargées d'un ou de plusieurs enfants ; elles peuvent aussi recevoir les allocations mensuelles versées au titre de la protection de l'enfance par les D.D.A.S.S. aux familles ne disposant pas des ressources suffisantes pour assurer l'entretien et la protection de leurs enfants. Le revenu minimum d'insertion (R.M.I.) est venu, en 1989, compléter ce dispositif en assurant des ressources, indépendamment de tout handicap et de toute charge familiale, à tous ceux qui ne disposent d'aucun droit lié à une activité professionnelle. Cette nouvelle mesure, au-delà des transferts en espèces ou des dons en nature, comporte un projet plus ambitieux qui consiste à renouer le lien social dans les populations marginales. Le Premier ministre a imposé que le versement du R.M.I. soit lié à ce que les bénéficiaires formulent et appliquent un véritable projet d'« insertion sociale ». On peut analyser le R.M.I. comme l'aboutissement extrême et logique du processus d'extension progressive de la protection sociale à toutes les catégories de la population. Mais, en même temps, il s'agit d'une nouvelle philosophie sociale, dans la mesure où la société, par cette mesure, reconnaît à ses membres des droits qu'on pourrait qualifier de « droits de l'homme », puisqu'ils sont totalement indépendants de tout rapport à un emploi et de tout handicap. On admet ainsi que certaines populations, même si elles ne sont pas biologiquement inaptes au travail, n'ont plus la possibilité de participer à la vie professionnelle.

La politique sociale a été analysée, sous l'influence de Michel Foucault, en termes de contrôle et d'appareil de domination de classe. La neutralité apparente de l'expert médical, psychanalytique ou sociologique, « véritable magistrature de notre temps », ne ferait qu'assurer, sous couvert de science, l'ordre social :

> La philanthropie a représenté un laboratoire d'idées et d'initiatives pratiques d'où sont sorties les techniques d'assujettissement des masses indispensables à la domination de classe de la bourgeoisie [1].

Toute politique compensatoire se fonde effectivement sur un processus de catégorisation et de contrôle. On ne peut pas ne pas définir les populations auxquelles des droits sont reconnus, on ne peut pas ne pas exiger qu'elles justifient de leurs droits à bénéficier de l'intervention sociale. La crise économique a agi comme un révélateur : la multiplication des catégories (T.U.C., S.I.V.P...) a dévoilé l'une des logiques de l'État-providence, classificateur et redistributeur. L'éclatement des politiques sociales depuis 1975 a accentué le phénomène. Dans des sociétés productivistes, la hiérarchie des status selon le rapport à l'emploi ne peut pas ne pas rester une donnée fondamentale. Le principe de la citoyenneté et la passion de l'égalité, d'autre part, font que la politique sociale ne peut éviter un effet d'étiquetage et de stigmatisation des bénéficiaires. Elle contribue inévitablement à enfermer une partie des assistés dans une carrière de pauvres, à accentuer leur disqualification et à leur faire prendre conscience de leur infériorité et de leur échec. L'analyse des expériences vécues confirme que, pour une grande part, les individus intériorisent la condition que fixe la réglementation. Les chômeurs n'osent pas se livrer à des activités de loisir pendant les heures dont ils jugent qu'elles devraient être consacrées au travail professionnel ou à la recherche d'un emploi. Les préretraités trouvent normal de « faire place aux jeunes ». L'invention de la préretraite et les lois

---

1. R. Castel, *L'Ordre psychiatrique, l'âge d'or de l'aliénisme*, Minuit, coll. « Le Sens commun », 1976, p. 135.

sur la retraite ont imposé une nouvelle définition de la vieillesse sociale, induisant, pour une part, les comportements des individus. Même si ces derniers gardent la possibilité de retourner le sens de leurs expériences, de jouer avec l'effet d'«étiquetage», de multiplier les références, les statuts élaborés par l'État-providence contribuent à élaborer les identités sociales. Si l'on appelle contrôle l'effort pour recréer un lien social, toute politique sociale est indissolublement compensation humanitaire et instrument de contrôle.

D'ailleurs, les assistés eux-mêmes ont conscience de la hiérarchie des status. Dans la «galère», les jeunes considèrent que la dépendance et la conduite de pauvre sont la «part honteuse». Même si les responsables des affaires sociales distinguent les individus qui ont des droits à la solidarité nationale (les chômeurs qui ont cotisé pendant la période active de leur vie) des simples bénéficiaires de l'assistance, secourus sans référence à un emploi, ceux qui dépendent des services sociaux, ignorent cette distinction de philosophie sociale. Ils font la commune expérience de l'assistance et prennent conscience de la dépendance matérielle et morale qu'elle risque d'entraîner. On connaît depuis toujours les effets pervers de la charité qui apporte un soulagement provisoire, mais risque d'entretenir le pauvre dans la pauvreté, au lieu de lui donner les moyens de cesser de l'être. Depuis Confucius ou Maimonide, on sait que la véritable charité ne consiste pas à donner de l'argent aux pauvres, mais à leur permettre d'en gagner eux-mêmes. Les politiques sociales ont pour effet pervers de rendre dépendants les individus, quand la véritable intégration vient de la participation active à la vie collective.

Même aux États-Unis, où les communautés culturelles sont reconnues dans la vie sociale, la politique du *welfare* a montré les effets discriminatoires des politiques destinées à certaines catégories de la population. Les politiques pour les Noirs ont eu des conséquences perverses en renforçant le stigmate qui les frappait [1]. Dans les sociétés démocratiques, toute différenciation fondée sur des critères négatifs risque d'être perçue et vécue comme

1. W. WILSON, *The Truly Disadvantaged : The Inner City, the Underclass and Public Policy*, University of Chicago Press, 1987.

une stigmatisation. Philippe Bénéton a longuement montré les résultats pervers de la politique sociale massive adoptée aux États-Unis dans les années 1960 : l'intervention de l'État a privé les personnes secourues de leur dignité, encouragé par ses subventions l'anomie familiale devenue source de revenus, découragé la recherche d'un emploi pour tous ceux, peu qualifiés, qui bénéficiaient désormais de revenus égaux ou supérieurs aux salaires qu'ils auraient pu obtenir par un emploi [1]. Mais peut-on à l'âge démocratique envisager le seul recours à la charité privée ? Celle-ci respecte-t-elle mieux la dignité de celui qui en bénéficie ? Si le pauvre — ou le malade, ou le disqualifié — est incapable, pour des raisons morales ou sociales, de gagner lui-même sa vie, doit-on, peut-on l'abandonner ? Pour des raisons morales, pour assurer l'ordre social, l'intervention de la politique sociale compensatoire — malgré ses contradictions intrinsèques — est inévitable.

Le fondement de la légitimité démocratique donne en effet à chaque citoyen le droit de participer aux bienfaits de la croissance globale. Dès la Révolution, l'idée de charité privée, d'inspiration religieuse, a été remplacée par l'affirmation, inscrite dans la Constitution de 1791, que l'État devait organiser des «secours publics», «pour élever les enfants abandonnés, soulager les pauvres infirmes et fournir du travail aux pauvres valides qui n'auraient pu s'en procurer». Les conséquences de ce droit sur la législation ne sont intervenues que plus tard. On a bien montré que la Révolution avait d'abord affirmé les droits-libertés. Elle a défini comme des droits, selon la tradition jusnaturaliste, les possibilités intellectuelles (libertés de pensée, d'expression, de religion) ou physiques (libertés de travail, de commerce, de réunion), qui garantissent les libertés de l'individu face à l'État et tendent à limiter le pouvoir de ce dernier. La revendication de droits sociaux (droit au travail, au repos, à l'instruction, etc.), ou droits-créances, dont l'individu dispose à l'égard de l'État, apparue à partir de 1848, à la suite de la double critique du marxisme et du catholicisme social, est d'une autre nature. Elle affirme le droit des individus à obtenir des services de l'État et

---

1. Ph. Bénéton, *Le Fléau du bien, essai sur les politiques sociales occidentales, 1960-1980,* Laffont, 1983.

implique qu'il intervienne pour régler les conditions matérielles des individus. L'originalité des sociétés démocratiques modernes tient à ce qu'elles s'efforcent de respecter les droits-libertés, tout en faisant leur place aux droits-créances — mieux, elles considèrent que les droits-créances, les droits d'obtenir de l'État les moyens d'une existence décente sont les conditions de l'exercice des droits-libertés. Elles peuvent revendiquer l'idée que les droits-libertés ne sont pas des libertés « formelles », selon la critique marxiste, mais qu'ils peuvent être réellement exercés. C'est ce que fait la Cour européenne des droits de l'homme, lorsqu'elle affirme son intention de « protéger des droits non pas théoriques ou illusoires mais concrets et effectifs » (décision Airey, 9 octobre 1979). « La Cour européenne entend fournir à l'individu les conditions matérielles nécessaires à l'exercice de ces libertés [1]. » Cette dimension proprement politique est au principe de la légitimité de la politique sociale et de l'ensemble des dispositions prises pour intégrer par des mesures compensatoires ceux que leur incapacité d'élaborer et de réaliser un projet de vie à partir d'un projet professionnel risque de conduire à l'exclusion sociale.

Il ne s'agit pas en effet de condamner la politique sociale et l'action des travailleurs sociaux, en tant que « principaux agents » de l'« ordonnancement social »[2]. Non seulement ils permettent la survie biologique des plus disqualifiés, mais ils les empêchent de connaître la complète désocialisation. Le travailleur social est parfois devenu le seul interlocuteur des plus marginaux. Pour certains chômeurs de longue durée, sans famille, le pointage à l'A.N.P.E constituait, avant qu'il soit supprimé, le dernier rattachement à une organisation, le dernier lien social. Les assistantes sociales représentent l'intermédiaire essentiel entre certaines femmes immigrées et la société française : ces dernières les considèrent comme des membres de la famille « élargie », selon le mode traditionnel. On ne peut critiquer le principe d'une action qui est dans la logique de ce qu'on peut appeler la démocratie sociale. Il faut seulement analyser les formes de l'intégration qui ne

---

1. Fr. Sudre, *La Convention européenne des droits de l'homme*, P.U.F., coll. « Que sais-je ? », 1990, p. 33.
2. P. Lascoumes, *Prévention et contrôle social*, Genève, Masson, 1977, p. 52. Voir aussi J. Verdès-Leroux, *Le Travail social*, Minuit, coll. « Le Sens commun », 1979.

passent plus par la conformité des comportements imposés par les institutions nationales à portée universelle, mais par des projets spécialisés et compensatoires. Toute politique sociale oscille entre la protection générale, qui risque de sombrer dans un « saupoudrage » inadapté aux conditions particulières, et la politique personnalisée, entraînant stigmatisation et contrôle excessif. Quelles que soient leurs intentions, la conscience qu'ils ont prise (avec l'aide des sociologues) des effets pervers et des limites de leur action, les travailleurs sociaux, par leurs interventions, risquent de stigmatiser les populations qui en sont les bénéficiaires, de les maintenir dans un statut d'assistés, d'en faire des clients de la politique sociale, au lieu de les aider à devenir des acteurs de la vie collective.

Un autre effet pervers, probablement inévitable, de la politique sociale est d'atomiser les individus, de leur faire perdre leurs sentiments de solidarité. Seuls les chômeurs ont tenté d'organiser une action collective. Mais l'identité négative, l'hétérogénéité sociale et la désocialisation en limitent l'efficacité. C'est précisément pour lutter contre cette attitude que s'est constitué, au niveau national, le « Syndicat des chômeurs », qui tente de devenir une véritable force politique en refusant d'être seulement une entreprise d'« assistanat ». Le syndicat nourrit un projet politique de « partage du travail », de « réduction du temps de travail », de constitution d'une « économie alternative ». Au niveau local, de nombreuses associations prolongent le travail social des organisations administratives. Elles ont des avantages pour les chômeurs, étant donné leur action plus « individualisée ». Mais si les responsables peuvent être reconnus par l'État et les collectivités locales comme des interlocuteurs de l'action politique — au sens large du terme —, ce ne sont pas les chômeurs eux-mêmes qui tiennent ce rôle. Une identité négative est peu susceptible de fonder une conscience et une activité communes. C'est la raison fondamentale pour laquelle l'action proprement politique du Syndicat des chômeurs, devenu une organisation d'aide sociale et de solidarité professionnelle efficace, un lieu d'échanges et de réflexion, est restée limitée. Les plus actifs ou les plus favorisés, à moins qu'ils ne soient retraités, consacrent le meilleur de leur énergie à échapper à la condition de chômeur, non à l'assumer ou à la revendiquer. Malgré les efforts des responsables de leurs associations ou de leurs « syndicats », les chômeurs n'arrivent pas à se constituer en force politique organisée.

Une action collective des assistés est encore moins envisageable, puisque toutes les caractéristiques qui expliquent la situation anomique des individus sont encore renforcées dans leur cas. Leur identité est encore plus négative et, plus souvent encore, leur désocialisation risque de les avoir isolés. C'est d'ailleurs la raison pour laquelle les Américains, après être passés de la charité privée et souvent religieuse à l'assistance publique et laïque, ont proposé la défense du revenu comme moyen privilégié pour justifier les interventions auprès des populations défavorisées. C'est pourquoi aussi la politique sociale en France s'efforce de compléter l'action auprès des familles par une action dite « globale », qui porte sur l'ensemble du milieu et des conditions de la vie collective : développement des équipements collectifs, de l'animation socio-culturelle, de la politique urbaine.

Les populations assistées, c'est-à-dire reconnues en situation de pauvreté et de précarité par la société, ne constituent en aucune façon une unité. Les situations objectives semblent proches, mais elles sont le produit de trajectoires de vie, qui donnent un sens différent à la condition commune. On peut distinguer, selon la nature de l'intervention des travailleurs sociaux, trois types de bénéficiaires[1]. Pour les premiers, ou « fragiles », l'intervention est ponctuelle et provisoire, elle doit permettre à un ménage en difficulté, le plus souvent à la suite de la sortie, provisoire ou définitive, du marché du travail, de surmonter une phase de difficultés financières. Ils acceptent mal leur situation, aspirent à un status lié à l'emploi et font des efforts pour l'obtenir. Ils s'efforcent de garder encore le contrôle de leur situation et de prendre leur distance vis-à-vis du rôle de l'assisté, comme le fait le cadre au chômage à l'égard du rôle de chômeur. Ils restent réservés à l'égard des travailleurs sociaux. Les deuxièmes, les « assistés » — le plus souvent des femmes seules ou vivant en couple avec un ou plusieurs enfants à charge— , reçoivent une

---

1. S. Paugam, *La Disqualification sociale, essai sur la nouvelle pauvreté*, P.U.F., coll. « Sociologies », 1991.

aide régulière. Bien qu'ils fassent encore référence, de manière fantasmatique, à l'éventualité d'obtenir un emploi, ils n'en recherchent pas. Ils ont progressivement accepté l'idée de mener une carrière d'assistés. Les négociations avec les travailleurs sociaux deviennent la forme de participation à la vie sociale. Que leurs droits soient dérivés de la protection sociale générale ou de l'aide sociale, ils bénéficient d'un revenu régulier, justifié par leur handicap. La régularité de ces ressources les autorise à habiter une H.L.M. et à prévoir leurs dépenses. Ils savent désormais négocier pour tirer le meilleur parti de la législation et éviter la forme extrême de l'intervention des travailleurs sociaux, qui peut aller jusqu'à nier la vie privée et imposer le placement ou le retrait définitif des enfants. Ceux qui appartiennent au troisième type, les « marginaux », — souvent des hommes célibataires, vivant seuls, sans qualification et souvent affligés de handicaps de santé —, n'ont pas de droit à l'assistance régulière, à moins — pour certains qui s'affirment dans leur marginalité — qu'ils refusent l'institutionnalisation de l'action sociale. Ils ne s'adressent qu'irrégulièrement aux services administratifs ou aux organisations caritatives. Lorsque la nécessité leur impose cette démarche, ils obtiennent alors un secours ponctuel, sous forme de colis alimentaire ou de vêtements.

Les travailleurs sociaux ont une action différente sur l'intégration des différents types d'assistés. Les « fragiles » refusent de se conformer aux normes qu'on s'efforce de leur imposer, dans la mesure où ils ont encore l'espoir d'être intégrés dans l'avenir par l'intermédiaire d'un emploi. Ils rejettent les aides autres que financières et toutes les situations intermédiaires entre l'assistance et le « véritable » emploi, qui les enfermeraient dans le rôle d'assistés, et risqueraient de leur faire franchir la première étape d'une carrière qu'ils seraient ensuite irrémédiablement conduits à suivre. Les « assistés », au contraire, obtiennent de la politique d'assistance une forme d'intégration. Ils établissent un système de relations stables avec les travailleurs sociaux qui assurent la prise en charge régulière de la famille. Ils adoptent les comportements qui répondent à leurs attentes. L'installation dans cette condition se traduit par une véritable carrière d'assisté, qui comporte l'apprentissage progressif des rôles correspondant aux normes formulées et imposées par les travailleurs sociaux, la régularité des pratiques et des conduites conformément à des modèles stables. Les individus deviennent alors totalement dépendants de l'aide qui leur est apportée. Ils ne songent plus à retrouver un emploi. Habitués à être aidés, ils ont définitivement intériorisé cette forme passive de participation à la vie collective. Les «marginaux», eux, s'adaptent, de manière plus ou moins difficile, à leur environnement, mais cette adaptation de survie n'est pas une forme d'intégration, même inférieure; elle ne fait que démontrer leur isolement et leur absence de participation sociale [1].

Bien qu'elles soient nécessaires et à certains égards précieuses, les interventions des travailleurs sociaux, dans les meilleurs cas, confèrent aux assistés, au sens général du terme, une forme d'intégration dévalorisée. Elles concourent en effet à marquer l'identité négative de ceux qui sont secourus, à leur faire constater leur échec à définir et à mener leur propre projet de vie. Les status négatifs ne permettent pas de participer aux négociations et aux échanges actifs qui s'établissent entre les individus dans les différentes dimensions de la vie collective et par lesquels se maintient le processus d'intégration. Paradoxalement, en dépit de leurs objectifs affichés, les politiques sociales compensatoires, par leur nature même, ne favorisent pas ce qu'on désigne, dans la vie sociale, sous le terme d'insertion. Elles compensent les formes extrêmes de pauvreté, mais consacrent le stigmate. Elles élaborent une forme dévalorisée de lien social pour les non-producteurs.

Dans toutes les dimensions de la vie professionnelle (de l'accès à l'emploi à la réinterprétation du poste de travail), l'intégration des individus apparaît d'abord comme le produit de leur participation à l'activité de régulation, en quoi on peut définir la vie sociale. Ce mode d'intégration est exigeant, il impose que l'individu fasse reconnaître sa compétence personnelle et celle de sa profession. D'où la nécessité des politiques compensatoires destinées à protéger ceux qui n'en sont pas capables et à recréer un lien social : la protection sociale, sous toutes ses formes

---

1. Ces analyses sont empruntées à l'article de S. PAUGAM, «Les statuts de la pauvreté assistée», *Revue française de sociologie*, 32, 1, 1991, pp. 75-101.

— assurance ou assistance —, est l'une des dimensions essentielles des sociétés démocratiques. Mais il risque aussi d'être fragile. Le travail en commun et la protection sociale liée à l'emploi tendent à ne donner qu'une solidarité provisoire, instrumentale, souvent abstraite. L'activité économique, soumise au calcul implicite ou explicite du rendement, n'instaure pas un lien social de même nature que le projet politique. Les droits économiques ou droits-créances donnent dignité et autonomie aux individus. Mais, contrairement aux droits politiques, ils dépendent de ressources par nature limitées. Ce qui est donné aux uns est pris aux autres. Ils peuvent susciter, surtout dans les périodes de récession ou de faible croissance, des conflits de répartition. Alexis de Tocqueville avait déjà remarqué que l'obsession du bien-être matériel nourrissait l'insatisfaction, dans la mesure où, chacun se comparant légitimement à tous, les besoins étaient indéfinis. La citoyenneté démocratique implique la capacité de participer — fût-ce de manière infime — au pouvoir.

La fragilité intrinsèque de l'intégration par la seule participation des individus à la vie économique est-elle compensée par l'intensité de leur participation aux autres instances de la vie commune, à l'univers des relations, familiales et sociales, par leur contribution à l'élaboration d'une société politique, par quoi se définit la nation?

CHAPITRE 8

L'univers des relations

On ne peut qualifier l'intégration dans le travail de purement instrumentale, dans la mesure où la carrière devient l'expression de soi, où le lieu de travail offre une des occasions privilégiées de la sociabilité. Elle n'en est pas moins dominée par les contraintes de l'organisation collective et les exigences de la rentabilité sanctionnée par le marché. Elle est, d'autre part, provisoire et partielle. On lui a longtemps opposé la famille, qui, par contraste, serait le lieu de la liberté, de l'engagement total, sentimental et permanent. Mais cette opposition n'est pas entièrement fondée, l'intégration de ce que Durkheim appelait la «société domestique» ne s'oppose pas aussi nettement à celle de l'univers professionnel. Elle n'ignore ni les inventions de nouveaux modèles de comportements, ni les échanges économiques et affectifs, ni les luttes et les échanges de reconnaissance et de status. On a aussi opposé aux obligations nées de l'organisation collective du travail la liberté des relations individuelles et des adhésions religieuses ou civiques. Que deviennent les relations à l'intérieur de la famille, les liens de voisinage, l'activité associative et, plus généralement, que révèlent les modes de participation à la «société domestique», à la «société religieuse» et à la «société politique», pour reprendre le vocabulaire de Durkheim, sur les caractéristiques de l'intégration nationale?

LA RÉÉLABORATION DES MODÈLES FAMILIAUX

La famille, de ce point de vue, doit être analysée, en tant que réalité concrète, comme l'instance privilégiée de la socialisation. Mais la réélaboration récente des modèles de comportements familiaux est aussi révélatrice des modes d'intégration de la société dans son ensemble.

Une première rupture dans l'histoire démographique, entre 1945 et 1965, avait constitué un véritable « âge d'or » de la famille : mariages précoces et nombreux, fécondité élevée, divorces en nombre stable compensés par un taux élevé de remariages. Toutes les enquêtes confirmaient l'attachement aux valeurs familiales. Depuis les années 1970, en revanche, la famille est apparue comme le lieu d'une révolution discrète, mais profonde de l'ordre social. On peut, en particulier, interpréter les transformations de la vie conjugale comme l'échec définitif des efforts de l'Église catholique depuis le concile de Trente pour interdire le concubinage et la naissance d'enfants illégitimes. À partir de 1965, tous les indicateurs démographiques ont manifesté la transformation de ce qu'on peut appeler l'ordre familial : en vingt ans, le taux de mariage a chuté de moitié et a atteint 4,8 pour mille en 1987, le taux de divorce a triplé entre 1960 et 1987, le pourcentage des couples non mariés est passé de 2,8 % en 1968 à 7,4 % en 1986 (ce chiffre est par définition sous-estimé par les méthodes classiques de la démographie) ; en 1987, 12,5 % des familles sont monoparentales. Comme le résume Louis Roussel,

> on se marie désormais moins et plus tard, on divorce davantage et plus tôt, on a moins d'enfants et on les met au monde à un âge plus élevé, on se remarie moins souvent à la suite d'un divorce [1].

Pour Durkheim, l'intensité de l'intégration familiale se définissait par le nombre des relations interpersonnelles à l'intérieur de la famille nucléaire ou conjugale : les couples mariés étaient plus intégrés que les veufs, les célibataires ou les divorcés ; les

---

1. L. ROUSSEL, *La Famille incertaine*, Odile Jacob, 1989, p. 81.

couples sans enfants, moins intégrés que ceux qui avaient des enfants. Les deux grandes modifications de l'ordre familial apparues depuis une vingtaine d'années limitent l'intégration ainsi entendue : la précarité des alliances et la diminution de la fécondité ont réduit le nombre des personnes qui forment la famille nucléaire. On ne peut pas en déduire mécaniquement l'affaiblissement du rôle de la famille comme instance d'intégration. Les enquêtes démontrent qu'elle continue à jouer un rôle central dans les échanges de toute nature et dans le système de valeurs. Mais on peut s'interroger sur ce que signifie la réélaboration des modèles familiaux, sur les nouveaux modes de l'intégration.

L'éclatement du mariage et la précarité des alliances

Les indicateurs démographiques ne montrent pas la fin des valeurs familiales ou des échanges à l'intérieur de la famille, mais la remise en question de l'institution du mariage. C'est le couple, comme institution et comme valeur, qui est devenu central.

On peut le définir par l'instauration d'une relation privilégiée entre deux individus, fondée sur un lien amoureux et des relations sexuelles, et inscrite dans une durée minimale, que certaines enquêtes évaluent à deux mois. Quel que soit le chiffre adopté, c'est le fait ou l'ambition de la stabilité objective et vécue, même limitée, qui le caractérisent. Le couple s'affirme par la revendication de l'authenticité des sentiments qui unissent les partenaires, il est l'effet de la volonté et de l'intérêt affectif des deux individus. Alors que le mariage avait une forme unique, au moins comme modèle et système de normes, les couples prennent des formes variées. Ils comportent l'éclatement de l'institution : cohabitation, relations sexuelles, communauté financière, respect des comportements qui constituent le modèle conjugal, reconnaissance par les autres peuvent être séparés. Si 85 % des adultes entre 25 et 45 ans vivent en couple, les formes sont multiples.

La première reste le mariage : le couple est reconnu par un ensemble de dispositions juridiques. Les comportements entre les époux, entre le couple et son environnement social sont conformes aux modèles traditionnels, même s'ils sont réinterprétés selon les valeurs de l'individualisme et de l'authenticité des sentiments.

C'est la forme qui est encore, de loin, la plus fréquente : entre 30 et 40 ans, 80 % des individus sont mariés. La permanence de l'institution ne doit toutefois pas masquer combien ses normes ont été réinterprétées, dans ses pratiques quotidiennes (les ménages qui se veulent « modernes » peuvent s'accorder l'un à l'autre l'indépendance sociale, sexuelle ou financière) et dans son principe d'indissolubilité.

La nouvelle fréquence du divorce ôte en effet au mariage son caractère essentiel. Le cap de 10 divorces pour 100 mariages fut dépassé en 1964, celui de 20 en 1977 et celui de 30 en 1985. S'il s'agissait d'un comportement permanent, cela signifierait que près du tiers des mariages se termineraient par une rupture. Pour l'instant, aucune cohorte effective n'a dépassé le taux de 16 % de divorces, chiffre atteint par les couples constitués autour des années 1970. Même si ces chiffres traduisent aussi le retard de l'âge au mariage et, par conséquent, au divorce, l'accroissement des divorces n'est pas douteux. La présence d'enfants, d'autre part, ne constitue plus un empêchement : les divorcés, à âge égal, n'ont pas moins d'enfants que les mariés, ce qui signifie une « banalisation » du divorce. De plus, alors que la fréquence des remariages était élevée jusqu'en 1965 (concernant 60 % des divorcés contre 40 % au début du siècle), elle a également diminué aujourd'hui. La nouvelle législation, intervenue après le renversement de tendance, est venue non pas accélérer ou encourager, mais reconnaître l'évolution des comportements[1]. Désormais justifié explicitement par son « rendement » affectif (même si l'analyse objective révèle des logiques sociales implicites), le mariage est soumis à la durée des sentiments qui l'ont fondé. Léon Blum, au début du siècle, insistait déjà sur la fragilité du mariage fondé sur le seul sentiment. L'éventualité du divorce, toujours présente, qui n'entraîne plus de stigmatisation sociale pour celui qui en prend l'initiative, a changé le sens de l'engagement matrimonial.

La deuxième forme peut être qualifiée de « couple installé ». Ce qu'on appela, au cours des années 1970, la « cohabitation

---

1. P. FESTY, M.-Fr. VALETAS, « Le divorce et après », *Population et Société*, juillet 1987, n° 215.

juvénile» désignait la situation de jeunes gens menant une vie de couple reconnu, sans être mariés. Le plus souvent, la cohabitation se terminait par un mariage au moment de la naissance du premier enfant : il s'agissait d'une cohabitation prénuptiale. Aujourd'hui, ce n'est plus le cas. Les cohortes les plus récentes sont plus nombreuses à ne pas se marier. L'union libre se développe : contrairement à la première période, les couples installés n'ont pas moins d'enfants que ceux qui sont mariés, la situation est devenue «normale». Ils prétendent à la même stabilité. Ils connaissent une cohabitation permanente. Ils sont d'ailleurs presque aussi endogames que les couples mariés[1]. La législation accorde désormais aux enfants reconnus par leur père et leur mère les mêmes droits qu'aux enfants nés de couples mariés. Entre 1975 et 1987, l'effectif des jeunes «couples installés» serait passé de 155 000 à 1 200 000. En 1981, 100 000 enfants sont nés d'une mère non mariée contre 63 000 en 1975. Une majorité (70 %) des enfants nés hors mariage sont aujourd'hui reconnus par leur père dès leur naissance, ce qui laisse à penser qu'environ 15 % de l'ensemble des naissances sont issus de couples de ce type. C'est le mariage sans reconnaissance par la loi et l'Église.

Ceux qu'on a appelés, à la fin des années 1970, les «concubins», nombreux parmi les étudiants parisiens et les nouvelles couches moyennes, vivaient au contraire une relation volontairement provisoire. La vie sexuelle et la cohabitation s'accompagnaient du rejet de toute institutionnalisation. Les concubins refusaient toute forme d'inscription matérielle ou symbolique dans la durée. L'aménagement de leur logement affichait avec ostentation le caractère précaire de la cohabitation : mélange volontaire des styles d'ameublement, refus de la symétrie et de la fonctionnalité des pièces. La remise en question des rôles féminins et masculins traditionnels conduisait à ce que la répartition des tâches quotidiennes fût l'objet de négociations continuelles. Les comportements sentimentaux, la liberté dans les relations étaient les mêmes pour les hommes et pour les femmes. La précarité de la relation amoureuse était perpétuellement affirmée.

---

1. M. AUDIRAC, 1982, art. cité.

Au rigorisme des principes moraux, puis au volontarisme des options libertaires s'est substituée la souveraineté du sentiment amoureux [1].

Il semble toutefois que cette forme agressive de concubinage soit en cours de régression et que des couples installés ou même des mariages remplacent le concubinage lié à la génération post-soixante-huitarde. Mais, par leur caractère extrême, ils étaient révélateurs d'un trait commun à toutes les formes de couples, le refus de l'intervention de l'Église, de l'État et de la collectivité dans la constitution des couples ou dans leur rupture.

Pour les derniers couples, la relation sexuelle et sentimentale n'entraîne ni cohabitation, ni communauté financière, ni enfants. Cette situation n'est pas une simple étape d'une trajectoire qui conduirait à un couple installé, concubin ou marié. C'est plus souvent le cas de personnes plus âgées, qui ont parfois des enfants issus d'un premier mariage.

Cette description n'épuise pas la réalité, qui, par définition, multiplie les formes intermédiaires, d'ailleurs non exclusives l'une de l'autre, le même individu pouvant former en même temps ou successivement des couples de type différent, les situations floues et transitoires se multipliant. Mais ces formes diverses traduisent une conception proche. Dans tous les cas, c'est le lien amoureux qui est vécu comme l'élément fondateur. En dehors des religieux pratiquants traditionnels, plus de la moitié de ceux qui forment un mariage le justifient par des considérations de simple opportunité sociale, qui n'entraînent pas de conséquences directes sur la vie quotidienne, ni sur le sens et la valeur de leur engagement. Dans l'« âge d'or » de la famille, entre 1945 et 1965, la recherche du bonheur se combinait avec le respect de l'institution matrimoniale : l'amour fondait le mariage et ce dernier exprimait, pour le couple et pour les autres, le sentiment amoureux. C'est cette relation qui a été remise en question : le même refus de voir régler sa vie privée par un code général, sanctionné par la loi, s'exprime, quelle que soit la forme prise par le couple. Si l'on admet que pour beaucoup — en dehors des catholiques

---

1. S. Chalvon-Demersay, *Concubin concubine*, Le Seuil, 1983, p. 88.

pratiquants — le mariage est essentiellement réduit au statut de formalité administrative, on peut conclure qu'au mariage d'amour a succédé l'amour sans mariage.

Il faut, certes, voir dans l'invention de nouvelles formes de conjugalité la conséquence de la prédominance des valeurs individualistes — qui s'exprime en particulier par la valeur accordée au couple — aux dépens du groupe familial, dont la permanence était assurée par le mariage. Mais cet éclatement est aussi favorisé par l'accroissement du salariat (80 % des actifs sont salariés). Seule une partie des exploitants agricoles — en particulier parmi les petits agriculteurs du Midi — et les artisans commerçants gardent des entreprises familiales. Encore beaucoup comprennent-elles au moins un membre salarié. Comme, d'autre part, l'allongement de la vie fait qu'une génération hérite de ses parents, seulement quand elle n'est plus très éloignée de sa propre retraite, la base patrimoniale de la famille ne contribue plus à stabiliser les ménages. Les taux de divorce inférieurs à la moyenne se retrouvent en effet chez les exploitants agricoles et, à un moindre degré, parmi les patrons de l'industrie et du commerce, les taux les plus élevés chez les ouvriers, les cadres supérieurs et les membres des professions libérales, et surtout les employés, les cadres moyens et le personnel de service [1]. En revanche, l'avantage considérable qu'apporte, du point de vue des revenus, le double salaire favorise la « recomposition » des familles.

Comment varient ces nouvelles formes familiales selon les groupes sociaux ? L'interprétation des statistiques est délicate. En dehors des mariages, les couples en tant que tels sont difficiles à comptabiliser. L'existence d'une large catégorie de classes moyennes urbaines, proches par leur mode de vie et leur système de valeurs, rend les classifications quelque peu flottantes. Malgré tout, il apparaît que l'invention des nouveaux modèles familiaux est d'abord le fait des classes urbaines et des professions intermédiaires, en particulier des catégories intellectuelles. Le non-respect de l'institution conjugale a pris un sens nouveau : au XIXᵉ siècle, la désorganisation familiale caractérisait les

1. A. Boigeol, J. Commaille et B. Munoz-Perez, « Le divorce », *Données sociales*, I.N.S.E.E., 1984, pp. 436-437.

milieux populaires urbains, tout particulièrement les ouvriers, mal socialisés à la suite de l'exode rural. Aujourd'hui, les «nouvelles formes familiales» ont été inventées par les groupes sociaux urbains, de niveau culturel élevé ou moyen, désireux d'élaborer une forme de «contre-culture», avant de toucher l'ensemble des catégories sociales et des régions. Dans les catégories populaires, on trouve ainsi à la fois le concubinage du sous-prolétaire, qui ne dispose pas des moyens de constituer un mariage et, parmi ceux qui sont en mobilité ascendante, des couples concubins, qui se conforment à l'image des modèles urbains des classes moyennes. Les couples non mariés sont devenus une forme normale et légitime de conjugalité. Des couples de toute nature sont désormais socialement acceptés, même si l'on n'imagine pas, en France, que la législation puisse, comme au Danemark, reconnaître le mariage d'homosexuels.

La baisse de la fécondité

La baisse de la fécondité joue également dans le sens de l'atomisation des groupes familiaux. L'attitude à l'égard de la fécondité est liée à l'attitude générale à l'égard du monde, au système de valeurs conscient et inconscient, aux croyances religieuses, au projet de vie professionnelle. On sait que la baisse de la fécondité est un des meilleurs indicateurs de la «modernisation» d'une société.

Alors que les modèles familiaux les plus divers se multiplient et que les normes morales éclatent, aboutissant à dédramatiser les situations les plus atypiques, on assiste en même temps à la stabilisation depuis le milieu des années 1960 d'un modèle dominant de la fécondité dans toutes les classes sociales, la famille de deux enfants, que résume la formule «deux salaires, deux enfants»[1].

Le prix que les parents accordent au succès de chaque enfant rend économiquement et psychologiquement coûteux de multiplier l'expérience. Le privilège accordé au lien amoureux et à

---

1. M. VILLAC, «Les structures familiales se transforment profondément», Économie et Statistique, n° 152, 1983.

l'expression de soi donne de la valeur à la première naissance, expérience de la maternité et expression de l'amour qui lie le couple ; à la deuxième, qui donne une nouvelle expérience, celle de la famille. Le coût du deuxième enfant, en temps et en charge financière, est relativement faible par rapport à celui du premier. En revanche, le troisième enfant, dans la mesure où il entraîne souvent perte du deuxième salaire et déménagement, est coûteux. L'entrée massive des femmes sur le marché du travail lui a donné un sens nouveau. Son coût en termes de status personnel est particulièrement élevé pour la mère, s'il la conduit à renoncer à gérer son « capital scolaire » grâce à son activité professionnelle et à ne disposer que du status indirect que lui donne son mari. D'une certaine façon, la famille de deux enfants peut apparaître comme le résultat d'un compromis entre le « besoin d'enfant », les normes anciennes et les nécessités nouvelles pour les femmes de continuer à rechercher un status par leur activité professionnelle personnelle, par la gestion « directe » de leur capital scolaire [1].

Lorsque se reconstituent de nouveaux couples, on aboutit à ces « familles recomposées », dont le nombre croissant apparaît comme une spécificité des quinze dernières années. L'éclatement des formes conjugales rend plus fragiles les liens qui unissent la famille nucléaire : si l'on tient compte des divorces, des séparations des couples non mariés, des naissances hors mariage (reconnues ou non par le père) et des familles monoparentales (dont le nombre a augmenté de 25 % entre 1975 et 1981), on comprend qu'en 1986 22 % des enfants de 13 à 16 ans ne vivaient pas avec leurs deux parents mariés : pourcentage non négligeable, même s'il reste fortement minoritaire [2].

Ces nouveaux modèles familiaux ont pour effet de réduire le nombre des personnes dans chaque foyer. Le quart des ménages (au sens de l'I.N.S.E.E.) français — la moitié, à Paris — est formé d'une personne seule. Il est vrai que, parmi ces isolés, certains entretiennent des relations de couples, que d'autres ne le sont que provisoirement. La statistique, en général, saisit avec peine les situations floues et instables. De plus, elle mesure les stocks

---

1. Fr. de Singly, *Fortune et Infortune de la femme mariée*, P.U.F., 1987.
2. L. Roussel, *op. cit.*, p. 174.

et non les flux. Les divorcés qui n'ont pas encore reconstitué un couple apparaissent comme des isolés, alors que beaucoup d'entre eux ne le sont pas définitivement. Malgré tout, quelques catégories de personnes ont de grands risques de rester définitivement condamnées à la solitude : les veufs d'un certain âge, qui, pour les quatre cinquièmes, sont des veuves, les femmes divorcées qui ont dépassé la cinquantaine, les femmes célibataires, d'un niveau culturel élevé, qui ont atteint la trentaine, âge à partir duquel la probabilité de contracter un mariage baisse fortement pour les femmes. Il n'est pas douteux que l'intégration familiale au sens de Durkheim est en baisse. Mais faut-il accepter cette définition de l'intégration et parler de dés-intégration ?

L'interprétation de ces phénomènes a connu des phases diverses. Dans une première étape, les sociologues se sont opposés à l'air du temps, selon lequel on assistait à la « fin de la famille ». Ils ont observé que la proximité entre les unités familiales restait grande, que la décohabitation n'entraînait pas mécaniquement l'affaiblissement des relations entre les membres de la famille, ni la dissolution des liens affectifs : les relations entre les générations se perpétuent lorsque les enfants adultes ont quitté le domicile de leurs parents. L'importance des transmissions patrimoniales chez les plus riches, des aides en nature chez les autres a été justement soulignée : dans 40 % des cas, le mariage est l'occasion de dons importants des parents aux enfants. À condition que les parents respectent scrupuleusement le mythe de l'indépendance absolue de leurs enfants, aides financières, échanges de services ou relations affectives, rencontres et échanges téléphoniques maintiennent des liens qu'on mesure plus mal, mais qui continuent à lier les générations « après le départ des enfants ». La parentèle permet de trouver un emploi, amortit les effets de la crise. Seule l'aide des frères, beaux-frères et cousins a permis que des salariés de niveau moyen puissent faire construire leur maison. Cette économie informelle, fondée sur les réseaux familiaux, médiatise les relations entre l'individu et la société.

On a ensuite célébré l'invention de rôles suscitée par la réélaboration des modèles familiaux et la formation de familles « recomposées ». Chaque enfant est susceptible de voir chacun de ses parents reconstituer un autre couple, avec un ou deux demi-frères ou sœurs, éventuellement un nouveau système de parentèle. Il peut apprendre ainsi à gérer des situations et des relations inédites et se former à la labilité nouvelle de la vie sociale. Les enfants et les jeunes couples ne sont d'ailleurs pas les seuls à inventer de nouvelles formes familiales. Les transformations du cycle de vie, liées aux progrès de la médecine et de l'hygiène, contribuent aussi à les redéfinir. Les grand-mères actives de 50 ans n'ont plus comme mission essentielle d'aider leur fille et de transmettre à leurs petits-enfants les souvenirs d'un monde disparu. On a souligné le rôle de la génération des « jeunes retraités », actifs et en bonne santé, dotés d'un fort pouvoir d'achat, disponibles pour entretenir la vie sociale, associative et familiale.

On interprétait d'autre part la fragilité apparente de la famille par les exigences d'authenticité, l'inflation des espoirs de bonheur que les individus lui accordent. On a remarqué que l'infidélité est devenue une cause de rupture des couples, mariés ou non, alors que l'adultère ne remettait pas en question les liens du mariage fondés sur des normes religieuses et sociales communément admises.

> Fréquent, accepté, normal, le divorce apparaît de plus en plus comme l'exutoire des tensions familiales. En poussant un peu plus loin le paradoxe, on pourrait dire qu'il est signe de santé de l'institution familiale [1].

L'évolution de la famille a fait ainsi l'objet de lectures successives et concurrentes. Les pessimistes voyaient la fin d'une institution qui, malgré ses défauts, protégeait les faibles et assurait la socialisation et la transmission de valeurs essentielles, les autres célébraient l'innovation et l'authenticité. L'interprétation doit tenir compte de cette double dimension.

D'une part, la délocalisation entraîne malgré tout un affaiblissement des liens quotidiens. Si l'on peut définir le « ménage, au sens de l'I.N.S.E.E., comme « l'ensemble des personnes, quels que soient les liens qui les unissent, qui habitent une unité d'habitation privée, c'est-à-dire un local séparé et indépendant », la

---

1. M. Segalen, *Sociologie de la famille*, Armand Colin, 1981, p. 145.

diminution du nombre des membres constituant les ménages réduit l'intensité des échanges quotidiens avec tout ce qu'ils impliquent de chaleur, d'habitudes et de conflits. Les rapports entre membres de la famille perdent de leur spécificité, ils se rapprochent des relations amicales, soumises au rythme et aux exigences de la vie professionnelle. Les membres de la famille « délocalisée » maintiennent des relations régulières ; au cours de leurs rencontres, ils limitent les sujets de discussions qui pourraient provoquer des affrontements [1]. On peut voir dans cette sérénité un progrès, on peut aussi l'interpréter comme l'affaiblissement de la spécificité des liens et des relations familiales.

D'autre part, la précarité des alliances, la multiplication des familles monoparentales, l'étroitesse des fratries — dont les effets se multiplieront d'une génération à l'autre — réduisent les réseaux de relations croisées, qui s'établissaient progressivement autour du couple conjugal permanent. Les « grandes familles » se transmettent d'une génération à l'autre un capital cumulé de relations sociales. Les familles « recomposées », en revanche, doivent aussi retrouver un mode d'insertion sociale et ne peuvent compter de la même manière sur les échanges stables, que renforce, de manière cumulative, chacun des membres de la famille. Il n'est que de constater la faiblesse de l'inscription dans l'espace social des familles monoparentales. Par sa permanence, le mariage donnait lieu au maintien d'un réseau plus large et plus durable de relations que le couple.

Les enquêtes sur lesquelles reposaient les analyses montrant la force des liens familiaux après le départ des enfants adultes concernent les parents encore jeunes et leurs enfants récemment mariés, c'est-à-dire une période du cycle de vie où les échanges entre les générations sont équilibrés. Selon leur niveau de revenus, les parents aident matériellement par des dons financiers ou des services en nature (comme la garde des petits-enfants), ils reçoivent en échange l'affection de leurs enfants et petits-enfants. Mais, lorsqu'il s'agit de la génération qui, ayant dépassé le « troisième âge », n'est plus susceptible d'entrer dans ce système

---

1. O. Bourguignon, in L. Roussel, *La Famille après le mariage des enfants,* I.N.E.D./P.U.F., 1976, p. 146.

d'échanges, la situation change. 10 % des individus de plus de 75 ans sont aujourd'hui dans une institution spécialisée. L'exiguïté des logements dans les villes, le travail professionnel des femmes empêchent qu'elles continuent à entretenir, de manière gratuite, les membres malades ou âgés de la famille. L'indépendance financière assurée par les retraites justifie la dissociation de la solidarité entre générations. La solitude des personnes âgées s'accroît dans les régions urbaines. On tente de réorganiser de manière administrative une sociabilité familiale en faisant « adopter » des grand-mères par des familles qui n'en ont pas ou en fondant les clubs du troisième âge.

De même, les individus sont inégalement susceptibles, après un divorce, de « recomposer » une famille. Le remariage des femmes après un divorce est toujours moins fréquent que celui des hommes : tout se passe comme si ces derniers bénéficiaient, pour des raisons à la fois biologiques et sociales, de deux marchés matrimoniaux successifs. Lorsqu'un couple se sépare, celui qui a le status le plus modeste risque de rester seul. Certes, l'accroissement du nombre des ménages d'une seule personne n'implique pas, dans tous les cas, la véritable solitude. C'est pourtant l'expérience que connaissent beaucoup d'entre eux, en particulier les femmes d'un certain âge, victimes du divorce qualifié « à l'ancienne », les veuves sans enfants ou dont les enfants sont géographiquement ou moralement éloignés, et même les jeunes femmes célibataires de haut niveau culturel, qui organisent des formes de sociabilité comme les « clubs de femmes diplômées », pour compenser leur solitude. L'exemple de l'abandon dans lequel vivent des femmes sans profession, divorcées après plus de vingt ans de vie conjugale, dont le status dépendait entièrement de celui de leur mari, qui, désormais dépourvues de ressources financières ou symboliques, ne peuvent rien apporter à leurs enfants, démontre que l'intégration familiale, malgré l'idéologie du sentiment qui domine le monde social de la famille, n'échappe pas à la logique de l'intégration par la participation active.

Il ne faut pas non plus sombrer dans un optimisme quelque peu naïf, en voyant dans les familles dites « recomposées » un lieu privilégié pour que l'enfant apprenne de nouveaux rôles, fasse l'expérience des négociations, des compromis et des manipulations propres à la vie sociale. D'abord, plus de la moitié des enfants de parents divorcés, massivement confiés à leur mère, voient leur père moins d'une fois par mois. Mais, surtout, les individus sont inégalement aptes à réélaborer des modèles familiaux. Certains, par leurs caractéristiques personnelles ou par leur socialisation, sont effectivement susceptibles d'apprendre à faire de l'invention une forme de tradition. Réclamant d'être les acteurs responsables de leur histoire familiale et d'inventer des moyens nouveaux d'être heureux ensemble, des hommes et des femmes peuvent trouver dans leur relation le lieu privilégié de l'innovation et de la liberté. Mais d'autres ont besoin d'apprendre et de respecter des règles, de savoir avec certitude comment ils doivent se conduire dans les étapes successives du cycle de vie. Ils trouvent dans cette conformité la protection et le réconfort, faute desquels ils risquent de se retrouver désocialisés. C'est pourquoi l'intensité de la vie familiale chez beaucoup d'émigrés, soucieux de transmettre à leurs enfants les normes traditionnelles selon lesquelles eux-mêmes ont été élevés, si elle apparaît pour les plus modernes, en particulier pour les filles, comme une forme de tyrannie, peut aussi constituer, pour les moins entreprenants, un soutien et un réconfort.

Peut-on pour l'ensemble de la société remplacer les institutions, ou système d'obligations collectives, par des « pactes d'alliances privés », pour reprendre la formule de Louis Roussel, alors que l'humanité de l'homme tient précisément à ce qu'il a élaboré des normes pour régler les pratiques de l'alliance et de la filiation? La multiplicité des formes conjugales et leur précarité ne signifient pourtant pas l'absence de toute norme et de toute obligation. Ce n'est pas seulement le remariage qui est, selon la formule d'A. Cherlin, une institution incomplète, l'ensemble des modèles familiaux sont désormais « incomplets », multiples et incertains. Le concubinage comporte aussi ses normes et ses obligations, mais il ne constitue plus, comme le mariage, un modèle unique. L'incertitude sur les manières de respecter ou d'inventer des modèles de comportements familiaux n'apporte pas la même stabilité sociale.

À l'intérieur de la famille, on échange de l'affection, mais aussi des status positifs, comme dans toutes les relations sociales. Les plus faibles — les femmes, les vieux, ceux dont le status est modeste ou négatif — risquent de connaître la désintégration, dont témoigne, dans le cas des personnes âgées, la nécessité d'élaborer des «politiques de la vieillesse». La vie familiale n'échappe que partiellement aux règles des échanges économiques et symboliques et à l'invention de rôles qui caractérisent la vie économique. La famille compense parfois, mais pas toujours, les conséquences ou les injustices de la compétition sociale.

Les formes que prend l'intégration familiale sont révélatrices : l'intégration par l'élaboration de nouveaux modèles de comportement plutôt que par conformité à des normes déjà existantes a pour effet — même dans la famille — de mieux intégrer les individus les plus actifs ou les plus doués, par leurs caractéristiques personnelles et sociales, et d'intégrer moins bien les plus modestes.

Les formes familiales, multiples et éclatées, ne constituent plus des modèles auxquels les populations marginales pourraient se conformer. Pour les jeunes issus de familles émigrées, en particulier, elles rendent difficile la nécessaire rupture avec les mœurs traditionnelles. Elles entretiennent le sentiment de la supériorité morale des parents, le sentiment du danger de la vie moderne, elles dramatisent les processus d'acculturation.

La famille, le local et le social

Le voisinage, les relations amicales et la participation à la vie associative ont avant tout pour effet de renforcer les formes d'intégration déjà acquises par l'activité professionnelle, par les liens et les échanges familiaux. Les actifs exerçant un emploi sont aussi les plus susceptibles de participer aux autres dimensions de la vie collective. Les isolés, eux, ont plus de probabilité de se retrouver au chômage et de connaître, à cette occasion, une épreuve particulièrement douloureuse.

Les couples entretiennent plus de relations de voisinage que les personnes seules, la présence d'enfants accroît les relations avec les voisins; les ménages qui comprennent une femme au foyer, quel que soit leur niveau social, ont moins de relations avec leurs voisins que les ménages composés de deux actifs : dans tous les cas, les liens de voisinage sont liés à une participation sociale active et à une bonne insertion familiale. Dans les milieux urbains, à l'exception des employés, particulièrement isolés, les relations de voisinage sont d'autant plus intenses que le niveau social est plus élevé : quel que soit le mode de logement (le pavillon est plus favorable aux relations de voisinage que le logement collectif), on retrouve la même hiérarchie : les cadres supérieurs « voisinent » plus que les membres des catégories intermédiaires, et ces derniers plus que les employés ; les ouvriers qualifiés ont plus de relations de voisinage que les ouvriers non qualifiés [1].

En ce qui concerne les relations amicales, les indicateurs vont dans le même sens. La sociabilité la plus forte des hommes culmine autour de 40 ans, quand les échanges avec les collègues de travail sont les plus intenses. Elles le sont d'ailleurs d'autant plus que le niveau social est plus élevé. Quand l'âge augmente, elles se restreignent aux enfants et aux petits-enfants, et cela d'autant plus que le niveau social est plus modeste. Les sociologues de la famille y voient la preuve du rôle important que joue cette dernière ; on peut aussi y lire l'isolement accru des plus vieux. La retraite, à l'occasion de laquelle les catégories les plus modestes voient diminuer toutes les formes de relations, montre bien que le voisinage et les relations amicales tendent à renforcer l'intégration des individus déjà intégrés ou, selon la formule consacrée, que « les relations vont aux relations ».

On a assisté depuis les années 1970 à un énorme développement de la vie associative. Entre 1978 et 1986, de 42 % à 48 % des Français ont participé à une association. Mais cet essor quantitatif prend des sens différents. Aux clubs de pétanque ou aux fanfares des milieux populaires, aux organisations militantes (syndicats, mouvements de femmes) ont succédé deux grands types d'associations. Les premières, animées et fréquentées par les catégories moyennes intellectuelles, utilisant les équipements culturels (maisons de la culture ou théâtres) et sportifs (le tennis, en particulier) mis en place par les pouvoirs locaux, donnent à leurs adhérents une forme nouvelle de participation à la vie locale. Ces militants, parmi lesquels dominent enseignants, animateurs cultu-

---

1. Fr. HÉRAN, « Les relations de voisinage », *Données sociales*, I.N.S.E.E., 1987, pp. 326-337.

rels, architectes, urbanistes ou travailleurs sociaux, s'efforcent ainsi d'affirmer, dans des conditions variables selon les scènes locales, une identité collective. Dans les quartiers étudiés par le programme sur le changement social, « les nouvelles couches moyennes ont un quasi-monopole sur la vie associative » [1]. Les autres associations se consacrent à la gestion du secteur « social » : organisations de vacances, aide aux jeunes, aux migrants, aux chômeurs, aux handicapés. Depuis 1964, le Fonds de coopération de la jeunesse et de l'éducation populaire (Fonjep) organise la cogestion et la coopération entre les pouvoirs publics et ce secteur associatif qui prend en charge l'action sociale dans les domaines de la jeunesse et de l'éducation populaire. Ces associations — 4 000 animateurs, dont les salaires sont, au moins partiellement, assurés par les pouvoirs publics — ont un rôle de prestataires de services et traduisent une volonté de l'État de déléguer une partie de ses tâches. Leurs responsables appartiennent aux mêmes catégories sociales que les autres participants de la vie associative : anciens militants politiques, ils ont désormais investi l'action sociale. Leur activité, là encore, risque de transformer en clients passifs ceux dont ils s'occupent, sans leur donner les moyens de participer activement à la vie collective. Responsables et adhérents des associations appartiennent aux catégories de niveau culturel et professionnel moyen ou élevé. Ils disposent le plus souvent d'un emploi stable. Mis à part les femmes actives des catégories supérieures, les hommes y jouent un rôle prépondérant. Les relations suscitées par la vie associative viennent renforcer les réseaux de relations informelles que créent, parmi les catégories moyennes, la proximité spatiale et surtout sociale et les intérêts communs [2]. Par les associations encore se trouve renforcée la participation sociale de ceux qui sont déjà intégrés.

Au cours des dernières années, les quartiers ouvriers, tels que les avait décrits Hoggart, où les individus partageaient le même mode de vie, le même système de valeurs concrètes qui donnaient

1. O. Benoît-Guilbot, « Quartiers-dortoirs ou quartiers-villages », in *L'Esprit des lieux, op. cit.,* p. 272.
2. R. Cabannes, « Les associations créatrices de la localité », *ibid.,* p. 214.

lieu à des pratiques communes et à une complicité profonde, conférant un sens au destin individuel et familial, ont disparu. Cette solidarité avait aidé la survie des ouvriers au cours de la première période de la société industrielle. Dans les grandes banlieues décomposées d'aujourd'hui, où se mêlent des catégories diverses, que l'action des travailleurs sociaux tend à atomiser et qui ne sont plus organisées par la culture ouvrière traditionnelle, les jeunes, réduits à la « galère », ne disposent plus de modèles de comportements et du système de valeurs susceptibles d'organiser leurs conduites. La sociabilité ouvrière est en retrait, c'est parmi les membres des nouvelles couches moyennes que le voisinage suscite et entretient des relations.

La variable locale n'est pas sans influence sur les comportements. Il existe une réinterprétation locale des différences de classe, un effet de la localité elle-même sur les modes de participation sociale. Les mêmes associations de classes moyennes s'articulent de manière différente sur des scènes locales définies par leur histoire, leur composition professionnelle et leur représentation politique. Le vote des ouvriers n'est pas le même, selon qu'ils sont installés dans un quartier à dominante ouvrière ou dans un quartier où se mêlent des catégories sociales diverses. Les comportements des cadres changent aussi en fonction de la taille et de la composition sociale de la commune où ils sont installés. Mais la seule proximité dans l'espace ne suffit pas pour que s'instaurent des relations entre des individus appartenant à des catégories sociales différentes. Dans les grands ensembles, où résident des individus dont les ressources financières sont proches, mais qui sont à un moment différent de leur trajectoire sociale, le voisinage ne permet pas d'établir de véritables échanges[1]. Ce sont les individus fortement intégrés par leur activité professionnelle qui établissent des relations intenses avec leur voisinage : c'est au nom de leur « enracinement local » que des cadres de grandes entreprises (E.D.F., Télécom, Elf) justifient leur refus de quitter la région[2]. Mais le voisinage n'entraîne de véritables

---

1. J.-Cl. CHAMBOREDON, M. LEMAIRE, « Proximité spatiale et distance sociale », *Revue française de sociologie*, 11, 1, 1970, pp. 3-33.
2. R. SAINSAULIEU, *op. cit.*, p. VII.

échanges que pour ceux qui ont quelque chose à échanger. L'auto-nomie de la variable locale apparaît faible : le voisinage ne com-pense pas la faiblesse de l'intégration par l'activité professionnelle et la vie de famille. La présence dans un environnement sociale-ment homogène ajoute ses effets propres à l'intégration déjà obte-nue par ailleurs. L'effet du « local », tel qu'on peut le saisir à travers les échanges de voisinage et la vie associative, se fait sen-tir, parmi les couches moyennes, à l'intérieur d'un milieu déjà constitué et déjà intégré.

« SOCIÉTÉS RELIGIEUSES » ET « SOCIÉTÉS POLITIQUES »

Durkheim avait établi que

le suicide varie en raison inverse du degré d'intégration de la société religieuse, le suicide varie en raison inverse du degré d'intégration de la société domestique, le suicide varie en raison inverse du degré d'intégration de la société politique[1].

Pluralisme nouveau des références religieuses, affaiblissement du rôle intégrateur de l'Église comme institution nationale et tendance à des formes de recompositions religieuses, proches par les modes de croyance et d'appartenance : la religiosité moderne combine, on l'a vu, une forme de déisme et l'appar-tenance spontanée à des groupes faiblement institutionnalisés. Les individus se joignent librement à des mouvements religieux, de manière intense mais souvent provisoire. Si l'Église « socia-lise d'autant mieux que le corps de doctrine est plus vaste et plus solidement constitué »[2], aujourd'hui, dans les « sociétés religieuses » — puisqu'il faut désormais mettre le pluriel —, aussi, l'intégration est le produit de la participation active des individus plus que de l'adhésion à un système de normes insti-tutionnalisées.

1. E. Durkheim, *Le Suicide*, éd. citée. p. 222.
2. *Ibid.*, p. 159.

Les « grands débats » politiques

Quel effet ont sur l'intégration nationale les nouvelles formes de la « société politique » ? Continuent-elles à entretenir le projet politique constitutif de la nation ?

Les travaux de Serge Bonnet sur les émigrés en Lorraine ont démontré combien, dans une région de frontière, les conflits avec l'« ennemi héréditaire », puis l'expérience de la guerre de 1914 avaient attaché les émigrés à la France. Ceux qui avaient été mobilisés avaient connu la fraternité née du combat commun. Les familles des morts, ensuite, avaient eu besoin de croire à la valeur de la guerre : on a vu dans les intérieurs des hommes du fer italiens de Lorraine ou dans ceux des mineurs polonais du Nord les médailles militaires accrochées au mur avec les photographies des fils disparus. Aujourd'hui, la nation n'entretient plus l'idée d'ennemis extérieurs. La politique de défense collective fondée sur la stragégie atomique, trop savante pour être comprise du citoyen ordinaire, ne provoque pas les mêmes sentiments simples. Or l'hostilité contre l'ennemi a toujours constitué le meilleur ciment de l'unité nationale. Dans une enquête européenne réalisée en 1981, Jean Stoetzel avait établi que 43 % des Européens se déclaraient prêts à se battre pour défendre leur pays, 40 % déclaraient le contraire et 17 % n'émettaient pas d'opinion. Les interviewés situés politiquement à droite, les plus actifs, les plus religieux, ceux qui affirmaient l'adhésion à des valeurs « traditionnelles », ceux qui se déclaraient les plus « heureux » étaient plus susceptibles de déclarer qu'ils étaient prêts à défendre leur pays[1].

Le discours du patriotisme est évidemment en déclin. Il est toutefois impossible de dire, à partir de sondages d'opinion, si la valeur accordée à la nation est inférieure à ce qu'elle était ; la signification des discours est dans ce cas faible. Comment réagiraient effectivement les nations européennes, si elles étaient

1. J. Stoetzel, « Defeatism in Western Europ : Reluctance to Fight for Country », *in* M. Dogan (éd.), *Comparing Pluralist Democracies*, Bouldner et Londres, Westview Press, 1988, pp. 168-180.

confrontées à une menace extérieure qui mettrait en jeu leur existence? L'expérience de la guerre de 1914 montre que les opinions ne permettent pas de prévoir ce que seront les comportements.

La société politique, traditionnellement plus divisée en France que dans les autres démocraties européennes, avait eu un rôle intégrateur. Les grands conflits idéologiques qui ont déchiré la conscience politique jusqu'à la fin de la Seconde Guerre mondiale ont contribué à développer la conscience politique des émigrés. Les revendications nationalistes ont aussi joué leur rôle : si l'armée, par l'intermédiaire du service militaire obligatoire, a effectivement participé à l'acculturation des enfants d'étrangers, c'est que l'autorité militaire leur imposait de respecter des modèles de conduite, c'est aussi qu'elle avait été chargée d'entretenir le patriotisme et l'idée de revanche.

Aujourd'hui, l'accord est quasi général autour de l'acquis révolutionnaire et de ce qu'on peut appeler les valeurs de la social-démocratie : économie de marché avec un large secteur public, attachement aux formes de la vie parlementaire et unanimité autour des droits de l'homme, protection sociale étendue. Ce consensus est sans doute moins intégrateur que la lutte épique entre la France et l'Allemagne, que le conflit entre les républicains, héritiers de la Révolution, et les partisans de l'Ancien Régime, entre les laïcs et les catholiques, entre les communistes et les libéraux, entre deux conceptions du monde social. La dernière grande bataille idéologique, autour du communisme, qui, depuis 1945, avait remplacé le débat sur l'interprétation de la Révolution, est achevée. Les discussions autour du niveau des transferts sociaux ou des frontières entre le secteur privé et public, difficiles et techniques, sont moins susceptibles de mobiliser les énergies et les passions. Si les Français ont, semble-t-il, une réaction ambiguë devant la fin des débats idéologiques, c'est sans doute qu'ils ont conscience du rôle intégrateur qu'ils ont joué.

Seul le problème des « immigrés » suscite des affrontements de nature politique autour de l'identité nationale, mais il n'a pas le caractère universel des « grands débats » précédents. Il révèle plutôt la décomposition d'une scène politique, qui était organisée autour d'un enjeu politique, le degré de libéralisme économique et de protection sociale compatible avec l'efficacité économique et la liberté politique ou, en d'autres termes, les formes du compromis entre le libéralisme et l'État social : les partis de gauche prônaient l'extension du secteur public dans l'ordre économique (par les nationalisations d'entreprises) ou social (accroissement des interventions de l'État et des transferts), alors que, dans leur programme, sinon dans leur pratique, les partis de droite construisaient l'Europe autour d'un projet économique libéral.

La faveur marquée par l'opinion pour la « cohabitation » d'un président de la République socialiste et d'un Premier ministre R.P.R. entre 1986 et 1988, l'augmentation, au cours des élections des années 1988-1989, du taux d'abstention dans tous les types d'élections [1], du vote pour le Front national depuis les élections européennes de 1984 et pour les écologistes depuis les municipales de 1989 révèlent également la désorganisation de la scène politique. L'abstention augmente quand l'enjeu n'apparaît pas clairement, quand l'identité partisane est brouillée. En France, contrairement aux États-Unis, la participation électorale a toujours été l'expression privilégiée de la pratique démocratique. Les écologistes, quand ils ne masquent pas un mouvement pacifiste, apportent un utile contrepoint à la domination du marché et aux ambitions et projets des technocrates, mais ils ne présentent pas une option politique. La montée du Front national, comme celle des écologistes, traduit, entre autres significations, une volonté anti-institutionnelle, le refus des règles du jeu parlementaire, qui s'était établi entre les quatre principaux partis politiques. Les électeurs, en votant pour le Front national, expriment le rejet de l'« establishment », des institutions parlementaires et des pratiques de la vie publique. La nouvelle mobilité des électeurs, adoptant selon le type d'élection, d'une élection à l'autre, ou même d'un tour à l'autre, des votes « aberrants » en fonction de la logique des politologues, le rôle accru des personnalités dans les élections locales montrent que les quatre grands

---

1. Même si les élections européennes ont constitué le dixième scrutin en quinze mois, elle peut être expliquée partiellement par les enseignements de la sociologie électorale, comme le remarque G. GRUNBERG *in* « La grève des urnes », *Esprit*, mars-avril 1989, pp. 124-132.

partis n'organisent plus les opinions politiques et les comportements électoraux.

Le vote pour le Front national n'est pas seulement un vote de
protestation extrême contre les institutions politiques, comme
l'est, d'une autre manière, celui des écologistes. On peut aussi
l'interpréter comme un retour du politique, refoulé par ce qui
apparaît aux électeurs comme un consensus entre le Parti socialiste et la droite modérée. Ni l'U.D.F. ni le R.P.R. ne songent
à remettre en question les valeurs de la social-démocratie ou les
institutions de l'État-providence. Le coût électoral de la suppres-
sion de l'impôt sur les grandes fortunes les a d'ailleurs convain-
cus de ne plus faire appel à une idéologie ouvertement «libérale».
Le Parti socialiste, de son côté, se soumet aux nécessités de la
gestion économique. Lorsque la droite gouvernait, le P.S. pouvait maintenir le rêve d'une «autre politique» et canaliser l'opposition au gouvernement. La droite, aujourd'hui, n'incarne pas
une alternative crédible à la politique menée par le gouvernement. Seul à faire référence aux valeurs de droite (libertés, sécurité, propriété) et à s'interroger sur le sens du projet collectif,
que traduit l'obsession de l'«identité de la France», le parti de
M. Le Pen incarne la seule véritable opposition politique — dont
témoigne la violence de ses discours [1].

Le parti lui-même est divisé entre des militants, religieux fondamentalistes, de sensibilité nationaliste, et des adeptes nostal-
giques de l'ordre européen, inspirés par l'idéologie païenne et
«indo-européenne», qui font une critique virulente de la «civilisation judéo-chrétienne». Cette division rend difficile au parti d'en
appeler trop ouvertement à l'idée nationale. Mais, depuis que
le R.P.R. et le P.C., qui, jusqu'à 1982, se posaient en défenseurs
de la nation française, se sont ralliés au consensus ambigu autour
de l'Europe, les électeurs de sentiment nationaliste, craignant
les effets économiques du marché unique et, plus généralement,
habités de la peur sur leur situation sociale, sont susceptibles de
voter pour le Front national. Selon un indice d'adhésion à
l'Europe, plus de la moitié des électeurs du Front national obtien-

---

1. N. MAYER et P. PERRINEAU, *Le Front national à découvert*, Presses de la Fondation
nationale des sciences politiques, 1989.

nent la note la moins élevée, refusant tout transfert de compétence au profit des institutions communautaires[1]. M. Le Pen nourrit ces peurs et les manipule, en faisant appel sans répit dans ses discours à la nécessité de la « sécurité » et au danger que constituent les émigrés. Le thème de la xénophobie, toujours populaire, en particulier dans les classes modestes — bien qu'issu de tous les groupes sociaux, l'électorat du parti de M. Le Pen est plus populaire que celui de la droite modérée — confrontées aux difficultés quotidiennes de la cohabitation de populations différentes, traduit aussi l'angoisse d'une partie de la population devant ce qui apparaît comme la fin de la dimension et des valeurs nationales.

La décomposition du communisme ne signifie pas seulement le déclin d'un parti organisé pour prendre le pouvoir à l'intérieur d'une stratégie internationale. Depuis 1947, le Parti communiste, appuyé sur les syndicats et les organisations annexes et spécialisées qu'il contrôlait, a eu un rôle de stabilisateur social, en encadrant les populations ouvrières autour d'un projet politique et d'un système de perception du monde social. Le nombre des ouvriers des grandes industries lourdes, parmi lesquels le P.C.F. et la C.G.T. recrutaient leurs gros bataillons, ne cesse de décliner. Les grèves générales organisées par les grandes centrales syndicales, à dimension politique, sont remplacées par des conflits limités et professionnels. Le Parti socialiste ne joue pas le même rôle auprès des nouvelles populations ouvrières. Ses militants appartiennent majoritairement aux classes moyennes salariées, tout particulièrement celles qui sont en mobilité sociale ascendante. Il est vrai que tous les militants de parti sont normalement d'un niveau plus élevé que la population dans son ensemble. Mais cet « embourgeoisement », dans le cas du Parti socialiste, s'accroît : 25 % des militants en 1973 étaient issus des catégories élevées et moyennes, 65 % en 1985[2]. La forte proportion, parmi eux, de fonctionnaires, en particulier d'enseignants (26 % du total), ne les dispose pas à intervenir pour former et

---

1. Ph. HABERT, « Les élections européennes, le temps des mutations », *Commentaire*, n° 49, printemps 1990, p. 28.
2. H. REY, Fr. SUBILEAU, « Les militants socialistes en 1985 », *Projet*, mars-avril 1986, pp. 19-34.

contrôler les populations mal socialisées, dispersées dans les grandes banlieues, désorganisées par la désagrégation de la culture ouvrière, qu'avaient entretenue un mode de vie spécifique et l'action du Parti communiste.

Le rôle de la société politique n'a pas disparu pour autant. Les années récentes ont mis en lumière que l'entrée dans la vie politique locale et même nationale peut constituer une étape significative du processus d'intégration des enfants d'immigrés. La conscience politique et le militantisme sont plus élevés parmi les jeunes d'origine immigrée. Les plus militants d'entre eux, rappelons-le, se sont d'abord manifestés dans le monde politique en menant la Marche des beurs en décembre 1983, au nom de leur origine. Mais, par la suite, leur action a été fondée non sur leur « ethnicité », mais sur les principes et les règles universelles du fonctionnement politique français. C'est ainsi qu'il faut comprendre la politique menée par France-Plus pour que les jeunes issus de l'émigration s'inscrivent sur les listes électorales, puis entrent dans les partis politiques (du P.S. au R.P.R.) et, finalement, se fassent élire sur les listes municipales et européennes en 1989. Il existe, selon France-Plus, 506 Français d'origine maghrébine (sur 2 000 candidats) dans les conseils municipaux, qui s'efforcent de mener une politique non pas « ethnique », mais « générale ». L'association est plus souvent formée de Kabyles que d'Arabes, mais ils n'agissent pas en tant que tels. Après une période de réticence — à une époque où les enquêtes montraient combien la naturalisation de leurs enfants pouvait apparaître aux pères, qui avaient vécu le combat pour l'indépendance contre l'armée et le pouvoir français, comme une trahison —, on a constaté une modification de leur attitude. Le rôle de plus en plus politique de S.O.S.-Racisme, ses liens bien connus et établis avec le P.S., puis, après une semi-rupture avec le P.S., avec les écologistes, montrent que, pour ses militants issus de l'immigration, la participation à la vie politique devient l'une des étapes de l'intégration, sur le mode non ethnique, traditionnel dans l'« intégration à la française ». De son côté, France-Plus évoque la tradition républicaine dans le plus pur style de la IIIᵉ République :

Nos valeurs, ce sont celles de la Révolution française. Nos valeurs, ce sont les valeurs de la laïcité. Nos valeurs sont les valeurs de la démocratie. Nous y adhérons totalement. C'est ça pour nous. Nous adhérons à un système de valeurs qui est d'ailleurs un système universel, qui n'est plus aujourd'hui le propre de la France puisque beaucoup de peuples se sont inspirés de ce mouvement [1].

Les deux associations principales accueillent tous les militants, revendiquent l'égalité des droits pour tous, la lutte contre le racisme, le principe de l'égalité, ils n'ont pas de revendication particulariste. Cela ne signifie pas que les uns ou les autres ne « jouent » pas de leur origine, qu'ils n'essaient pas de la négocier au mieux de leurs intérêts personnels et collectifs à l'intérieur des partis existants. Tout au contraire, c'est précisément leur origine (d'Algérie ou des Antilles) qui donne son prix à un engagement revendiqué comme « universel ». Mais elle ne constitue qu'un des arguments dans leur stratégie, l'un des éléments de leur position personnelle, comme le sexe ou l'appartenance sociale. La revendication « particulariste » se fonde sur des principes universels. C'est au nom des droits de l'homme qu'ils réclament la construction de mosquées. D'où les discours oscillant entre l'affirmation des spécificités et l'invocation des valeurs universelles, celles de la tradition nationale, d'un côté, et, de l'autre, celles de l'internationalisme, des rencontres et des brassages de culture :

Ce qui est bien en France, c'est qu'il n'y a pas qu'avec les Français d'origine, je peux aussi bien discuter avec un Français de pure souche qu'avec un Arabe étudiant qui arrive en France, parce qu'il y a quand même un point de rencontre [...]. La France a reçu tous les courants au niveau littéraire, artistique, musical. C'est ce qui en fait un pays où tous les courants d'idées, de religion peuvent être acceptés, parce que je crois ils ont acquis, à travers tout ça, une originalité propre [2].

---

1. A. DAHMANI, témoignage devant la Commission de la nationalité in *Rapport*, t. I, p. 474.
2. Extrait d'entretiens cités par R. LEVEAU et D. SCHNAPPER, art. cité, p. 129.

On retrouve, dans le langage du temps, l'idée, cultivée depuis la Révolution, de la France, patrie de l'universel. Mais le discours de l'internationalisme et du relativisme culturel est-il aussi intégrateur que les affirmations patriotiques? L'affirmation de la valeur des différences a-t-elle le même effet que l'appel à l'unité?

L'islam, pour s'inscrire dans la tradition politique en France, doit être réinterprété comme une religion, au même titre que le catholicisme ou le protestantisme. Les enquêtes sur les jeunes Français d'origine maghrébine montrent que cette évolution est déjà acquise. Ils ne voient pas de contradiction entre le respect de l'islam et toutes les formes de participation politique, qu'il s'agisse de l'adhésion et de l'activité syndicales, de l'inscription sur les listes électorales, du militantisme partisan, de l'exercice du droit de vote ou de la candidature aux élections. Depuis les enquêtes de 1985, l'évolution est, d'ailleurs, rapide. Ayant intériorisé que l'islam, religion comme les autres — qu'ils sont une très faible minorité à pratiquer —, n'interdit pas la participation politique sous toutes ses formes, l'élite des jeunes Français d'origine maghrébine est entrée de manière spectaculaire — même si c'est encore par la «petite porte» — dans la vie politique.

Il reste à se demander jusqu'à quel point les valeurs et les pratiques de la démocratie, au-delà des formules consacrées, sont profondément intériorisées. Il est difficile de donner des réponses formelles à ce genre de question. Ce qu'on peut constater, ce sont les réactions des jeunes d'origine maghrébine au moment de la répression des manifestations en Algérie, en octobre 1988, leur impossibilité de s'adapter au monde autoritaire de l'Algérie; c'est, plus généralement, que l'adoption des valeurs de la politique française est manifeste dans les discours et les comportements.

De nouvelles communautés?

Devant l'affaiblissement ou la remise en question des institutions nationales, le dérèglement du système des partis politiques au niveau national, dont témoigne, par exemple, l'indépendance de responsables locaux comme Alain Carignon ou Michel Noir à l'égard des directives de l'état-major parisien du R.P.R., faut-il penser que les références qui se multiplient soit à des patriotismes régionaux, soit à des «sociétés communautaires» particulières — la «communauté juive», la «communauté arménienne» —, au croisement de la vie religieuse et de la vie politique, constituent des instances nouvelles d'intégration collective? Qu'à l'intégration des individus par la participation aux instances nationales et l'adhésion à l'idéologie de l'État-nation succéderait désormais une intégration collective par les instances régionales et les «communautés» en tant que telles, qui modifierait l'«intégration à la française», c'est-à-dire par la nation?

Les solidarités entre les nouveaux immigrés ont toujours existé. Issus d'une même région, connaissant un destin social proche et un commun déracinement, les immigrés italiens ou juifs, pour ne pas parler des Polonais regroupés autour de leur Église et de leurs organisations, se retrouvaient, à leur arrivée en France, insérés dans des systèmes d'échanges et de solidarité. Mais ils ne prenaient pas la forme de communautés organisées, revendiquant une forme de reconnaissance politique. J'ai montré le sens des discours de la double appartenance que tiennent aujourd'hui volontiers les jeunes juifs, les jeunes musulmans ou certains petits-enfants d'immigrés arméniens, et de la référence à une identité que j'ai proposé de qualifier de «dormante» — qui se combine avec la participation de fait à la société française. Il ne s'agit pas d'une double «appartenance», mais d'une double référence. L'individu n'«appartient» pas à une culture, comme si elle existait en dehors de lui, il l'élabore. Elle n'est d'ailleurs pas nécessairement conflictuelle ou dramatique : on peut souhaiter concilier magiquement la chaleur et la solidarité de la communauté familiale, tout en bénéficiant de l'indépendance et de la liberté qui caractérisent la participation à la société moderne. La double référence n'implique pas, rappelons-le, qu'il y ait l'égalité entre les deux termes, ou la «bilatéralité des références» : les liens que gardent ou que retrouvent certains Français d'origine italienne ou algérienne avec le pays d'origine de leurs parents ou de leurs grands-parents ne sont pas sur le même plan que leur participation de fait à la société où ils sont installés. La multiplicité des références ou des appartenances n'implique pas qu'elles soient équivalentes. Les individus, participant pleinement à la vie de deux ou de plusieurs pays, restent rares et se sont toujours recrutés parmi les populations de niveau culturel élevé, qu'il s'agisse des aristocrates, des artistes de renommée mondiale ou, aujourd'hui, des responsables et cadres des entreprises multinationales.

Ce qui caractérise précisément certains enfants ou petits-enfants d'émigrés (beaucoup se déclarent français «comme les autres» et jugent que le passé familial n'a pas de sens pour eux, mais ils n'intéressent plus les sociologues), c'est justement la faiblesse ou l'absence de contenu objectif de la référence identitaire au pays d'origine, en même temps que la volonté de fidélité à ce que fut le passé de leur famille. L'identité ne se fonde pas seulement sur un contenu objectif, elle est aussi volonté et représentation : la représentation du Portugal (ou du village), de l'Algérie (ou du village, ou de la Kabylie), de l'Italie (ou plutôt du village, de la ville ou de la Sardaigne), la volonté de ne pas rompre avec le passé familial constituent des dimensions de l'identité. Les jeux que peuvent mener les individus entre des références et des adhésions variées sont nombreux et subtils et les enfants d'émigrés ajoutent aux jeux identitaires une dimension spécifique. Il s'agit d'un cas particulier des réélaborations des identités et des références, en quoi on peut voir une spécificité des sociétés modernes.

Les travaux menés sur les identités juives avaient déjà montré que les revendications identitaires appartiennent à deux types différents. Dans le premier cas, les individus, faute de pouvoir participer pleinement à la société, justifient cet échec en revendiquant une identité spécifique, faisant ainsi, pour parler simplement, de nécessité vertu. Pour les jeunes en état d'échec scolaire et social, les difficultés d'insertion sociale, en période de chômage, se trouvent ainsi justifiées ou sublimées par une revendication particulière ou une référence noble. Il ne s'agit pas de démontrer une différence objective, peu perceptible, mais d'exprimer une revendication non de refuge (comme le faisaient les parents), mais d'aspiration à la dignité, d'autant plus revendiquée, dans le cas des juifs et des musulmans, qu'elle se heurte à une image sociale dévalorisée et à l'hostilité des autres. On connaît la formule : «Je suis fier d'être juif, parce que, si je n'étais pas fier, je serais juif quand même.» Ce qu'elle traduit sur le mode plaisant ou mélancolique, c'est l'un des processus de la vie sociale : le retournement du sens du stigmate a toujours été un moyen d'affirmer sa propre dignité. Il est tentant, d'autre part, de justifier par l'identité musulmane ou juive les échecs sociaux plutôt que d'admettre ses propres insuffisances.

À côté de cette revendication, qu'on pourrait dire «par le bas», il existe une revendication des intellectuels qui, tout en participant à la culture et à la société globales, ajoutent à cette participation une référence symbolique, constituant l'un des éléments du jeu des recherches de status et des affirmations de soi.

Cette forme d'identité, à peu près vide de contenu, dans laquelle regrets, nostalgie et fidélité se substituent à l'existence, c'est celle qu'Alain Finkielkraut a décrite, à propos de la judéité, comme «imaginaire» [1]. Le qualificatif de «dormante» suggère qu'elle serait susceptible d'être réactualisée, si l'individu regagnait son pays d'origine — encore que l'expérience montre peu de cas de «retours» des jeunes qui ont été scolarisés en France. Seuls des Européens du Sud sont revenus en assez grand nombre dans le pays d'origine de leurs parents, depuis que l'Italie, l'Espagne et le Portugal sont devenus des pays «modernes» et que la nouvelle législation adoptée par l'Espagne et le Portugal en 1982 et 1983 favorise la double nationalité.

L'identité «dormante», l'identité «symbolique» des Américains ou «affective» des Canadiens, désigne l'identité spécifique d'Italiens, d'Algériens ou de Portugais de France (ou du Canada ou des États-Unis), dans le cas des migrants et, pour leurs enfants, de Français (d'Américains ou de Canadiens) d'origine italienne, algérienne ou portugaise : objectivement acculturés au pays dans lequel ils ont été socialisés, participant à sa vie collective, ne songeant pas (sinon sur le mode du fantasme, pour quelques-uns) à retourner dans leur pays d'origine, ils gardent pourtant avec la culture que leurs parents ont tenté de leur transmettre des liens qui peuvent se traduire par l'entretien d'une maison familiale (ou même l'achat de terres), par l'apprentissage de la langue des parents comme une langue étrangère, éventuellement pour les plus cultivés par le choix d'une discipline universitaire. Ils ont alors le même comportement que les juifs qui, ayant perdu toute

---

1. A. Finkielkraut, *Le Juif imaginaire*, Gallimard, 1981.

identité religieuse et nationale, deviennent, selon une ultime forme de fidélité à eux-mêmes et à leurs parents, historiens ou sociologues du judaïsme. Les comportements des Américains d'origine allemande et japonaise pendant les deux guerres mondiales ont d'ailleurs montré les limites de cette référence.

Ces concepts soulignent que les deux termes de la référence identitaire des enfants de migrants ne sont pas équivalents : l'un est celui de la réalité sociale, de la participation concrète et quotidienne à une société dont ils sont les membres, l'autre celui de la fidélité sentimentale et symbolique à une origine familiale, éventuellement vide de tout contenu positif, où la référence se substitue à l'existence objective.

Les plus conscients des jeunes enfants d'émigrés font d'ailleurs la même analyse et constatent non pas la réversibilité des références, mais le caractère mythique de la référence au pays d'origine.

> L'Algérie, ça représente ma famille. Mon pays, je ne le connais pas et pour ce qu'on dit de mon pays... [...] La France, c'est quand même un pays où moi j'ai vécu, où ma culture a été faite. Et puis on ne fera rien d'autre que ça, qu'on le veuille ou non [1].

> L'Algérie, pour ces enfants, c'est un double mythe, totalement, c'est comme on dit couramment de la littérature [...]. La France telle qu'elle est, on essaie de vivre avec les autres qui sont autour de nous [2].

Le caractère « mythique » de la référence algérienne selon l'interviewé, c'est, encore dans d'autres mots, l'expérience de la double référence, dont les termes appartiennent à un ordre différent. C'est d'ailleurs l'une des raisons pour lesquelles la double nationalité ne résout guère les problèmes identitaires. Le pôle « dormant » peut ne pas être définitivement évacué. L'exemple des juifs montre que les conditions historiques provoquent parfois des « retours », *a priori* surprenants. Le choix entre des identités diverses fait partie des privilèges de l'homme dans les sociétés

---

1. Extrait d'entretiens cités par R. Leveau et D. Schnapper, art. cité, p. 129.
2. *Ibid.*

modernes. Les Français, d'origine ou de pratiques juives, musulmanes ou arméniennes, ne font que révéler plus visiblement la multiplicité des références et la recherche des affirmations identitaires, spécifiques des sociétés modernes.

Les stratégies ou la mobilisation communautaires

Les références communautaires, comme d'ailleurs les références régionales, ne sont pas pour autant dépourvues de sens, elles sont l'un des éléments que mobilisent les individus dans leurs stratégies à l'intérieur des conflits, des rivalités et des accommodements propres à la vie sociale.

Les sociétés modernes, ouvrant formellement toutes les possibilités à tous, suscitant toutes les ambitions, ne peuvent pas ne pas susciter beaucoup de déceptions. Il existe un écart constant entre les aspirations et les succès inévitablement limités et provisoires. Les déçus d'une société fondée sur la valeur de la réussite matérielle adoptent des modes divers pour gérer leurs échecs.

Le renversement du sens des expériences vécues constitue l'un d'entre eux. Les jeunes qui sont au chômage peuvent l'interpréter comme un moment disponible pour la création artistique ou une période des vacances auxquelles les étudiants ont statutairement droit. Le temps négatif du non-travail professionnel peut ainsi devenir, pour ceux qui sont de niveau culturel élevé, le temps positif de la création ou de l'acquisition de la culture désintéressée. Les jeunes des milieux populaires, eux, ne peuvent que le tenir pour le temps obligé de la « galère », pendant lequel ils expriment leur « rage » et leur « désespoir ». Les populations disqualifiées, objets de la politique d'assistance, gardent pourtant la possibilité de retourner par le discours le sens de leur expérience vécue, ou, pour reprendre les termes de Goffmann, de retourner le sens du stigmate.

C'est ainsi qu'il faut comprendre l'un des usages sociaux de la référence identitaire ; elle permet de donner un autre sens aux expériences sociales, en invoquant des valeurs d'un autre ordre. La nouvelle valeur accordée à tous les particularismes, régionaux, ethniques ou religieux, peut être interprétée selon cette logique. L'*ethnicity* sous forme d'interrogation identitaire ou de participation à des instances ou à des manifestations « communautaires » n'est pas seulement une réaction à l'impersonnalité et à la rationalité des sociétés modernes, comme on l'analyse en général, c'est aussi l'un des moyens que les individus mobilisent pour gérer leurs échecs sociaux.

Rappelons les fonctions d'intégration des associations portugaises pour la génération des émigrés. Créées par des émigrés soucieux de maintenir et de transmettre leur identité collective et l'essentiel de leur culture d'origine, les associations sont progressivement devenues des lieux de médiation entre les générations et l'un des instruments de l'intégration des jeunes. Les responsables des nouvelles associations fondées depuis les années 1980, grâce à la libéralisation de la loi en 1981, scolarisés en France, sont conscients, contrairement à leurs parents, qu'ils ne retourneront pas au Portugal. Ils entendent désormais rivaliser en termes d'activité culturelle et intellectuelle avec les associations françaises, sur le modèle des organisations culturelles juives. C'est aussi le cas des Arméniens. Alors que les émigrés et leurs enfants avaient créé des associations selon les valeurs et les institutions d'origine, l'Église et les partis politiques issus de l'Empire ottoman du siècle dernier, ceux qui appartiennent à ce que Martine Ovanessian appelle la « quatrième génération » d'après le génocide ont une activité d'ordre culturel : langues, échanges avec l'Arménie soviétique, radios libres, théâtre, expositions de peinture, etc. De même, les associations fondées et animées par des jeunes d'origine maghrébine en mobilité ascendante (qui s'appellent eux-mêmes la « beurgeoisie ») ont pris place dans un espace public qui a cessé d'être organisé par les partis politiques. À partir d'une affirmation identitaire, les associations constituent de nouvelles formes de participation sociale.

La constitution d'une instance « communautaire » donne aussi une nouvelle occasion d'obtenir une forme de reconnaissance, aux uns parce que le cumul des reconnaissances est justifié par le sentiment profond qu'ils appartiennent à une culture particulière, aux autres parce qu'ils n'obtiendraient pas la même reconnaissance sur le plan général. La participation « communautaire » repose, en proportion variable selon les individus, sur l'altruisme et la recherche de valorisation et de gratification personnelles. L'exemple des intellectuels, qui s'adressent aux membres de leur « communauté » et créent ainsi un deuxième marché, duquel ils peuvent obtenir les formes matérielles et symboliques de reconnaissance, est à cet égard significatif. C'est dans le cas des juifs que ce système de négociations apparaît le plus clairement. Les uns ignorent le monde juif et participent à la vie intellectuelle nationale sans que leur judéité intervienne ni dans leur œuvre, ni dans leur carrière, ni dans leur public. Comme diraient les Américains, « they happen to be Jewish ». Pour les seconds, l'œuvre comporte une part de recherche ou de réflexion sur l'identité, l'histoire ou la condition juives. Ils s'adressent, selon les cas et les époques, à l'une ou à l'autre des deux instances. Leur judéité donne une dimension supplémentaire à leur position dans le monde intellectuel et à leur carrière. Les derniers, qui n'ont pas recherché ou pas obtenu de reconnaissance sur le marché national, deviennent des permanents du monde juif : enseignants des écoles ou des centres de formation, journalistes, employés des organisations, ils ne s'adressent qu'aux membres de leur « communauté », dont ils attendent rétribution matérielle et reconnaissance morale. Les stratégies professionnelles prennent en compte l'existence de ces deux marchés différents par leurs enjeux et leur système de récompenses. Chacun peut ainsi définir sa stratégie entre plusieurs marchés, négocier sur l'un la reconnaissance obtenue sur l'autre. Cet exemple particulier illustre la manière dont chaque individu, en fonction de ses ressources et des contraintes de la situation, peut affirmer une identité sociale, en rendant cohérentes les identités partielles qu'il a élaborées dans des champs différents.

De leur côté, les responsables de « communautés » obtiennent devant les instances nationales la reconnaissance d'une position, qui leur donne intérêt à faire admettre l'existence réelle de cette « communauté ». La référence à la « communauté arménienne » ou à la « communauté juive » n'est pas sans effet sur le status social de ceux qui s'en déclarent les représentants. Daniel Bell avait vu justement dans le retour de l'ethnicité aux États-Unis le résultat d'une affectivité et d'un intérêt. Je dirai plus largement que la référence communautaire intervient comme l'un des éléments mobilisés lors des conflits réels et symboliques entre les groupes. Les stratégies « communautaires », s'appuyant sur les interrogations identitaires, s'inscrivent à l'intérieur du système complexe des rivalités et des conflits, où s'opposent et s'allient les status et les identités des individus et des groupes.

L'émiettement des institutions qui fixaient les rôles des individus et leur identité laisse la place à l'autodéfinition et, par conséquent, à l'auto-interrogation. La participation des individus à l'activité commune, la multiplicité des sources de légitimité font exister des zones d'imprécision, lieux privilégiés où s'affrontent les identités collectives. Les conditions objectives de la vie commune sont effectivement en changement rapide. Mais, surtout, le principe et la valeur de l'autonomie comme source de légitimité conduisent à l'auto-interrogation des individus sur eux-mêmes. À partir du moment où s'effondrent les traditions, où l'individu se veut, au sens propre, auto-nome, on assiste inévitablement à l'interrogation sur soi et à l'émergence des questions existentielles. Moins les identités se définissent par un contenu objectif, moins elles sont reconnues par des institutions (ou moins les individus acceptent qu'elles soient reconnues par des institutions), plus elles sont interrogatives, plus elles se parlent. Moins la référence « communautaire » a un contenu objectif, plus elle se traduit par le discours sur l'identité. Comme le disait un interviewé, élevé dans le milieu juif polonais d'avant la Seconde Guerre mondiale :

« Je lis aujourd'hui des piles d'études sur le "Pourquoi suis-je juif ? Comment suis-je juif ?". Jusqu'à l'âge de 17 ans, je ne me suis jamais posé la question. On l'était comme on respire[1]. »

Les musulmans et les juifs non religieux ou, dans un tout autre ordre, les membres des professions intellectuelles élèvent au rang de l'affirmation de soi les discours et les interrogations identitaires. À partir du moment où l'authenticité est devenue la valeur première, où l'épanouissement personnel est le but recherché avant tout autre, où les idéologies narcissiques et hédonistes dominent les classes moyennes, on se trouve devant la situation que

---

1. Extrait d'entretiens cités par D. Schnapper, *Juifs et Israélites*, *op. cit.*, p. 5.

résume Daniel Bell : « Aujourd'hui la psychologie a remplacé la morale et l'anxiété a pris la place de la culpabilité. » La référence communautaire apporte l'une des réponses possibles à l'interrogation existentielle.

Les difficultés techniques que connaissent les démographes pour définir des sous-populations sont, comme toujours dans des enquêtes, révélatrices de la réalité elle-même : quels que soient leurs discours, les individus n'« appartiennent » pas à un groupe ou à une « communauté », juxtaposés à d'autres groupes et à d'autres communautés, ils s'identifient provisoirement à des groupes divers et variables, multiplient les rôles, les références et les identités. Suivant les situations sociales et les circonstances historiques, ils choisissent, en fonction du passé individuel ou collectif auquel ils s'identifient, l'une ou l'autre forme de référence et d'identité.

Ce n'est pas un hasard si — dans des ordres différents — la définition statistique des artistes, des juifs, des musulmans ou des protestants pose des problèmes insolubles aux sociologues utilisant les méthodes classiques de l'enquête quantitative. À partir du moment où les groupes ne se définissent ni juridiquement, ni religieusement, ni nationalement, les instruments statistiques précis, mais, par définition, grossiers, s'appliquent mal à des sous-populations qui s'affirment d'abord par leur volonté. La solution adoptée pour les artistes est la seule possible : accepter l'auto-définition des artistes, « pourvu qu'elle [soit] accompagnée des signes minimum de l'inscription dans le monde social de l'art »[1]. De même, on ne peut qu'accepter l'autodéfinition, à condition qu'elle soit accompagnée du minimum de pratiques ou de participation au monde social des juifs, des musulmans ou des Arméniens. Ce n'est pas le nombre de leurs grands-parents juifs, arméniens ou musulmans qui les distinguent des autres, mais leur volonté d'affirmer, d'une manière ou d'une autre, leur fidélité et leur identité. La multiplicité des rôles, des références et des fidélités, accompagnée de l'interrogation sur les status et les identités, constitue une caractéristique des sociétés modernes : le propre des ensembles sociaux est d'être équivoques, d'avoir

---

1. R. MOULIN *et al.*, *op. cit.*, 1985, p. 20.

des frontières mal définies[1]. Les «identités dormantes» ne concernent pas seulement la nationalité, mais l'ensemble des références identitaires.

Dans la mesure où chacun juge légitime d'en appeler à ses droits naturels et à ses convictions personnelles contre ceux qui parlent au nom d'une autorité religieuse, politique ou morale, la crise de la représentation n'est plus limitée au seul monde politique, elle caractérise toutes les relations sociales : personne n'a légitimement le droit de parler au nom d'un autre. C'est aussi la raison pour laquelle les rites sont affaiblis ou réinterprétés. Or

tout rite tend à consacrer et à légitimer, c'est-à-dire à faire méconnaître en tant qu'arbitraire et reconnaître en tant que légitime, naturelle une limite arbitraire[2].

De plus en plus, les individus se veulent acteurs et non objets des rites. Les mariés s'engagent l'un envers l'autre, le prêtre n'est plus que le témoin passif ; l'appartenance à l'Église, qui doit être le fruit d'une volonté personnelle, se manifeste désormais par des cérémonies, dont l'initié devient l'acteur et l'officiant. Les emblèmes du deuil, du mariage ou des cérémonies religieuses s'effacent, le groupe est souvent réduit à la famille élargie. Le refus ou la réinterprétation des rites de passage sont liés à la fluidité des situations sociales : les formes acceptées et reconnues de concubinage multiplient les situations intermédiaires entre le célibat et le mariage ; le report du service militaire lui a ôté le sens de rite de passage à l'âge adulte ; les difficultés d'entrée sur le marché du travail suscitent des formes de participation ambiguës à l'activité professionnelle (stages, vacataires, intérimaires, etc.). La non-coïncidence du passage à l'âge adulte selon les domaines de la vie sociale limite le sens des rites qui accompagnaient ce passage dans un groupe fortement intégré. L'affaiblissement des rites et des symboles de la nation — l'hymne, le salut au drapeau, les cérémonies collectives — s'inscrit à l'intérieur de ce

1. D. SCHNAPPER, «Les limites de la démographie des juifs de la diaspora», *Revue française de sociologie*, 28, 2, 1987, pp. 319-332.
2. P. BOURDIEU, «Les rites d'institution», *Actes de la recherche en sciences sociales*, n° 43, juin 1982, p. 60.

processus. On peut pourtant se demander s'ils n'étaient pas d'autant plus nécessaires qu'il s'agissait de manifester et de renforcer les liens entre les individus et une communauté «imaginaire».

Ces modes d'intégration caractéristiques de la société moderne sont en affinité avec la nation comme forme politique. C'est son universalisme abstrait qui autorise les jeux et les stratégies des auto-identifications et des auto-références de l'ordre social. Le «vide» des sociétés modernes laisse à l'individu la possibilité, la charge, le privilège et l'angoisse de choisir le sens qu'il veut donner à son existence. Dans son principe, l'abstraction de la citoyenneté autorise la légitimité des identités historiques particulières et des pratiques spécifiques, à l'intérieur de l'universalité de l'ordre politique et juridique. L'abstraction du citoyen comme celle de la nation est la condition de la liberté. La nation est la forme politique conforme à la nature de la société moderne.

De Durkheim à Becker ou à Goffmann, c'est en terme d'«intégration» (que le concept soit utilisé ou non) qu'on a analysé les modes de formation et de perpétuation de l'ordre social. S'il se trouve aujourd'hui progressivement remplacé par celui de «régulation», c'est sans doute parce que la réalité, les formes du lien social ont changé avec les transformations de la société moderne. On est passé d'une situation dans laquelle dominait l'intégration collective par conformité des individus à un système de normes produites et contrôlées par les instances de socialisation (Églises, syndicats, armée, école) couronnées par l'État, qui en garantissait l'existence et le pouvoir, à une situation où l'intégration par le respect des normes collectives, tout en se maintenant, coexiste avec de nouvelles formes de vie commune. Sans doute n'y a-t-il jamais eu pure conformité des comportements aux normes que les institutions s'efforçaient d'imposer. Même l'Église catholique a toujours dû négocier avec les populations l'application des règles qu'elle édictait. Mais la part d'intégration comme produit de l'action autonome des individus, de leur droit légitime à négocier et, mieux encore, à produire des normes s'est accrue au point de paraître caractériser la société moderne. La légitimité s'est fragmentée, dans son principe, jusqu'au niveau de l'individu, en sorte que le dialogue et le compromis sont au fondement des pratiques sociales quotidiennes. Si l'on tend à analyser la vie collective comme le lieu de l'élaboration de règles de comportements, c'est parce qu'il est apparu plus clairement que les individus avaient un rôle actif dans l'élaboration même de ces règles, que l'intégration sinon dominante, du moins spécifique était le produit de leur action. Dans son principe, la société moderne fait une large place aux processus d'innovation et d'invention. C'est en participant aux changements et aux innovations que les individus s'assurent la forme la plus intense de participation, donc d'intégration, définie comme un processus. Cette intégration peut être qualifiée de paradoxale, dans la mesure où certains divorcés vivant en concubinage peuvent être considérés comme « bien » intégrés — même si, par ailleurs, le mariage continue à être la forme la plus répandue de la vie conjugale.

Il est vrai que l'intégration de la nation n'est pas seulement le produit de l'action des individus. Elle est aussi fondée sur un héritage incorporé dans ses institutions juridiques, politiques, normatives et symboliques, sa mémoire commune, des mythes d'origine et un système de normes et de valeurs hérité du passé. Mais elle ne se maintiendrait pas, si elle n'était pas réaffirmée quotidiennement par les formes de participation active par lesquelles les individus connaissent la véritable intégration à la collectivité nationale.

Reste que le lien social est fragile, dans la mesure où il est moins le produit du contrôle autoritaire et de la conformité que de l'invention commune de normes collectives. Si chacun s'invente, si le devoir à l'égard de soi est privilégié, cette invention ne peut se faire qu'à l'intérieur des conditions sociales dans lesquelles chacun se trouve. Les différents groupes sont inégalement susceptibles de participer à cette invention. Les philosophes du « vide » ou de l'« éphémère » des sociétés modernes négligent les différences sociales [1]. La fluidité de la vie sociale et l'absence apparente de normes liées à l'individualisme, en quoi ils voient la spécificité de la société moderne, caractérisent plus particuliè-

---

1. G. LIPOVETSKY, *L'Ère du vide, op. cit.* ; *L'Empire de l'éphémère*, Gallimard, 1987.

rement les classes moyennes urbaines. Le risque de passer, selon les termes d'Alain Renaut, du principe d'autonomie à celui d'indépendance, ou, en d'autres termes, du respect des lois et des institutions librement acceptées au dérèglement [1], est inégal selon les groupes et les individus. Il est plus grand pour les catégories les plus modestes ou les plus fragiles en termes non seulement de métier, mais d'âge, de niveau culturel, ou de rapport à la protection sociale, moins capables de participer aux négociations constantes de la vie sociale. Pour les jeunes sans qualification issus des milieux populaires, réduits à la « galère », l'individualisme n'est pas choisi, mais imposé par des conditions matérielles, l'absence d'une représentation cohérente du monde et l'incapacité d'élaborer un projet. C'est aussi l'expérience de certains émigrés, encore proches d'une société traditionnelle, où les rôles étaient précisément définis et étroitement contrôlés par le collectif. La société ne leur présente plus de modèles uniques de comportements, qu'il s'agit de respecter. Le groupe n'existant plus sur le mode traditionnel, et n'étant pas ou mal remplacé dans son rôle d'instance de contrôle par la société française, la probabilité existe qu'ils connaissent, comme tous ceux qui sont les moins capables de faire reconnaître une compétence spécifique, une faible participation. Elle est toutefois moins forte pour les émigrés animés d'un projet que pour les populations françaises marginalisées, dont la pauvreté et l'exclusion se transmettent d'une génération à l'autre et qui sont les objets de la politique sociale. L'individualisme des jeunes originaires des catégories favorisées ne les empêche pas de bénéficier d'un réseau de relations et d'une familiarité avec la pratique du monde social acquise depuis l'enfance.

L'affaiblissement de l'intégration par conformité, la multiplicité des sources normatives et les contradictions des normes éthiques, particulièrement sensibles dans l'ordre familial, risquent de laisser désocialisées toutes les populations qui n'ont pas les moyens — à cause de leur capacité personnelle ou de leur socialisation — de participer de manière active à l'élaboration de

---

1. A. Renaut, *L'Ère de l'individu, contribution à une histoire de la subjectivité*, Gallimard, 1989.

la vie collective, d'inventer des nouveaux modes de comportement. La philosophie politique nous a appris depuis longtemps
que la loi protégeait le faible. La législation du mariage et les
obstacles juridiques longtemps opposés au divorce ont d'abord
défendu les intérêts des femmes, qui risquent aujourd'hui de pâtir
plus que les hommes des nouvelles formes de la vie conjugale.
Les institutions nationales fortes favorisaient aussi les populations immigrées. L'intégration collective fondée sur le partage
des mêmes valeurs et l'invention commune de modèles culturels — implicitement célébrée dans les lectures optimistes de la
société française [1] — est sans doute à long terme plus solide que
l'intégration par conformité à des institutions nationales, mais
elle suppose que soient profondément intériorisés le sens et la
valeur des normes communes. À court terme, elle rend plus difficile la participation des populations immigrées, et plus généralement de toutes les populations qui sont peu susceptibles de faire
reconnaître leur compétence. C'est en ce sens que le pouvoir intégrateur de la société française est, sinon diminué, du moins transformé. Chaque société requiert un type de personnalité congruent
avec son fonctionnement et ses normes. Les modes d'intégration
à la société moderne sont exigeants : ils favorisent les actifs ; malgré
la protection sociale, ils sont relativement durs aux faibles. Plus
que dans toute autre société historique, l'intégration collective
risque toujours d'être limitée aux plus entreprenants.

---

1. H. MENDRAS, *La Seconde Révolution française*, op. cit.

Quatrième partie

« QU'EST-CE QU'UNE NATION » EN 1990 ?

CHAPITRE 9

Existe-t-il une troisième conception
de la nation?

On a pensé la nation à partir de l'histoire des luttes intra-européennes au XIXe siècle, à partir du conflit entre la définition historique et organique héritée de l'Ancien Régime et celle de la volonté politique née du nouvel ordre politique, au cours de la première révolution industrielle. Malgré sa dimension philosophique, il n'est pas démontré à l'avance que l'opposition entre les deux idées de la nation ait une signification universelle, qu'elle ne soit pas liée à la réflexion du XIXe siècle sur la modernité économique et politique et à l'émergence des nationalismes européens. Dans la société européenne d'aujourd'hui, où les termes du combat politique ont changé, où le développement économique a pris des formes nouvelles, où la dimension économico-sociale de la vie collective semble dominer, ne peut-on faire l'hypothèse que se sont élaborées à la fois une nouvelle réalité et une nouvelle idée de la nation? Existe-t-il désormais, comme je l'ai pensé à un moment de ma recherche[1], et comme le suggère Alain Renaut[2], une troisième conception de la nation?

Les sociétés modernes créent entre les individus un lien social où l'activité professionnelle joue un rôle essentiel, mais dont la nature instrumentale réduit la valeur affective. Cette forme d'intégration fonde-t-elle une réalité nouvelle, qui ne serait plus ni la nation « à l'allemande » ni la nation « à la française »? Après le

---

1. D. SCHNAPPER, « La troisième conception de la nation », *in* P. CENTLIVRES (éd.), *Devenir suisse*, Genève, Georg, 1990, pp. 95-119.
2. A. RENAUT, « L'idée fichtéenne de nation », dans *État et Nation, op. cit.*, p. 204.

lien communautaire de la première, le lien contractuel de la seconde, la solidarité née de la collaboration professionnelle et de la protection sociale crée-t-elle un lien social d'une autre nature ? Suffit-elle pour constituer encore une nation, qui transcende en une volonté commune les intérêts partiellement divergents de ses membres et règle leurs conflits ?

Pour revenir à la définition initiale, la nation comme réalité et comme idéologie est-elle encore le moyen d'unir les populations diverses autour d'un projet politique commun ? Permet-elle de réduire les diversités des populations non pas absolument, ce qui n'est d'ailleurs ni nécessaire, ni possible, ni souhaitable, mais suffisamment pour les intégrer en une entité, douée d'une volonté politique ?

NATION ET MODERNITÉ

La nation a été historiquement l'une des dimensions de la modernité. Les revendications ethniques (qualifiées en France de « séparatistes ») dans les nations occidentales ont été dirigées en même temps contre la nouvelle unité politique et contre l'industrialisation. Les mouvements de libération nationale des pays anciennement colonisés avaient la double ambition d'obtenir l'indépendance politique et d'entrer dans la modernité économique. Mais, dans sa théorie de la nation comme seule forme politique capable d'assurer le système d'enseignement nécessaire à la perpétuation d'une société mobile et compétente, Ernest Gellner, en insistant sur le lien nécessaire entre les nationalismes et les exigences de la société industrielle, a sous-estimé les dimensions politiques de la nation, qui ne se laisse pas réduire à la seule dimension économico-technique. La nation moderne est symboliquement née quand Sieyès lui a donné un sens proprement politique. La Révolution d'où est née la nation n'était pas le simple effet des exigences de l'industrialisation. Comme l'a remarqué Élie Kedourie, les revendications nationalistes n'ont pas suivi le procès d'industrialisation. Les nationalistes des pays européens, au xixe siècle, luttaient aussi au nom de valeurs : la liberté, l'aspiration à l'égalité, l'indépendance des peuples soumis à une autorité poli-

tique qu'ils percevaient comme étrangère, la volonté des individus de participer à l'État. Les empires contre lesquels ils se sont
révoltés étaient fondés sur l'inégalité des ethnies qui les compo-
saient. La nation, contribution essentielle de l'Europe à la civilisation, est, elle, fondée sur la valeur de l'universel et l'idée de
l'égalité entre les hommes. Elle n'est pas seulement la conséquence
des nécessités techniques du développement économique.

Je m'inscrirai en revanche à l'intérieur de la théorie proposée
par Anthony Smith. Mais, peut-être à cause de mon appartenance
nationale, je soulignerai plus que lui deux aspects : la dimension
« communautaire » de la nation, l'adaptation idéologique de la
nation aux valeurs de la modernité.

Pour Anthony Smith, la nation n'est qu'une cristallisation politique récente qui utilise et réélabore les liens préexistants et primordiaux de l'ethnicité. Or il existe en Europe, et en Europe
seulement, une dimension proprement « communautaire » (dans
le sens où la « communauté » s'oppose à la « société ») de la nation.
Les nations européennes sont enracinées dans un passé lointain.
On peut discerner dès la fin de l'Empire romain l'Italie, l'Espagne, les Gaules, le monde germanique, les pays du Danube, sans
compter les îles Britanniques. À la profondeur du passé s'ajoute
l'effet de siècles de rivalités et de conflits armés, meilleurs moyens
pour affirmer l'identité de chaque nation contre les autres et pour
cimenter l'adhésion des individus à la collectivité. À l'âge des nationalismes, l'action de l'État a eu pour ambition d'unifier la culture
nationale, d'affirmer les spécificités par l'invocation d'un passé commun et d'une volonté collective, de nourrir et d'accroître le sentiment d'appartenance des individus. La construction des nations
a renforcé leur homogénéité interne et accru les différences entre
elles. Elle a créé un espace juridique, politique, symbolique commun à l'intérieur duquel ont été socialisées les populations. Même
si l'État-nation n'a jamais réussi à aller jusqu'au bout de la logique de l'uniformisation politique et culturelle, il existe aujourd'hui
une dimension communautaire de l'appartenance nationale en
Europe. On porte en soi sa nation autant ou plus que son ethnie.
Les passions qu'ont suscitées les nations ne sont pas seulement
liées à des sentiments ethniques préexistants, puisque la nation
ne se confond dans aucun pays avec une ou des ethnies. En Europe,

les nations occidentales sont aussi des communautés ethniques.
Les unes et les autres sont le produit d'une histoire. L'opposition entre elles est aussi idéal-typique qu'entre société et communauté. Dans les réalités historiques concrètes, toute entité
nationale constitue une dialectique spécifique entre l'intégration
politique et les solidarités et identités dites « ethniques ». C'est
la raison pour laquelle il a été plus facile d'exporter hors d'Europe
les nationalismes, c'est-à-dire les revendications pour créer une
nation, que les nations elles-mêmes. Si elle l'a jamais été, la nation
en France n'est plus une simple construction politique, sans racines vivantes, d'autant que les migrations internes ont relâché les
liens qui unissaient les populations régionales ; elle n'est pas seulement universalisme abstrait.

Depuis Max Weber, on a analysé l'homologie structurale entre
l'impersonnalité de la bureaucratie et celle des rôles sociaux dans
les sociétés modernes. Anthony Smith, dans la critique des technocrates qu'il présentait en 1981, sous-estime l'adaptation positive de la majorité des individus à cette impersonnalité — ce
qui n'exclut évidemment pas l'existence de revendications identitaires régionales, plus visibles, sans doute, en Grande-Bretagne
qu'en France. Aucune ethnie ne correspondant rigoureusement
à une nation, la construction des nations a conduit à des formes
de fidélités et d'identités multiples — en quoi l'on peut voir une
spécificité des sociétés modernes. D'autre part, Anthony Smith
montre l'adaptation de la nation aux besoins de l'économie
moderne, mais j'insisterai plus que lui sur la dimension idéologique. Si l'exemple donné par la Révolution française a été suivi
dans le monde entier [1], ce n'est pas dû (ou en tout cas pas seulement dû) à l'impérialisme européen, mais au fait que la nation
était une forme politique qui correspondait non seulement à des
nécessités « techniques » du développement économique et de
la centralisation politique, mais aussi à l'aspiration fondamentale des populations modernes à l'égalité et à la participation
de tous au gouvernement de la collectivité. Les idées font aussi
partie de la réalité objective. Il existe une dimension idéologique de la nation, qui peut apparaître comme la meilleure

1. A. D. SMITH, op. cit., 1981, p. 24.

expression de la conception kantienne de la vie collective fondée et entretenue par des êtres rationnels, libres et égaux,

> qui se fonde premièrement sur le principe de la *liberté* des membres d'une société (comme hommes), deuxièmement sur celui de la *dépendance* de tous (comme sujets) à l'égard d'une législation unique et commune et troisièmement sur la loi de l'*égalité* de tous (comme citoyens)[1].

Les autres formes politiques, tribus, royaumes, empires ou castes n'étaient pas capables de relever « le défi de la modernité », caractérisée par l'industrialisation, mais aussi par la démocratie[2]. Le rôle de l'éducation ne tient pas seulement aux besoins objectifs de la société moderne, comme l'analyse Ernest Gellner ; il est lié au système de valeurs démocratiques, au droit de tous les gouvernés à participer à la vie politique. L'éducation n'a pas pour seule fonction de donner aux ouvriers et aux responsables techniques, commerciaux ou financiers les moyens intellectuels nécessaires pour faire fonctionner le système économique. Elle doit leur permettre d'exercer effectivement les droits du citoyen. Seul le citoyen instruit dispose de droits politiques réels et non formels, pour reprendre la distinction classique des marxistes. Les sciences humaines prolongent la réflexion philosophique sur le lien nécessaire entre l'éducation et la citoyenneté de la démocratie moderne. L'éducation tient à la passion pour l'égalité caractéristique des sociétés démocratiques, elle est inscrite au cœur de la légitimité politique[3]. La nation n'est pas seulement adaptée aux besoins économiques et politiques, mais aux valeurs modernes de l'égalité et de la participation de tous au gouvernement de la collectivité.

> La nation a pour principe et pour finalité la participation de tous les gouvernés à l'État. C'est pour participer à l'État que les mino-

1. E. KANT, *Vers la paix perpétuelle*, P.U.F., 1958, p. 91.
2. J. BAECHLER, « Dépérissement de la nation ? », *Commentaire*, n° 41, printemps 1988, pp. 104-113.
3. Notamment T. H. MARSHALL, « Citizenship and Social Class », in *Class, Citizenship and Social Development*, University of Chicago Press, 1977, p. 89.

rités réclament que leur langue soit reconnue [...]. Renier la nation
moderne, c'est rejeter le transfert à la politique de la revendication éternelle d'égalité[1].

La nation est restée marquée par le souvenir des excès nationalistes. Il est vrai que toute identification à un collectif contient
en germe le refus des autres, le besoin d'affirmer sa supériorité.
Il est vrai aussi que tous les doctrinaires du nationalisme ont fini
par justifier des conquêtes qui auraient dû être contradictoires
avec le principe des nationalités et que le passage de l'attachement normal et souhaitable envers la collectivité politique à la
volonté de puissance et d'expansion a été fréquent dans l'histoire.
Les guerres du xxᵉ siècle ont été menées par les nations. Mais,
à partir du moment où le monde est organisé en nations, les guerres sont nationales, ce qui n'implique pas que les nations soient,
en tant que telles, responsables des excès et des malheurs des
guerres. Les empires évitaient-ils les guerres ?

L'AFFAIBLISSEMENT DE LA NATION

Reprenons la définition sociologique de la nation, proposée pour
la période « historique » des nations européennes, à la lumière
des analyses qui précèdent. La nation a été une forme politique,
qui a transcendé les différences objectives ou les différences de
conscience collective des populations, en les intégrant par un projet politique commun. À l'époque moderne, les modes d'intégration — désormais pensée en terme de régulation — et la nature
du projet politique n'ont-ils pas changé ?

Nouvelles formes d'intégration

La nation moderne est désormais moins intégrée par la conformité à des normes imposées par des institutions nationales que
par la participation des individus à des entreprises communes,
par leur contribution à la production de leurs propres normes.

1. R. Aron, *Paix et guerre entre les nations*, Calmann-Lévy, 1962, p. 299.

Sans doute les institutions nationales continuent-elles à avoir leur effet propre, mais elles sont en concurrence avec d'autres instances pour garder leur légitimité. Les individus se donnent le droit de les juger, de les adopter ou de les refuser. Elles ne disposent plus de légitimité *a priori*, elles doivent toujours la conquérir, lutter pour la maintenir. La pluralité et la diffusion des légitimités partielles apparaissent comme l'une des caractéristiques des sociétés modernes. C'est à partir des individus et des groupes que se produisent les normes collectives, pas seulement à partir des institutions.

On peut arguer que la nation actuelle, produit d'une histoire, fortement intégrée par l'action de l'État dans le passé, peut désormais admettre que les individus prennent de la liberté avec les normes collectives. Lorsque les valeurs communes sont profondément intériorisées, la nécessité des institutions autoritaires est moins grande. Mais on peut aussi constater que les modes d'intégration modernes risquent plus que dans le passé d'être peu efficaces pour faire participer à la société les populations que leurs capacités et leurs origines préparent mal à cette forme de socialisation et craindre que seule soit intégrée la partie active — pas seulement au sens professionnel du terme — de la population. La liberté risque de devenir dérèglement. On s'expliquerait ainsi que le modèle de la nation moderne devienne de plus en plus difficile à exporter en dehors de l'Europe.

L'affaiblissement du projet politique

Si le projet des nations du xixᵉ siècle était non seulement d'affirmer leur indépendance vis-à-vis de l'extérieur, mais d'imposer leur volonté de puissance et de diffuser, au-delà de leurs frontières, leurs valeurs et leurs formes politiques, il n'est pas douteux que, depuis la Seconde Guerre mondiale, ce projet a changé dans la mesure où l'Europe n'a plus une place dominante. Les nations de l'Europe occidentale ont perdu de leur indépendance politique et de leur souveraineté militaire.

Les transformations de l'ordre international depuis 1945 l'expliquent facilement : développement de l'empire soviétique et de la «République impériale» des États-Unis, renoncement aux ambi-

tions mondiales des nations européennes, déclin relatif dans
l'ordre de la puissance. Les modèles économiques et politiques
européens, dont fait partie la nation, ont gagné l'ensemble du
monde, en tout cas sur le plan des idées, sinon de la réalité historique, mais ce n'est plus l'Europe qui peut les imposer par
la force. De ce point de vue, quelques événements ont été symboliques. La crise de Suez, en 1956, a démontré que la Grande-
Bretagne et la France ne pouvaient plus avoir une politique qui
n'obtienne pas l'accord, au moins tacite, des États-Unis. La fin
des empires coloniaux, qui symbolisaient la volonté de puissance
des nations de l'Europe, a été pratiquement imposée par les deux
grandes puissances. La division du monde entre l'Ouest et l'Est
avait abaissé l'Europe et les nations européennes. C'est sans doute
la raison pour laquelle les politologues ont pu noter le faible
rôle joué par la politique internationale dans les élections. Les
nations européennes sont intégrées dans des coalitions militaires dirigées par des États partiellement ou entièrement extra-
européens. Leur défense s'inscrit à l'intérieur d'une stratégie mondiale. Une nation européenne ne pourrait assurer seule sa défense.
C'est en coordination avec les forces stratégiques d'une alliance
que la force de frappe française pourrait être utilisée. L'intervention de la France au Tchad supposait non seulement l'accord
des alliés américains, mais leur aide logistique. Alors que l'Indo-
chine avait été une colonie française et que la France avait été
pendant des siècles la protectrice des chrétiens du Liban et, dans
les années 1920, la responsable de la création de la nation liba-
naise, les bateaux envoyés au large des côtes du Viêt-nam ou
du Liban n'avaient qu'une mission « humanitaire ». Il est toujours vrai que

> si l'indépendance, c'est non seulement la liberté formelle d'action,
> mais le contrôle national de tous les moyens d'action sur la scène
> mondiale, aucun État européen n'est indépendant [1].

Les nations sont pourtant restées des actrices de la politique
internationale, non seulement parce que le droit international

---

1. St. Hoffmann, *Essais sur la France : déclin ou renouveau ?*, Le Seuil, 1976, p. 472.

interdit l'ingérence ouverte d'un État dans les affaires intérieu-
res d'un autre, mais parce que l'action collective des Européens
est toujours limitée par les intérêts nationaux, qui restent souvent divergents. De plus, la nécessité institutionnelle des concer-
tations entre les partenaires à l'intérieur des organismes européens
rend leurs interventions toujours prudentes, sinon symboliques.
Ce sont plus souvent les nations qui gardent une véritable politique extérieure, comme en témoignent, par exemple, la guerre
des Falklands, l'intervention de la France au Tchad, la politique de Helmut Kohl depuis la chute du mur de Berlin ou les
réactions des pays européens pendant la crise née de l'annexion
du Koweït par l'Irak en août 1990. Il est possible que nous assis-
tions au début d'un processus qui, avec le déclin relatif des deux
grandes puissances et la désorganisation du système bipolaire,
caractéristique de l'après-Seconde Guerre mondiale, verrait de
nouvelles possibilités d'action des nations européennes. En dehors
de l'Europe d'ailleurs, l'annexion du Koweït par l'Irak est peut-
être le signe que les nations vont désormais retrouver un rôle
international plus actif. Il apparaissait qu'à l'âge industriel les
forces armées exigeaient des moyens supérieurs à ceux d'un seul
pays. Mais si les conflits régionaux se multiplient, l'armée nationale, éventuellement munie de l'arme atomique, peut redevenir
un instrument politique significatif.

L'affaiblissement de l'idée et de la réalité nationales n'est
pas lié seulement à l'amoindrissement de la place relative de
l'Europe dans le monde et au remplacement des conflits militaires entre les pays de l'Europe libérale par la concurrence
économique. À l'intérieur même des pays européens, l'épuise-
ment des idéologies politiques à prétention universelle a apparemment redonné de la valeur à tous les particularismes. Selon
la formule anglaise, l'*ethnic revival* semble une caractéristique
commune à tous les pays occidentaux, y compris les vieux États-
nations. En France, les revendications juives ou musulmanes
ont un sens essentiellement stratégique. Les mouvements
régionalistes, dans lesquels certains voyaient dans les années
1970 un exemple privilégié de nouveaux mouvements sociaux,
ont laissé la place à une loi de décentralisation, forme renouvelée de gestion administrative. En revanche, la construction

européenne constitue un véritable défi à la réalité et à l'idée
nationales.

C'est dans l'ordre du droit que l'affaiblissement est le plus sensible. L'État, créateur de droit, est de moins en moins souverain. Dès 1963, l'un des arrêts les plus célèbres du droit
communautaire posait le principe que « la communauté constitue un nouvel ordre juridique de droit international », et que « les
sujets sont non seulement les États membres mais également leurs
ressortissants ». L'ordre juridique de la communauté européenne
se superpose progressivement aux droits nationaux et s'impose
à eux. La primauté du droit communautaire sur les droits nationaux a été affirmée à l'occasion d'une question précise : « Une
loi postérieure à l'entrée en vigueur d'une règle communautaire
peut-elle méconnaître celle-ci [1] ? » On pouvait résoudre ce problème selon les principes du droit international et considérer que
la législation européenne créait du droit international, qui ne devenait applicable « qu'après réception dans le droit national ». Dans
ce cas, le droit communautaire aurait pu être modifié par des
lois nationales postérieures. Or c'est la solution inverse qui a été
adoptée. Depuis l'arrêt n° 6/64 du 15 juillet 1964, la Cour de
justice n'a cessé d'affirmer que les États « ont limité, bien que
dans des domaines restreints, leurs droits souverains et créé ainsi
un corps de droit applicable à leurs ressortissants eux-mêmes » [2].
Du coup, contre le droit communautaire, une législation nationale postérieure, qui serait incompatible avec la législation européenne, ne saurait prévaloir.

« La primauté du droit communautaire sur le droit des États
membres constitue une solution fermement assurée dans la jurisprudence de la Cour de justice des Communautés européennes » [3], à laquelle se sont successivement soumises toutes les
hautes juridictions européennes. En France, la Cour de cassa-
tion avait modifié sa jurisprudence en 1975 (arrêt du 24 juin,
Société Cafés Jacques Vabre) et décidé de faire prévaloir un traité
international sur une loi postérieure qui lui serait contraire. En

---

1. L. Cartou, *Communautés européennes*, Dalloz, 1989, p. 189.
2. *Ibid.*, p. 190.
3. H. Calvet, « Le Conseil d'État et l'article 55 de la Constitution : une solitude révo-
lue », *Semaine juridique*, 1990, n° 6.

revanche, le Conseil d'État, depuis 1968 (par l'arrêt du 1ᵉʳ mars, Syndicat général des fabricants de semoule de France), affirmait l'impossibilité d'opposer les traités à des lois postérieures qui leur seraient contraires. Le Conseil d'État appliquait donc une loi, même si elle était contraire à un traité international entré en vigueur antérieurement. Le revirement de son attitude en 1989 a été d'autant plus spectaculaire. En adoptant les arrêts Alitalia du 3 février 1989 et Nicolo du 20 octobre 1989, le Conseil d'État a modifié sa jurisprudence et reconnu la primauté dans tous les cas du droit communautaire sur le droit interne. Il rejoignait les autres juridictions pour accepter la pénétration du droit international et européen dans le droit français. Comme l'expliquait le commissaire du gouvernement, à l'occasion de l'arrêt Nicolo,

> on ne répétera en effet jamais assez que l'époque de la suprématie inconditionnelle du droit interne est désormais révolue. Les normes internationales, et notamment européennes, ont progressivement conquis notre univers juridique, sans hésiter d'ailleurs à empiéter sur le domaine de compétence du Parlement tel qu'il est défini à l'article 34 de la Constitution. Ainsi certains secteurs entiers de notre droit, tels celui de l'économie, du travail ou de la protection des droits de l'homme, sont-ils aujourd'hui très largement issus d'une véritable législation internationale[1].

Les normes du droit des affaires sont de moins en moins nationales, parce que l'économie elle-même est de moins en moins nationale. En ce domaine, la Cour de justice des Communautés européennes devient l'instance d'élaboration du droit.

Pour les droits de l'homme et les libertés publiques, le droit national doit tenir compte des juridictions européennes, les citoyens de chaque État membre pouvant s'adresser directement à elles. Les nations qui ont adhéré à la Convention européenne de sauvegarde des droits de l'homme et des libertés fondamentales peuvent être condamnées par une juridiction supranationale, si elles en méconnaissent les obligations. Le récent rapport

---

1. P. Frydman, « Le juge administratif, le traité et la loi postérieure, Conseil d'État, Assemblée, 20 octobre 1989 », *Revue française de droit administratif*, 5, septembre-octobre 1989, p. 818.

(juillet 1990) de la Commission de Strasbourg stigmatisant la pratique excessive de la détention provisoire en France sera entériné par la Cour européenne des droits de l'homme, dont les avis sont contraignants. Le Conseil constitutionnel interprète le principe des droits de la défense à la lumière de la jurisprudence de la Cour de justice des Communautés européennes. On estime que, désormais, c'est une moitié de nos lois qui relève d'un champ de compétence partagé entre l'État national et la Communauté européenne, et le phénomène ne fera que s'accentuer.

L'État national reste souverain en ce qui concerne le droit des personnes ou droit privé (divorce, filiation...); le droit de la nationalité, analysé ci-dessus; pour une part, le droit fiscal et le droit social qui règlent les transferts à l'intérieur de la population nationale. Alors que les directives européennes sur les conditions de travail, les conventions collectives ou la formation professionnelle sont nombreuses, c'est dans l'ordre de la protection sociale que la législation européenne est la moins développée, que s'applique le principe de « subsidiarité », selon lequel le droit européen n'intervient que sur ce qui ne peut être réglé de manière plus efficace au niveau national. Ces divers droits sont liés aux fonctions de régulation sociale de l'État sur lesquelles je reviendrai.

Dans l'ordre de la gestion économique, l'échec de la politique menée par les socialistes entre 1981 et 1983, à partir de convictions politiques, a démontré les limites qu'oppose à la politique d'un État particulier l'intégration de fait de l'économie nationale dans l'ensemble européen et mondial. L'État ne peut intervenir comme autorité monétaire pour créer de la monnaie, financer les déficits publics, se procurer des ressources par une politique inflationniste qu'en tenant compte des contraintes économiques imposées par les instances européennes et la participation des économies nationales à un système mondial. L'État douanier a évidemment régressé avec la constitution du Marché commun. C'est à Bruxelles que se prennent les décisions de la politique agricole commune. Dans l'ordre économique comme dans l'ordre militaire, le véritable espace dépasse le niveau national. La logique de la Communauté européenne conduit à la supranationalité.

La nature du projet commun

Le développement économique et la protection sociale constituent un succès indéniable des démocraties et un idéal pour tous les peuples non européens qui n'en profitent pas. Mais ils entraînent des effets pervers pour la nation elle-même. La logique propre à l'économie moderne conduit à une internationalisation croissante, que la construction européenne ne fait que consacrer. Soumises aux contraintes du marché, les spécificités nationales tendent à s'affaiblir dans l'ordre de la production et de la consommation, dont, par ailleurs, la place et la signification augmentent dans la vie commune.

De plus en plus, le concept de « citoyen » est jugé « flou », on propose de le remplacer par la notion plus précise de « contribuable »[1]. La distinction entre droits politiques et droits sociaux n'est pas plus nette. Les étrangers en situation régulière n'ont pas le droit de vote ni le droit d'être élus ; ils n'ont pas non plus l'accès généralisé au marché du travail, puisque ni la fonction publique ni les marchés protégés ne leur sont accessibles ; ils ne bénéficient pas d'un droit absolu de séjour (même si, dans les faits, les expulsions ne sont pas fréquentes). Mais ils disposent dans l'entreprise, vis-à-vis de la Sécurité sociale ou de l'école, des mêmes droits que les nationaux. C'est en ce sens que les juristes parlent d'usure ou de dévaluation de la nationalité, dont le rôle apparaît aux candidats à la naturalisation comme purement instrumental : elle donne le moyen de vivre avec plus de droits et de sécurité, elle reconnaît le fait de l'installation. D'ailleurs, beaucoup de ceux qui auraient le droit d'acquérir la nationalité française ne le font pas. On songe à donner une place de plus en plus large à la résidence pour accorder des droits politiques, en particulier le droit de vote, en tout cas pour les Européens. Cette décision, si elle était prise, affaiblirait encore le sens politique de la citoyenneté, puisqu'elle la réduirait à la participation économique et sociale et transformerait la « politique » en gestion locale et quotidienne. C'est à ce sens que font référence

---

1. C. Wihtol de Wenden, *op. cit.*, p. 345.

les politologues, qui militent pour que la citoyenneté devienne automatiquement la conséquence de la participation de fait à la vie économique et sociale : « Un enfant qui est né et qui a été élevé sur le territoire d'un État est un membre à part entière de cette société[1]. » La lutte idéologique contre l'État-nation dans les années 1970 a été menée au moment où l'État perdait de sa puissance et la nation de sa volonté politique, alors que l'existence des nations européennes, dans leur dimension politique, était menacée par l'ampleur même de leur succès économique.

La protection sociale, dont les exigences sont par nature indéfinies, absorbe de plus en plus de ressources et d'énergie aux dépens de la volonté politique. L'État risque toujours de devenir seulement le gestionnaire de l'économie nationale à l'intérieur des contraintes du système économique mondial, l'arbitre entre les groupes sociaux. Le caractère dominant de l'activité économique est susceptible de conduire au développement sans limites de la sphère marchande, à la diffusion du modèle utilitariste et instrumental des relations sociales, qui dissout les véritables communautés et rend indistinctes les institutions collectives. En 1982, pour la première fois, la part des cotisations sociales, en proportion du P.I.B., a dépassé celle des impôts affectés à l'État : l'État-providence ne cesse de se développer aux dépens de l'État régalien ; selon l'expression de Denis Olivennes, il le « cannibalise ». Si le lien social se réduisait à la seule collaboration imposée par le travail collectif et à l'intégration des catégories sociales marginales par leur rôle de prestataires/bénéficiaires de services sociaux, la réalité et l'idéal du citoyen, défini par sa participation à la vie publique, s'affaibliraient, au point de dissoudre la réalité nationale. Il existe une différence de nature entre la citoyenneté politique et ce qu'on appelle de plus en plus la « citoyenneté économique ». La concurrence économique nourrit les conflits entre les groupes, que le projet politique tend à unir. En France, la « dépolitisation », l'accord sans véritable passion autour des valeurs issues de la Révolution, l'adhésion à l'internationalisme et, en même temps, les discours de revendications

---

1. H. Carens, « Membership and Morality : Admission to Citizenship in Liberal Democratic States », in W. R. Brubaker (éd.), Immigration..., op. cit., p. 41.

particularistes infra-nationaux constituent autant de signes de l'affaiblissement de la nation politique comme réalité et comme idée. Par une ironie de l'histoire, les sociétés libérales risquent d'être dominées par l'économique, alors que s'est effondrée la foi dans l'interprétation marxiste de l'histoire et des sociétés.

UNE INSTANCE DE RÉGULATION INTERNE

> Toute collectivité comporte une double définition, à l'intérieur par un système de normes et de valeurs, vers l'extérieur par l'indépendance ou la souveraineté militaire[1].

La collectivité nationale ne se définit plus « vers l'extérieur ». A-t-elle pour autant perdu toute signification comme « système de normes et de valeurs » ?

La nation est une instance parmi d'autres, mais elle n'est pas une instance quelconque. C'est dans le domaine social et fiscal (y compris les transferts liés à la protection sociale), instruments privilégiés de la redistribution et de la régulation collective, et dans le droit civil et dans celui de la nationalité — qui contribuent à élaborer l'identité individuelle et collective — que le droit national garde de sa souveraineté. La nation est une instance de régulation de la vie sociale, qui gère d'une manière spécifique les inégalités, les rivalités et les conflits entre les individus et les groupes. Expression et instrument du « système de normes ou de valeurs » spécifique, l'État contribue à donner à chaque collectivité organisée en nation son unité et son unicité. Instituteur du social, il est toujours en France l'instrument et l'expression privilégiés de la réalité et de l'identité nationales. La nation reste en effet le lieu privilégié de la légitimité politique. Elle garde sa valeur identitaire.

La régulation des conflits

Dans la société démocratique où la volonté proprement politique s'exprime moins que les aspirations à l'égalité devant l'édu-

1. R. ARON, *op. cit.*, p. 295.

cation, l'habitat et l'emploi, moins que le besoin de protection sociale, c'est par son action dans l'ordre économique et social que l'État national contribue à intégrer les divers groupes sociaux. C'est dans la mesure où il se donne pour ambition d'améliorer la condition économique et sociale des citoyens qu'il devient légitime.

> Dans le monde d'aujourd'hui, la politique est l'art de gérer la structure sociale. Elle est devenue le mécanisme régulateur du changement [1].

Ses interventions constituent autant de moyens de gérer les relations de concurrence et de conflits entre les divers groupes et les diverses catégories sociales.

L'intervention de l'État dans la vie économique et sociale par les grands instruments de la politique économique (budget, fiscalité, direction des entreprises nationales, contribution à la fixation des salaires, niveau et forme des transferts monétaires, etc.) favorise certains groupes aux dépens d'autres. La législation du travail, en réglant les relations et les conflits professionnels, sanctionne le poids politique des divers « partenaires sociaux ». À travers l'ensemble des transferts sociaux, l'État arbitre les conflits entre générations. L'accroissement continu des dépenses de santé, massivement consacrées aux personnes âgées, aux dépens des transferts en faveur des familles, a traduit une politique favorable aux générations vieillissantes. Le maintien de la loi de 1948 sur les loyers, la dispense des cotisations sur les retraites jusqu'en 1991 vont dans le même sens. Le système d'enseignement contribue au recrutement des catégories dirigeantes en réglementant les diplômes et les droits qui leur sont attachés. On a vu qu'en manipulant les statuts juridiques et les identités des individus et des groupes par la politique sociale, l'État s'efforce d'éviter la désintégration des populations marginales. Par sa politique économique et sociale, il négocie, à l'intérieur, les accords entre les partenaires sociaux, les groupes organisés et les collectivités locales ; à l'extérieur, il mène les négociations avec les instances internationales ou communautaires, G.A.T.T. ou C.E.E.

La gestion économique et la politique de protection sociale qui assurent à tous, nationaux et étrangers, les moyens de la survie

---

1. D. Bell, *Vers la société postindustrielle*, Laffont, 1976 (1973), p. 416.

matérielle, dans une société qui garantit la sécurité des personnes et des biens, ne forment pas un projet qui soit en tant que tel négligeable ou méprisable. Il existe une dimension proprement politique de cette action, dans la mesure où elle permet d'assurer, au moins symboliquement, la participation de tous au gouvernement de la collectivité et de satisfaire l'aspiration à l'égalité. L'intervention qui vise à assurer à toute la population l'accès au jeu économique et social, qui s'efforce de régler les conflits entre les exigences de la productivité et le principe d'égalité n'est pas gestionnaire au seul sens étroitement technique du terme. Il n'y a pas rupture ou discontinuité entre l'État libéral et l'État-providence, et ce dernier est effectivement « une extension des lignes principales de la démocratie libérale qui font partie des aspirations de l'État-nation occidental »[1]. La croissance de l'État-providence ne se fait pas automatiquement aux dépens de l'initiative privée, comme s'il s'agissait d'un jeu à somme nulle : l'État libéral et l'État-providence, loin de s'opposer entre eux, s'opposent tous deux dans leur principe à l'État totalitaire. L'État moderne gère les rivalités et les conflits d'une société libérale au nom d'un système de normes et de valeurs communes, en particulier de l'égalité. En termes plus abstraits, *l'action étatique consiste à s'efforcer de rendre compatibles l'affirmation continue du principe d'égalité, source de la légitimité politique, et la perpétuation de fait des inégalités inévitables de l'ordre économique et social.* D'où, comme on le verra, le rôle central de l'idéologie méritocratique.

Reste qu'il faut distinguer entre le principe de l'État-providence et ses effets sur la nature du lien social. L'expérience historique montre que la croissance de l'État-providence tend à développer indéfiniment sa propre logique, non seulement parce que toute administration tend à l'autoperpétuation et à l'autodéveloppement, mais parce que les besoins qu'il satisfait sont par essence indéfinis. À partir du moment où toute forme de vie ou de survie est considérée comme un absolu, indépendamment de son coût, où les progrès de la médecine rendent les soins de plus en plus onéreux et nourrissent un niveau d'aspirations au bien-être et à la

---

1. M. JANOWITZ, *Social Control of the Welfare State*, New York, Oxford, Amsterdam, Elsevier, 1976, pp. 105-106.

santé toujours plus élevé, il n'existe plus d'autres limites à la protection sociale que celles qui sont fixées par une décision proprement politique, difficile à prendre dans une démocratie.

L'État-providence, par son développement, est susceptible
d'étouffer les initiatives individuelles sous l'excès bureaucratique,
mais, plus profondément, ne risque-t-il pas de modifier la nature
du lien social, en transformant une part toujours accrue de la population en producteurs-consommateurs plutôt qu'en citoyens ? C'est
par les contributions-prestations de l'État-providence que la majorité des Français et des étrangers régulièrement installés en France
participent à la vie collective, qu'il s'agisse de la fréquentation scolaire, du paiement des impôts, des cotisations et des rembourse-
ments de la Sécurité sociale ou de l'ensemble des mesures de
protection sociale, plutôt que par des actions de caractère politique. Alors que le consensus autour des valeurs de la social-
démocratie et la conversion du gouvernement socialiste à une politique économique qui, à tort ou à raison, n'apparaît plus comme
fondamentalement différente de celle de la droite ont eu pour effet
pervers d'accroître le nombre des abstentionnistes et le vote en
faveur de l'extrême droite, la citoyenneté ne devient-elle pas plus
économique et sociale que politique, ce qui change sa signification ?

Le projet, d'ordre d'abord économique et social, ne constitue
un « grand dessein », au sens politique du terme, susceptible de
provoquer les adhésions et les conflits passionnés que pour ceux
qui sont privés de ces « privilèges ». Par son projet essentiellement démocratique, l'instance nationale a toujours été favorable
aux plus modestes. En France, l'État — à l'exception de la période
vichyste — a été le protecteur des minorités, éventuellement contre
la société civile. Les juifs ont été émancipés par le pouvoir politique, avant d'être acceptés par la population. Les instituteurs,
devenus fonctionnaires d'État dans les années 1880, ont acquis
leur indépendance et échappé aux pressions et à la tyrannie de
la société locale. C'est probablement la raison pour laquelle l'attachement à la nation a toujours été le plus fort parmi les catégories de la population dont la survie ou l'intérêt étaient directement
liés à l'organisation nationale. Ce sont les populations scolarisées d'origine sociale modeste qui ont plus particulièrement
porté les revendications nationalistes entre 1880 et 1914. Les

socialistes internationalistes manquaient rarement d'ajouter le qualificatif de « petit-bourgeois » au nationalisme [1]. Pendant la IIIe République, les juifs, dont l'appartenance à la nation était toujours suspectée, revendiquaient d'autant plus fortement leur patriotisme. Aujourd'hui encore, certains d'entre eux n'ont-ils pas pour la nation un attachement particulier ? La valeur que certains jeunes musulmans attachent aux droits de l'homme proclamés par la Révolution française peut s'interpréter selon la même logique : qui formule encore mieux que les responsables de France-Plus les principes de la nation démocratique ? La masse de ceux qui acquièrent aujourd'hui la nationalité par naturalisation en France, issus de l'installation de la grande vague d'immigration « économique » des années 1955-1975, appartient à des catégories sociales modestes. Max Weber avait déjà montré que certains groupes avaient des intérêts « mi-matériels, mi-idéels » directement liés à la nation [2].

En revanche, les aristocrates, les ingénieurs de haute qualification ou les artistes célèbres évoluent tout naturellement dans un espace qui ignore les frontières nationales, sans susciter la critique ou le soupçon. Aujourd'hui encore, ce sont les hommes, les urbains, les cadres supérieurs et les plus instruits qui sont les plus favorables à l'Europe, ce sont les catégories modestes de la population qui s'abstiennent le plus lors des élections européennes [3]. Les cadres d'une entreprise multinationale ont le sentiment, encouragé par tous les spécialistes de « gestion des ressources humaines », d'appartenir à une élite, qui néglige les frontières pour se reconnaître dans un système de valeurs universelles : compétence, efficacité, épanouissement de soi [4]. La nationalité d'un pays occidental, avec tous les avantages qu'elle entraîne, a une valeur particulière pour les populations modestes, au moment où les catégories plus favorisées agissent de plus en plus dans un espace économique et social dont les dimensions sont européennes ou mondiales.

1. E. J. Hobsbawm, *op. cit.*, p. 110 *sqq.*
2. W. Mommsen, *op. cit.*, p. 80.
3. A. Percheron, « Les Français et l'Europe : un contenu et des attentes vagues », *Données sociales*, I.N.S.E.E., 1990, pp. 402-405.
4. L. Boltanski, *Les Cadres, la formation d'un groupe social*, Minuit, 1982, p. 45.

Une manière nationale de réguler les conflits

Si tous les pays européens s'accordent autour des mêmes valeurs fondamentales : le travail, la passion pour l'égalité, le droit des faibles à être protégés ou secourus, l'État ne les traduit pas dans la vie sociale de manière uniforme. En fonction de l'histoire, qui a produit des traditions politiques, une culture, au double sens du terme, différente d'un pays à l'autre, il demeure une forte spécificité nationale.

On l'a constaté même dans les entreprises. Les nécessités techniques n'entraînent ni la même organisation ni des « qualifications » uniformes. Des différences systématiques opposent les entreprises de même nature en France et en Allemagne : proportion plus forte de personnel non ouvrier (cadres, employés et techniciens) en France, réseaux de communication plus « horizontaux » en Allemagne, plus « verticaux » en France. Ces différences sont liées à l'histoire de la croissance économique, au rôle de l'État dans ce développement, à la manière dont on forme la main-d'œuvre qualifiée et, plus généralement, aux relations entre le système d'enseignement et le système économique[1]. Les entreprises américaines constituent une communauté où les individus, fondamentalement égaux malgré leur différence de qualification, unis par la loyauté à l'égard de l'entreprise, ont des rapports de nature contractuelle. La gestion aux Pays-Bas utilise l'esprit de conciliation, en multipliant les instances de discussion et de concertation. En France, au contraire, c'est la « logique de l'honneur » qui domine les rapports entre les responsables et les employés, entre les diverses catégories de salariés[2]. L'héritage aristocratique, transposé en esprit de compétition cultivé dès l'école, continue à marquer le style des relations interpersonnelles. En Allemagne, en France ou aux Pays-Bas, l'entreprise ne constitue pas seulement un milieu technique, mais une société, produit d'une histoire spécifique, d'une série de choix, de stratégies et de négociations entre les acteurs

1. M. MAURICE *et al.*, *Production de la hiérarchie dans l'entreprise. Recherche d'un effet sociétal. France-Allemagne*, P.U.F., coll. « Sociologies », 1982.
2. Ph. D'IRIBARNE, *La Logique de l'honneur*, Le Seuil, 1989.

sociaux, l'État, les employeurs, les employés et les syndicats. Ce qui est vrai dans l'entreprise l'est plus encore au niveau national.

L'enseignement organise à la fois la transmission des connaissances technico-administratives liées aux exigences du fonctionnement de la vie économique et d'une culture savante spécifique (c'est d'ailleurs la tension entre ces deux fonctions qui crée dans tous les pays les dysfonctions du système éducatif). Il existe un lien étroit entre l'éducation et la modernité, définie comme un ensemble de compétences intellectuelles et de pratiques techniques et bureaucratiques, destinées à donner à l'homme les moyens de maîtriser la nature. La société moderne suppose que le plus grand nombre de ses membres acquièrent ces compétences ; elle doit comprendre un nombre de plus en plus élevé d'experts. Il est vrai que, mesuré selon les exigences d'une société technicienne, le niveau culturel moyen de la population s'est élevé. Le nombre de ceux qui ont acquis la formation nécessaire pour assurer des fonctions d'encadrement, de conception et de direction s'accroît régulièrement. La culture technique est analogue dans tous les pays. Mais analogue seulement : l'enseignement des sciences n'est pas le même dans les différents pays. En France, on l'aborde par ses formes les plus abstraites pour passer aux applications, aux États-Unis, en revanche, l'enseignement part des sciences appliquées pour s'élever progressivement à la connaissance fondamentale. On ne peut surestimer les effets de cette formation des esprits sur la compréhension du monde et les attitudes profondes. La culture littéraire, historique, philosophique ou artistique reste plus étroitement liée à une histoire nationale, malgré les échanges intellectuels entre pays européens. Ce n'est pas un hasard si, comme le remarque Philippe Reynaud, « les goûts et les intérêts du public cultivé restent dominés par des références françaises », si l'opposition culturelle à l'égard de l'Allemagne continue à se manifester chez les intellectuels. L'attachement à la langue nationale n'est pas une spécificité française.

Il ne faut pas opposer de manière simpliste la culture savante, qui serait d'abord nationale, à une culture technique, dont les caractéristiques dépasseraient les frontières. La connaissance technique n'est pas purement ou étroitement instrumentale, dans la mesure où elle renvoie à des valeurs communes, dans la mesure où elle est fondée sur l'idée que tous les hommes sont susceptibles de participer à l'aventure intellectuelle de la modernité. Elle implique la conviction fondamentale, et essentiellement démocratique, de l'égalité de tous devant la connaissance. On ne peut considérer comme purement instrumental un projet qui repose sur la participation des individus à une activité professionnelle impliquant le partage d'une culture commune. Mais il ne faudrait pas non plus se dissimuler le danger que cette culture technique devienne exclusivement utilitaire et, du coup, assure mal les fonctions de régulation qu'assurait le projet politique.

Les enquêtes dont nous disposons ne permettent guère de savoir si l'école transmet d'abord ou exclusivement les moyens de participer à une société de niveau technique élevé ou si elle donne en même temps un système de valeurs et un patrimoine proprement intellectuel qui permettent de fonder une identité collective et une volonté politique. L'enseignement transmet plus aujourd'hui les valeurs de l'internationalisme, du relativisme culturel, des échanges et de l'ouverture aux autres que pendant la IIIe République. On a cessé de proclamer que la France est la plus belle et la plus humaine des patries. Mais la transmission implicite peut être différente. Les enquêtes empiriques démontrent l'efficacité de l'école sur l'acculturation des enfants issus de l'immigration. Il y a probablement une manière nationale de transmettre les valeurs internationales, d'autant que le nationalisme français, depuis la Révolution, a toujours eu une prétention à l'universalité. La formule « Tout homme a deux patries : la sienne et la France » caractérisait la prétention nationale spécifique des Français. Dans la transmission volontaire des valeurs trans-nationales, il n'est pas sûr que les instituteurs d'aujourd'hui ne retrouvent pas l'un des schèmes de l'enseignement explicitement patriotique de la IIIe République. Le système d'enseignement, d'autre part, n'a pas pour seule fonction de « produire » des agents économiques, il forme les esprits et définit le rapport à la culture nationale. L'enseignement contribue à forger une représentation spécifique du monde. Comme l'avait déjà remarqué Ernst Robert Curtius dans les années 1930,

> la littérature joue un rôle capital dans la conscience que la France prend d'elle-même et de sa civilisation. Aucune autre nation ne

lui accorde une place comparable. Il n'y a qu'en France où la nation entière considère la littérature comme l'expression représentative de ses destinées[1].

Mais, même dans les pays où la conscience nationale semble plutôt s'exprimer à travers l'art, la religion ou le mode de vie commun, il n'est pas indifférent d'apprendre à penser le destin humain à travers Shakespeare, plutôt qu'à travers Goethe ou Dante.

En d'autres termes et pour en revenir à une distinction classique, il n'est pas sûr que la scolarisation aujourd'hui soit réduite à instruire, c'est-à-dire à ne transmettre que les savoirs à vocation professionnelle, et qu'elle ne réponde pas, implicitement, à sa fonction d'éducation, c'est-à-dire de formation de citoyens, au sens plein du terme.

Par son activité de législateur, l'État stabilise et organise les relations entre les individus, la politique et l'administration, conférant une forme aux relations entre individus, entre les individus et l'État. La législation commune crée un espace où peuvent s'établir et se déployer des relations interpersonnelles réglées. La réticence des intellectuels de la République démocratique allemande devant la réunification et le monde de la compétition libérale a révélé combien la communauté de destin pendant deux générations avait élaboré une identité spécifique. On a aussi montré l'effet de l'appartenance nationale sur la culture de la population d'une même vallée alpine, séparée par la frontière entre l'Autriche et l'Italie[2]. Le droit européen n'est pas en opposition avec le droit national, il le prolonge. Par le Code de la nationalité en particulier, par la définition juridique des nationaux et des non-nationaux, l'État définit la personnalité juridique du citoyen, déliée de toute appartenance à un groupe particulier, fixe les droits et les devoirs des citoyens et des étrangers, règle les rapports des uns et des autres. La législation sur la nationalité, analysée dans le premier chapitre, traduit encore dans l'ordre juridique un rapport différent entre la nation et l'État, une his-

---

1. E. R. CURTIUS, *op. cit.*, p. 157.
2. J. W. COLE et E. R. WOLF, *The Hidden Frontier : Ecology and Ethnicity in an Alpine Valley*, New York et Londres, Academic Press, 1974.

toire politique singulière. La République fédérale élabore un statut de l'étranger pour les immigrés installés sur son sol, parce que être allemand, c'est d'abord appartenir au peuple allemand. Il existe diverses manières d'être sujets de Sa Majesté britannique, liées à l'histoire de l'allégeance de l'Angleterre, de l'Écosse, de l'Irlande et du Pays de Galles à la Couronne et à l'héritage de l'épopée impériale. Le citoyen de la République française, tel qu'il est né de la Révolution, reste défini par un ensemble abstrait de droits et de devoirs, lié de manière contractuelle à la puissance publique. Fondée sur la volonté de faire coïncider communauté de culture et organisation politique, la nation crée une identité collective.

Légitimité politique et valeur identitaire

L'intégration par la scolarisation, puis par le travail en commun et la protection sociale, prend des formes différentes en fonction des traditions nationales : le rôle de l'État, les formes du développement économique, l'histoire de la protection sociale. En France, par la reconnaissance des professions et la manipulation des catégories de la protection sociale, l'État intervient, plus que dans d'autres pays, dans l'élaboration des identités et des status sociaux, qui ne sont plus seulement liés à l'activité professionnelle, mais à la relation avec l'État-providence.

Le système des valeurs collectives reste spécifique : le prestige des différents groupes sociaux, les relations entre les acteurs économiques et les intellectuels, la valeur accordée à la technique ne sont pas les mêmes en France et en Allemagne, ni le style de la hiérarchie et des relations interpersonnelles. Cet inconscient collectif, chaque membre de la collectivité l'incorpore tout au long de sa socialisation. Produit d'une longue histoire politique, d'une culture savante qui a façonné les modes de perception et les représentations sociales, la spécificité nationale demeure, malgré la mondialisation des échanges économiques et les rivalités politiques et militaires.

C'est d'ailleurs sur le modèle du sentiment national que les responsables élaborent ce qu'ils appellent un « projet d'entreprise » et s'efforcent d'éveiller un véritable patriotisme, en élaborant une culture spécifique fondée sur une histoire et une langue (qui use d'initiales ou de termes qui n'ont de sens que pour les membres du groupe), sur une affectivité et une solidarité susceptibles de mobiliser les énergies autour du projet commun, contre le concurrent devenu l'«ennemi». Les formes qu'ont prises les revendications régionalistes et l'appel au «peuple de gauche», en 1981, prenaient aussi pour modèle la référence nationale.

L'affaiblissement politique n'a pas entraîné la dissolution de la valeur identitaire de la nation, qui reste le lieu de la mémoire collective et de la continuité historique. Chaque nation continue à s'exprimer dans un certain système de valeurs et à s'enorgueillir de certaines œuvres. Le patriotisme peut subsister quand diminue la réalité objective de la nation. Même si l'individu moderne se prétend fondamentalement autonome, s'il a perdu le sens de l'appartenance complète à une communauté, il n'ignore pas le besoin d'identification à un collectif. C'est au niveau national qu'en France s'exprime encore de manière privilégiée la dimension historique et mythologique caractéristique des ethnies, selon Anthony Smith. L'échec des mouvements régionalistes, l'adoption explicite des valeurs nationales par la majorité des jeunes Français d'origine immigrée et l'adhésion implicite des autres montrent que l'investissement affectif dans la nation n'a pas disparu. La diffusion du modèle marchand et utilitariste des relations sociales, l'émiettement des institutions nationales laissent sa place à la nation, comme lieu symbolique d'identification collective. Peut-on penser que l'on puisse remplacer le franc, moyen des échanges quotidiens et mesure de la valeur de l'économie nationale, par l'«écu» ou le deutsche mark, sans que les Français aient le sentiment de perdre quelque chose d'eux-mêmes?

L'adhésion de principe à l'Europe repose sur des ambiguïtés fondamentales, sur une absence quasi totale d'information et sur des attentes imprécises. Si les sondages montrent que l'hostilité à l'égard des pays voisins s'est estompée, un quart seulement de la population souhaiterait avoir dans vingt ans une nationalité européenne plutôt que française [1]. Il est vrai que les identités se ressentent et s'affirment dans l'opposition à l'autre. La conscience ethnique est plus intense dans la minorité hongroise de Roumanie que parmi les citoyens de la Hongrie. Les citoyens des nations

---

1. A. Percheron, art. cité, pp. 402-403.

de l'Europe occidentale ont peu l'occasion de manifester leur identité nationale. La guerre des îles Falkland a été un épisode unique. Mais il ne faut pas sous-estimer le sens des passions qui s'expriment à l'occasion du grand conflit international symbolique que constitue, tous les quatre ans, le Mondial de football. S'il joue un rôle plus grand que les épreuves d'athlétisme ou de natation pendant les jeux Olympiques, n'est-ce pas parce que l'équipe, en tant que telle, autorise mieux l'identification à la nation comme collectif que la vedette ? La vivacité, la créativité, l'intelligence du jeu que revendique l'équipe de France nourrissent la représentation que les Français se plaisent à entretenir de leur histoire et de leur génie, la façon dont ils se racontent leur manière spécifique de vivre ensemble. Dans cette grande cérémonie, où se mêlent la transposition de l'ordre inter-national et les compensations symboliques à ses règles (le Cameroun peut y battre les États-Unis), la collectivité nationale mobilise et théâtralise l'essentiel de ses ressources : les différenciations internes et le consensus qui la maintient se trouvent à la fois symbolisés et dépassés. La force des passions soulevées, non exclusive de l'identification, également intense, avec l'équipe locale, montre qu'incorporée au processus de socialisation l'identité nationale reste l'une des références identitaires, et non des moindres, de chaque individu.

C'est au niveau national que s'exprime la participation démocratique. Le refus de la majorité de l'électorat d'accorder le droit de vote aux « émigrés », c'est-à-dire aux étrangers, montre la prégnance de la nation comme lieu de la légitimité démocratique [1]. Pour prendre un autre indicateur, grossier, mais significatif, aucune élection ne mobilise les citoyens comme les élections présidentielles. À l'exception du scrutin de 1969, où deux candidats de droite s'affrontaient et où les partis de gauche avaient appelé à l'abstention, le taux de participation au second tour des élections présidentielles a toujours été supérieur à 84 %, et à 77 %

---

1. En 1984, 75 % des Français âgés de 18 ans et plus étaient opposés « à ce qu'on accorde le droit de vote aux immigrés qui ne possèdent pas la nationalité française mais qui vivent depuis un certain temps en France » ; 60 % en 1988 (S.O.F.R.E.S., cité in J. JOFFRE et O. DUHAMEL, État de l'opinion 1988, Gallimard, 1988, p. 132). En revanche, 44 % se déclaraient favorables « à ce que dans leur commune, les immigrés en situation régulière puissent voter aux élections municipales » (C.S.A., 12 décembre 1989).

au premier tour. Seules les élections municipales connaissent une participation comparable, mais moins élevée (entre 75 % et 78 %). Ni les élections législatives, cantonales, ni surtout européennes ne mobilisent l'électorat de manière comparable. L'abstention a dépassé 40 % lors du référendum organisé par Georges Pompidou sur l'Europe en 1972 ; 39 % pour les élections au Parlement européen en 1979, 43 % en 1984 et 51 % en 1989. Le sentiment qu'il s'agit d'une élection sans enjeu clair, le fait que le scrutin proportionnel rend une grande part des résultats partiellement connus avant l'élection expliquent cette faible participation. Mais il est clair que les électeurs français ne conçoivent pas l'instance européenne comme le lieu de la légitimité politique. Dans des élections, pour lesquelles chaque État membre a gardé son mode de scrutin, le discours lors des campagnes électorales est un prolongement et un instrument de la politique nationale [1]. Le projet européen n'a pas encore remplacé le projet politique de l'État-nation.

> La notion de communauté fonctionne avant tout, semble-t-il, comme une utopie, c'est-à-dire comme une interprétation imaginaire de la vie des douze pays [2].

La faveur pour l'élection du président de la République au suffrage universel direct est d'ailleurs issue de l'histoire : en élisant un chef de l'État qui dispose du pouvoir et incarne l'unité nationale, les électeurs réactualisent la double tradition de la monarchie et du bonapartisme, selon laquelle la vocation de la république était de s'incarner en un homme. On a aussi justement remarqué que la stratégie des socialistes français, après 1983, avait été différente de la politique suivie par les grandes démocraties social-démocrates, Suède, Allemagne, Autriche : au lieu de négocier avec les syndicats et de leur proposer un compromis, ils en ont appelé à l'opinion publique tout entière. Ils ont eu une manière idéologique de se convertir au pragmatisme de

1. F. SAINT-OUEN, « Les partis politiques français et l'Europe : système politique et fonctionnement du discours », *Revue française de science politique*, 36, 2, 1986, pp. 205-206.
2. Pl. RAMBAUD, « L'utopie communautaire et l'idéologie de la nation », *Projet*, n° 217, mai-juin 1989, p. 55.

la gestion économique. Cette remarque peut être étendue à l'ensemble des partis politiques. On continue à penser la politique dans des termes différents dans les nations européennes. Même les partis communistes de l'époque stalinienne avaient gardé des caractères nationaux. La démocratie-chrétienne n'est pas la même en Allemagne, où elle alterne avec les sociaux-démocrates, et en Italie, où elle a établi avec le Parti communiste un « bipartisme imparfait ». Non seulement la composition de la scène politique donne un sens différent à des partis qui se réfèrent aux mêmes valeurs, mais le contenu des programmes, les manières de les diffuser et de les appliquer diffèrent selon l'histoire proprement politique de chaque nation européenne.

L'attachement à l'idée même de nation est spécifiquement français. Les témoignages devant la Commission de la nationalité, retransmis en direct par la télévision, constituaient une sorte de réflexion collective et publique sur l'idée nationale. La célébration unanime du bicentenaire de la Révolution, en 1989, commémorait aussi la naissance symbolique de la nation. La célébration non moins unanime de l'action historique du général de Gaulle, en 1990, était un hommage à l'homme d'État, qui prônait l'Europe des patries et commençait ses *Mémoires* par les phrases fameuses :

Toute ma vie, je me suis fait une certaine idée de la France. Le sentiment me l'inspire aussi bien que la raison.

Si l'on accepte ces analyses, on définira la nation moderne comme *la forme politique qui permet d'intégrer des populations objectivement différentes autour de normes et de valeurs communes grâce à une gestion économique et sociale fondée sur les compromis inévitables entre les valeurs de la liberté et de l'égalité et les nécessités de l'ordre économique. Ces valeurs, issues de l'histoire commune à toute l'Europe, sont mises en œuvre et traduites de manière différente selon la tradition politique et la mémoire collective ; ce qui explique que chaque nation démocratique garde une forme spécifique et que se maintienne sa valeur expressive et identitaire.*

L'IDÉOLOGIE MÉRITOCRATIQUE

Si la réalité de la nation s'est modifiée selon les lignes qui viennent d'être analysées — nation contractuelle, dont la dimension politique est affaiblie —, qu'en est-il de l'idée de nation ? Selon la définition proposée, l'idéologie nationale, chargée de mobiliser les populations autour du projet commun, appartient objectivement à la réalité nationale.

Dans les faits comme dans l'idéologie, l'éducation a toujours été l'instrument privilégié de la constitution de la nation. Le rôle de l'éducation a été souligné aussi bien par les tenants de la nation organique que de la nation-contrat. C'est ainsi que Fichte a pu définir la nation en termes d'*éducabilité* :

> Fichte a conçu, conformément à la logique de toute sa réflexion, que le signe visible de l'inscription d'une liberté dans une culture et une tradition, c'est au fond la capacité d'être éduqué, l'éducabilité aux valeurs de cette culture et de cette tradition. De là son insistance sur l'éducation nationale comme éducation à la nation [1].

Les célèbres *Discours* de Fichte à Berlin dans l'hiver 1807-1808 étaient apparemment consacrés à l'amélioration de l'éducation : mais c'est par l'éducation du peuple que Fichte s'employait à donner vie à la nouvelle nation allemande. Il souhaitait que l'État pût la prendre en charge et insistait sur l'importance de la langue commune, sans laquelle l'éducation commune est impossible.

Les penseurs de la nation française n'insistaient pas moins sur l'école, instrument de la transmission des valeurs communes et de l'élaboration de la volonté collective.

> Ce n'est que dans les cités grecques, et en Judée [...] lors du développement de la synagogue et de la Communauté des pauvres, que l'idée de l'éducation totale du peuple tout entier s'est fait jour, contre les grands [...]. Le jour où a été fondée l'instruction publique et obligatoire, où l'État, la nation légiférèrent efficacement et généra-

---

1. A. Renaut, « L'idée fichtéenne de Nation », in *État et Nation, op. cit.*, p. 205.

lement en cette matière, ce jour-là le caractère collectif de la nation, jusque-là inconscient, est devenu l'objet d'un effort de progrès [1].

Les révolutionnaires français estimaient déjà qu'après le pain l'enseignement était le principal besoin du peuple et que l'accès à l'enseignement, plus même qu'un droit, était un devoir politique du citoyen. La Révolution « a investi sur l'école son propre avenir » [2].

Les tenants de l'une et l'autre conception ont invoqué la nécessité de l'éducation pour former les hommes et la collectivité. Il est vrai que la conception même de l'éducation est différente. Dans la nation « à l'allemande », l'école contribue à prolonger la socialisation familiale pour, au sens propre, naturaliser l'enfant, lui transmettre la culture commune, expression de la communauté d'appartenance, l'assimiler, avec la connotation à la fois biologique et culturelle du terme. C'est à propos de l'autorité traditionnelle, en affinité avec la nation communautaire, que Max Weber écrivait :

> Le gouvernement de domination est, dans le cas le plus simple, principalement fondé sur le respect et déterminé par la communauté d'éducation [3].

Dans la nation « à la française », l'école a, au contraire, la charge d'arracher l'enfant à la nature et à la tradition grâce à un effort de pédagogie rationnelle, de former le citoyen, pour qu'il participe pleinement à la vie publique. Qu'il s'agisse de prolonger une tradition particulière, fondement de l'appartenance communautaire, ou de rompre avec elle, pour créer une nation politique sur l'abstraction de la citoyenneté, l'école joue un rôle essentiel. Mais, dans les deux cas, l'éducation est *instrumentale*. L'*éducabilité* comme critère d'appartenance de l'individu à la nation me paraît caractériser l'une et l'autre conception, elle ne peut, par elle-même, fonder une nouvelle idée de la nation.

Ce n'est pas la référence au rôle de l'enseignement dans l'élaboration de la nation qui est nouveau, mais la fonction propre-

1. M. Mauss, *op. cit.*, pp. 603-604.
2. Fr. Furet et J. Ozouf, *Lire et Écrire*, Minuit, 1977, t. I, p. 97.
3. M. Weber, *Économie et Société*, 1971, p. 232 (écrit en 1913).

ment idéologique que joue l'enseignement dans nos sociétés, issues de la double révolution industrielle et démocratique.

La méritocratie comme idéologie nationale

Quelle que soit la conception de la nation, l'école joue dans les faits un rôle essentiel, dans la mesure où elle transmet la culture commune et le système de valeurs. Mais, dans les sociétés modernes, l'école, outre les fonctions traditionnelles qu'elle assure effectivement dans tous les types de nations, est au cœur du système de valeurs fondant la légitimité politique. Ce n'est pas un hasard si, en juin 1984, un million de personnes ont défilé dans les rues de Versailles et de Paris pour défendre l'« école libre », c'est-à-dire refuser de voir s'établir le monopole de l'État sur le système d'enseignement et si, deux ans après, en décembre 1986, de nouvelles manifestations étaient suscitées par un modeste projet de réforme universitaire. C'est à l'école que se jouent pour une bonne part les destins sociaux individuels et, plus lointainement et souterrainement, que s'actualisent les principes de la légitimité politique dans les démocraties.

La méritocratie apparaît comme l'idéologie centrale de nos sociétés, dans la mesure où elle est le moyen de réconcilier l'idéal politique de l'égalité liée à la citoyenneté et à la démocratie avec la nécessité, dans des sociétés productivistes fondées sur la compétence, de sélectionner les meilleurs pour remplir les fonctions les plus difficiles et les plus nécessaires [1]. L'« élitisme républicain » répond précisément à cette fonction et constitue la traduction, en termes de valeurs collectives, de cette nécessité : c'est au nom de leurs capacités telles qu'elles sont reconnues par le système d'enseignement, et non de leur héritage matériel ou intellectuel, que sont recrutés les plus compétents pour assurer les fonctions de responsabilité.

Mais, en même temps, les valeurs démocratiques imposent de compenser la dureté de ce système de sélection par l'institution de politiques sociales dirigées vers les moins capables ou vers ceux qui, pour des raisons diverses, n'ont pu acquérir la qualification reconnue par le marché de l'emploi. L'idéologie de la « solidarité nationale », qui est au fondement de l'ensemble de la poli-

---

1. R. Aron, *Les Désillusions du progrès*, Calmann-Lévy, 1965, p. 42.

tique sociale, est ainsi le complément nécessaire de l'« élitisme
républicain ». La brutalité du système de recrutement et de promotion par concours exigeants, anonymes et impersonnels, la
nécessité pour les individus, tout au long de leur vie professionnelle, de faire reconnaître leur compétence impliquent, dans les
démocraties égalitaires, une politique qui compense les échecs
que ne peuvent manquer de connaître les plus faibles. La politique sociale s'efforce d'intégrer, à sa manière, les populations mal
formées par l'école, qui n'ont pu obtenir un emploi, et la participation liée à l'exercice d'une activité professionnelle. « Élitisme
républicain » et « solidarité nationale » sont les deux faces complémentaires de l'idéologie de la nation moderne.

Les propositions de la Commission de la nationalité

La Commission de la nationalité a fait implicitement référence
à cette idéologie. Le *Rapport* a accordé un rôle privilégié aux effets
de la scolarisation, susceptible d'inculquer à tous les individus
les connaissances et les manières nécessaires pour participer à
la vie collective. Les sciences humaines, qui constituent désormais l'une des sources de la conscience que les sociétés modernes prennent d'elles-mêmes, ont contribué à rendre plus clair le
rôle primordial de l'éducation. S'il est une conclusion à laquelle
conduit l'examen, même superficiel, de leurs résultats, c'est bien
la force des processus d'acculturation, que révèlent les transformations des populations immigrées (l'exemple des Américains
et des Israéliens est le plus révélateur) ou décidées à adopter les
modèles occidentaux (le cas japonais est le plus significatif).

Cette idée a servi de fondement idéologique aux travaux de
la Commission : l'héritage fondateur de la nation n'est pas réservé
à ceux qui en sont les héritiers biologiques, mais à tous ceux qui
en prennent connaissance et l'intériorisent par le procès de socialisation, en particulier par la scolarisation. L'idée en était, d'une
certaine façon, implicite chez Renan, lorsqu'il critiquait l'idée
de race comme fondement de l'héritage commun et faisait de
l'adoption des traditions et de la volonté de les transmettre à ses
descendants le ciment de l'unité nationale.

La Vérité est qu'il n'y a pas de race pure et que faire reposer la politique sur l'analyse ethnographique, c'est la faire porter sur une chimère. Les plus nobles pays, l'Angleterre, la France, l'Italie sont ceux où le sang est le plus mêlé [...]. Le fait de la race, capital à l'origine, va donc toujours perdant de son importance. L'histoire humaine diffère essentiellement de la zoologie. La race n'y est pas tout, comme chez les rongeurs ou les félins [...]. En dehors des caractères anthropologiques, il y a la raison, la justice, le vrai, le beau, qui sont les mêmes pour tous [1].

La Commission, reprenant l'idée de liberté fondée sur le partage d'un héritage commun, a explicité et précisé les conditions de l'exercice de cette liberté. Convaincue de l'efficacité des procès d'acculturation et affirmant sa confiance dans l'universalité d'une culture intellectuelle, accessible dans son principe à tous ceux qui veulent en prendre connaissance, elle a fait implicitement référence à la nouvelle idéologie de la nation dans les sociétés démocratiques modernes.

Dans son chapitre posant « les principes d'une réforme », le *Rapport* précise que ce n'est pas la simple filiation biologique qui justifie qu'on reconnaisse le droit du sang, mais l'éducation que donnent les parents. La nationalité de l'enfant à sa naissance est vide, c'est l'éducation qui lui donnera son contenu :

> *Le fondement du droit du sang réside dans l'acculturation parentale des jeunes années* : élevé par ses parents, l'enfant parle leur langue, s'imprègne de leur mode de vie et de pensée, s'intègre dans leur histoire. [...] La théorie du droit du sang « pur » confond l'appartenance à la nation avec l'appartenance à une ethnie. Elle oublie que l'incidence de la filiation sur la nationalité se justifie davantage par l'éducation parentale que par la procréation [2].

Ce n'est pas non plus le sol en tant que tel, qui, par lui-même, justifie l'article 23 (dit « double droit du sol ») ou l'article 44 sur l'acquisition quasi automatique de la nationalité française par les enfants d'étrangers nés en France, mais le fait que la naissance et la résidence ont entraîné la scolarisation :

---

1. E. Renan, édition citée, pp. 896 et 898.
2. *Rapport*, t. II, pp. 92 et 93.

Parallèlement, la naissance sans résidence ne saurait avoir de signification suffisante au regard de la nationalité. Historiquement et juridiquement, *le droit du sol est en France indissociable d'un élément de résidence et de durée de cette résidence*, sans lequel l'intégration à la nation ne saurait être présumée. Cette notion d'« écoulement du temps » peut s'appliquer aux parents : on est en droit de supposer un enracinement réel lorsque deux générations successives naissent dans un même pays — c'est le fondement du double droit du sol. Elle peut également s'appliquer à l'enfant de parents étrangers : ajoutée à la naissance, une longue résidence est un indice d'acquisition du mode de vie et de l'identité nationale. En pratique, la durée de résidence renvoie ici au processus de *scolarisation* lorsqu'elle est obligatoire pendant une certaine période, comme en France [1].

À partir de ces principes, la commission a proposé que soit favorisée l'acquisition de la nationalité française par ceux qui avaient été scolarisés en français, quels que soient leur lieu de naissance et leur filiation :

> *L'article 64-1 du Code de la nationalité devrait être modifié* pour permettre aux ressortissants d'un État dont la langue officielle ou l'une des langues officielles est le français d'être *naturalisés sans que soit exigée la condition de résidence de cinq ans, dès lors qu'ils auraient été scolarisés pendant cinq ans au moins dans des établissements enseignant en langue française* (proposition n° 39) [2].

> Il est proposé d'*adapter à la francophonie les modalités prévues pour les jeunes relevant de l'article 44* ; les enfants nés en France de parents ressortissants d'un État dont la langue officielle ou l'une des langues officielles est le français pourraient réclamer la nationalité française entre 16 et 21 ans s'ils résident alors en France ; celle-ci pourrait leur être accordée dans les mêmes conditions que pour tout enfant né en France de parents étrangers, *même s'ils n'ont pas la durée de résidence habituelle de cinq ans, dès lors qu'ils auront été scolarisés pendant cinq ans au moins dans la langue française avant d'établir leur résidence en France* (proposition n° 40) [3].

1. *Ibid.*, p. 93.
2. *Ibid.*, p. 225.
3. *Ibid.* Dans la législation suisse, qui soumet la naturalisation à des conditions de durée de séjour, le temps passé en Suisse entre l'âge de 10 et 20 ans, c'est-à-dire le temps de la scolarité, compte double.

C'est pour les mêmes raisons qu'

> en matière de naturalisation, l'administration devrait tirer toutes les
> conséquences positives qui résultent, sur le plan de la recevabilité des
> demandes, d'une résidence prolongée d'un étudiant sur le territoire,
> lorsque celle-ci est motivée par la durée d'études supérieures réussies[1].

Selon le *Rapport*, ce n'est ni le sang ni le sol qui, par eux-mêmes,
donnent la qualité de Français, mais la socialisation familiale et
scolaire qu'entraînent la filiation et/ou la présence sur le territoire national.

Toute conception de la nation étant à la fois descriptive et normative, idée et idéal, on ne s'étonnera pas que la conception de
la nation à laquelle s'est implicitement référée la Commission
soit directement liée à l'idéologie méritocratique qui permet de
concilier les deux valeurs essentielles des démocraties modernes :
la participation politique et sociale de tous les citoyens, le respect de la compétence technique et bureaucratique, condition du
développement de sociétés productivistes. La Commission de la
nationalité a ainsi réalisé l'une de ses ambitions, expliciter et soumettre à la discussion publique l'idée de la nation. Comme Renan,
en son temps, elle a contribué à formuler non la réalité, mais
l'idée ou l'idéologie de la nation en 1990.

L'État, selon Hegel, ne devait pas seulement gérer, c'est-à-dire
assurer la paix extérieure et garantir la sécurité intérieure, qui
permet à chacun de gagner son pain quotidien et de satisfaire
ses besoins matériels. Il devait aussi donner à chaque citoyen les
moyens de s'épanouir et de devenir meilleur, de contribuer à une
grande œuvre. La nation politique a perdu aujourd'hui de sa signification objective et idéologique. La mondialisation de l'espace
politique et économique, la construction européenne, la pacifi-
cation idéologique à l'intérieur de la nation et la fin des conflits
armés entre les nations européennes entraînent le danger de voir
s'effriter la nation, sa volonté de survivre, d'affirmer ses valeurs
fondamentales et de se défendre en les défendant.

1. *Ibid.*, p. 94.

En temps de paix, le patriotisme dort invisible au fond des consciences. Que la guerre éclate et c'est lui qui mène tout[1].

C'est pendant les guerres que les nations sont les plus cohérentes et les plus conscientes d'elles-mêmes. Dans la mesure où la définition de la nation est politique, l'affaiblissement de la politique entraîne celui de la nation. Les théoriciens de la nation se sont toujours partagés entre ceux qui tenaient pour une définition d'abord interne — caractéristiques objectives et sentiment de communauté — et ceux qui insistaient sur la composante externe — le produit de l'hostilité des autres. La dimension interne suffit-elle ? Un système de valeurs et de croyance communes suffit-il à fonder une nation, si l'hostilité des autres ne vient pas réanimer le sentiment de la collectivité ? Si les revendications et les ambitions nationalistes sont mortes, que reste-t-il de la nation ? Peut-il y avoir nation sans nationalisme ?

La réponse que donnait Max Weber n'est pas douteuse : la nation, pour lui, se définissait par sa volonté de puissance. Elle était moins fondée sur des caractères objectifs — race, langue ou religion — que sur la croyance subjective à une communauté. La communauté de langue ou de race ne suffisait pas à créer une nation ; en revanche

la communauté politique éveille d'habitude — même dans ses articulations les plus artificielles — la croyance à une vie commune ethnique[2].

Mais la véritable nation n'existe que par sa volonté de puissance, par « les destins politiques communs, les luttes politiques à la vie à la mort »[3]. Même si les Suisses ont effectivement le sentiment de former une communauté, même s'ils ont une volonté politique définie par leur refus de faire partie de l'Allemagne ou de toute autre « "grande" formation politique », la Suisse n'est pas une nation au sens parfait du terme, dans la mesure où elle a renoncé à la puissance, où elle est politiquement « neutralisée »

1. Cité par B. Lacroix, « La vocation originelle d'Émile Durkheim », op. cit., p. 221.
2. M. Weber, Économie et Société, Plon, 1971, p. 416 (écrit en 1913).
3. Cité in W. Mommsen, op. cit., p. 78.

par l'accord des autres puissances. Elle n'appartient pas aux «peuples supérieurs», qui «ont pour vocation de pousser à la roue du développement du monde»[1], vocation par laquelle Max Weber définissait la véritable nation de son temps. La nation en Europe aujourd'hui se rapproche de l'idée que Max Weber se faisait de la Suisse comme nation.

Quel effet aurait sur les nations européennes une immigration brutale ou incontrôlée, une attaque militaire, alors que leur intégration repose d'abord sur l'élaboration collective de normes fondées sur des valeurs communes? Le succès économique rend les nations modernes politiquement et militairement vulnérables. Même M. Le Pen ne fait pas appel à un nationalisme de «puissance». Dans l'histoire humaine, les pays qui n'avaient plus la volonté de se défendre ont été détruits par des ennemis moins riches, moins cultivés, mais animés par une plus grande volonté de puissance, à moins qu'ils ne leur aient été soumis. Il n'est pas sûr que la modernité rende cette constatation obsolète.

Dans la nation de l'âge démocratique moderne, la grande œuvre selon Hegel est devenue un projet dont l'ambition est d'abord de nature économique et sociale. La nation est restée le lieu et le moyen des échanges de toute nature entre les hommes malgré les particularismes, caractéristiques de la modernité. Mais si elle devenait une simple communauté d'apprentissage et de travail, si elle perdait le sens de ses valeurs et réduisait l'État à un instrument d'administration, si les droits-créances cessaient d'être la condition de l'exercice des droits-libertés pour devenir le seul projet national, il s'agirait d'une dégradation de l'idée élaborée au siècle dernier. Ce n'est pas qu'il existe, comme le pensaient les saint-simoniens ou les positivistes, une antinomie fondamentale entre le travail et la guerre : l'histoire du xxᵉ siècle suffit à en écarter l'idée. Mais la logique économique conduit à une contradiction entre la nation, qui avait été construite autour d'un projet politique, et les effets sociaux de la prépondérance donnée à l'activité économique. Même si cette dernière comporte une dimension politique implicite, dans la mesure où les gou-

---

1. Cité par R. ARON, «Max Weber et la politique de puissance», in *Les Étapes de la pensée sociologique*, Gallimard, coll. «Tel», 1976, p. 643.

vernants s'efforcent de régler les rivalités et les conflits entre les groupes au nom des valeurs communes, de résoudre les contradictions entre l'efficacité nécessaire à l'accroissement de la productivité et l'égalité qui fonde la légitimité politique, le risque existe que ce projet ne devienne que gestionnaire. La nation serait réduite à être l'une des collectivités à laquelle s'identifient les individus, à entretenir une culture spécifique, qui donnerait un style particulier à la gestion moderne de la vie économique et à la régulation des conflits entre les individus et les groupes.

Il ne s'agit pas, pour autant, d'une troisième conception de la nation fondée sur l'école, qui serait sur le même plan que les deux idées traditionnelles analysées dans le premier chapitre. Définie de manière idéale-typique par la coïncidence entre la communauté de culture et la volonté politique, la nation privilégie l'une ou l'autre. La collectivité nationale est fondée, comme tous les groupes humains, à la fois sur des caractéristiques objectives communes et sur une conscience et une volonté. C'est la source profonde des deux idées de la nation, dont l'une insiste sur l'appartenance objective et l'autre sur la volonté, ou, pour reprendre un autre vocabulaire, sur la nation-en-soi et sur la nation-pour-soi. Si l'on se place sur le plan de la réalité historique, l'instance nationale aujourd'hui garde son rôle régulateur juridique et politique. elle reste l'une des références identitaires des individus. L'Europe ou les régions la concurrencent, sans l'avoir pour autant éliminée. Elle n'a jamais été une référence identitaire exclusive, malgré la prétention des théoriciens nationalistes de la Belle Époque. Elle est aujourd'hui, sans doute plus qu'hier, une référence parmi d'autres.

Les sociétés modernes ont objectivement besoin que la population soit compétente et mobile, elles donnent un rôle central à la scolarisation. L'école doit dispenser à tous les enfants les moyens de participer à une société technique exigeant un haut niveau de qualification [1]. Mais elle doit aussi permettre de recueillir et de transmettre l'héritage culturel grâce auquel s'éta-

1. C'est pourquoi il faut limiter et contrôler l'effet de toutes les formes d'enseignement biculturel, interculturel ou transculturel, qui, au nom de l'authenticité et du respect des identités particulières, risquent d'aboutir, quelles que soient les intentions, à empêcher le système scolaire de remplir cette fonction.

blit entre les enfants scolarisés ensemble le code commun, condition de la vie collective, qui les rapproche et les différencie des
autres, fondant ainsi les éléments d'une identité collective.

Sur le plan idéologique, la méritocratie est venue préciser et
enrichir l'idée et l'idéal de la nation politique ou de la nation-
contrat, ouverte à tous ceux qui participent à l'activité économique et partagent ses idéaux politiques. Selon ses valeurs proclamées, la nation moderne est ouverte à tous ceux, quelles que soient
leur race, leur religion ou leur hypothétique «distance culturelle,
qui manifestent l'aptitude et la volonté (d'ailleurs liées l'une à
l'autre) d'acquérir les moyens de participer à l'activité économique et de partager ses idéaux politiques. La méritocratie transfigure, au nom de l'égalité, la nécessité objective de sélectionner
les «meilleurs» pour leur confier les responsabilités.

La référence à l'école renouvelle l'idéologie de la nation-contrat
ou «nation à la française». Malgré l'utilisation perverse que les
tribunaux américains ont pu faire de l'idée de contrat[1], la
nation politique est plus adaptée, dans son principe, que la nation
«communautaire» à l'intensité des mouvements et des échanges
de populations, de produits réels et financiers, d'idées et d'informations, qui caractérise la modernité occidentale : avec 7 % ou
8 % d'émigrés stabilisés, peut-on en rester à une définition ethnique de la nation? La remarque de Marcel Maget est plus vraie
que jamais :

> La définition par le sol, le sang, la langue, les coutumes est claire
> pour un groupe qui, pendant des générations, est demeuré dans
> un état d'isolement complet ou dans un système de relations inter-
> nes réglé immuablement. Les populations européennes ne présen-
> tent pas une telle commodité[2].

Même en Allemagne et en Suisse, les deux pays européens dans
lesquels la nationalité est la plus fermée et repose le plus directement sur une conception de type organique, la législation est
en train d'être modifiée. Dans la République fédérale d'Allema-

---

1. Voir *supra*, p. 53.
2. M. Maget, «Problèmes d'ethnographie européenne», in *Ethnologie générale*, Gallimard, La Pléiade, 1968, p. 1307.

gne, une nouvelle loi sur le séjour des étrangers, votée entre février et mai 1990, appliquée depuis le 1ᵉʳ janvier 1991, accorde désormais une naturalisation facilitée pour les jeunes. Non seulement les enfants étrangers nés en Allemagne ont désormais un droit de séjour indépendant de celui de leurs parents, mais ceux qui ont séjourné pendant huit ans et ont fréquenté pendant quatre ans un établissement d'enseignement ont droit au séjour, si leurs parents repartent dans leur pays d'origine. Ils ont surtout *droit* à une naturalisation facilitée, pratiquement gratuite, à condition de renoncer à leur nationalité d'origine (certaines exceptions à cette exigence sont même prévues). Les étrangers régulièrement installés depuis plus de quinze ans en R.F.A. ont, jusqu'en 1995, le même droit. Pour la première fois dans l'histoire, ce n'est plus seulement l'appartenance au « peuple », mais la résidence et la scolarisation qui sont prises en compte par la législation sur la nationalité. Alors que les mouvements des populations de l'Europe centrale et orientale vers l'Ouest risquent de réactiver l'idéologie ethnique de la nation en Allemagne, la nouvelle loi représente une rupture avec cette conception. En Suisse, où le droit de la nationalité joue un rôle particulier pour assurer le maintien de la collectivité politique malgré la diversité des populations, le droit évolue aussi dans la direction « française ». Selon une réforme introduite en février 1990 par le Parlement fédéral, on n'exige plus que les candidats à la naturalisation renoncent à leur nationalité d'origine. Par ailleurs, on prévoit un changement constitutionnel qui transférerait au niveau *fédéral* la naturalisation des enfants d'étrangers nés ou ayant fait leur scolarité en Suisse. Ils bénéficieraient d'une naturalisation facilitée. La conception selon laquelle la nationalité traduit une essence ethnico-culturelle héritée, avec ce qu'elle implique d'adhésion exclusive, de filiation et d'affectivité, serait, là encore, sérieusement ébranlée.

La nation contractuelle répond mieux, d'autre part, aux exigences de l'autonomie de l'individu, qui s'affirme de manière croissante dans le droit et dans les pratiques sociales. « La nation est la société globale composée de gens qui se considèrent comme des individus[1]. » Dans les faits, elle comporte toujours, on l'a

---

1. L. Dumont, *op. cit.*, p. 20.

vu, une dimension « communautaire » : la nation « à la française », idée et idéal, n'ignore pas la dimension « ethnique », elle est, dans les faits, indissolublement à la fois « contractuelle » et « organique ». Mais elle est fondée sur une ambition et un principe plus démocratiques, parce que universels.

Il n'est pas sûr qu'elle ne soit pas pour autant plus fragile que la nation « communautaire ». Dans leur condamnation passionnée de la Révolution française, Edmund Burke et Joseph de Maistre avaient formulé l'interrogation fondamentale sur les sociétés modernes, qu'ont traitée ensuite, pendant tout le siècle, les penseurs de la « tradition sociologique », sensibles au danger de la rupture des liens entre les individus et les corps intermédiaires ou les groupes primaires. C'est cette tradition que poursuit Anthony Smith, lorsqu'il affirme la persistance et la force des ethnies à l'époque moderne, l'intensité de ce qu'Edward Shils appelle les « liens primordiaux ». Dans des nations fondées sur les valeurs de l'individualisme et la volonté politique, plutôt que sur les liens communautaires et l'affectivité, ne peut-on craindre, selon la formule de Burke citée plus haut, de voir

la république elle-même se décomposer, se réduire peu à peu à la poussière et à la poudre de l'individualité, et enfin se disperser à tous les vents de l'univers.

La désacralisation de la religion, au moment de la Révolution, s'était accompagnée d'une sacralisation de la politique, le sacré avait été transféré à la nation, devenue l'objet d'une véritable mystique. La nation et la République furent constituées en une religion civile, avec ses rites, ses autels, ses temples et ses saints. Le devoir à l'égard de la patrie était d'essence religieuse. La laïcisation s'est effectuée dans une atmosphère de guerre de religion. En définissant l'État comme l'« organisation séculière de la puissance de la nation », Max Weber lui-même impliquait que la nation, elle, avait un caractère sacré[1]. Dans la société abstraite de l'écrit, c'était la nation, communauté imaginaire, et non

1. W. Mommsen, *op. cit.*, p. 79.

plus la religion qui, au xixe siècle, permettait de construire
l'existence personnelle et collective, de penser la vie et la mort,
d'exiger de ses membres le sacrifice suprême. L'idée de la permanence et de l'immortalité de la nation, formée, enrichie, per-
fectionnée au creuset des siècles passés donnait un sens au destin
des individus, en leur offrant un système cohérent de mythes,
de souvenirs, de valeurs et de symboles. S'il est vrai que toute
société renvoie le sens ultime de son ordre politique à quelques
valeurs sacrées, qui légitiment l'arbitraire de son existence comme
celui de toute construction historique, on peut craindre la fragilité de sociétés démocratiques, politiquement neutralisées, qui
refuseraient tout principe religieux, dynastique ou national. Il
ne semble pas que les Français d'aujourd'hui attribuent une valeur
sacrée à la « société », qui a pris la place de la « nation ». Si la
religion et le sentiment d'appartenir à une communauté vivante
et sensible n'entretiennent plus la conscience collective, ne reste-
t-il pas le danger que se dissolve le lien social ?

Conclusion

La singularité de la nation française?

Quand je considère cette nation en elle-même, je la trouve plus extraordinaire qu'aucun des événements de son histoire. En a-t-il jamais paru sur la terre une seule qui fût si remplie de contrastes et si extrême dans chacun de ses actes, plus conduite par des sensations, moins par des principes; faisant ainsi toujours plus mal ou mieux qu'on ne s'y attendait, tantôt au-dessous du niveau commun de l'humanité, tantôt fort au-dessus; un peuple tellement inaltérable dans ses principaux instincts qu'on le reconnaît encore dans des portraits qui ont été faits de lui il y a deux ou trois mille ans et en même temps tellement mobile dans ses pensées journalières et dans ses goûts qu'il finit par se devenir un spectacle inattendu à lui-même, et demeure souvent aussi surpris que les étrangers à la vue de ce qu'il vient de faire [...]; la plus brillante et la plus dangereuse des nations de l'Europe, et la mieux faite pour y devenir tour à tour un objet d'admiration, de haine, de pitié, de terreur, mais jamais d'indifférence.

Dans son célèbre portrait, Tocqueville écrivait avec une hauteur de pensée et un style inimitables ce que les instituteurs de la IIIᵉ République exprimaient pauvrement mais avec ferveur, que la France était singulière. Il est de la nature de toute nation d'être unique, de se penser et de se revendiquer comme exceptionnelle. Constituer la synthèse la meilleure du particularisme et de l'universalisme est au fondement de toute idéologie nationale.

La Grande-Bretagne a donné au monde l'*habeas corpus*, le modèle de l'échange marchand et les institutions parlementaires. Les Américains, dans l'immense littérature qu'ils ont eux-mêmes consacrée à leur « exceptionnalité », ont transfiguré la traversée de l'Atlantique en nouvel Exode. Les premiers immigrants, lecteurs assidus de la Bible, ont vécu leur expérience comme celle du Peuple élu, auquel Dieu avait confié la mission de créer un « homme nouveau » et un « monde » également « nouveau », libérés des pesanteurs et des préjugés de la vieille Europe. Lorsque les juifs américains voient dans le judaïsme américain la rencontre miraculeuse de la double « exceptionnalité » juive et américaine, ils ne font que participer à l'idéologie nationale. La culture, que manifestent la Réforme, Kant et Hegel, Goethe, Beethoven ou Mozart, fait du peuple allemand, qu'il soit constitué en un, deux ou trois États, la source profonde du génie européen. Les juifs allemands, jusqu'en 1933, voyaient aussi dans la rencontre de l'inspiration juive et allemande une synthèse providentielle, dont témoignait leur éclatante contribution à la culture nationale.

Les Français, de leur côté, ont insisté successivement, puis concurremment, sur le lien privilégié de la royauté et de la France avec l'Église catholique et sur l'universalité des droits de l'homme donnés au monde par la Révolution. La fille aînée de l'Église et la patrie des droits de l'homme suscitaient un patriotisme différent, mais également ardent. L'une et l'autre incarnaient pleinement la nation. La première avait nourri l'idée nationale au cours des siècles, la seconde avait forgé la modernité politique. Depuis la Révolution, la France prétend avoir donné au monde la première expérience et la première idéologie de la nation moderne. D'avoir inventé la nation est au cœur d'un orgueil national, qui fait sourire les autres Européens.

L'affaiblissement de la nation n'est pas spécifique à la France. Dans l'Europe occidentale, l'enrichissement économique et la volonté politique, encouragée par la menace de la puissance soviétique, de dépasser les conflits nationaux en construisant l'entité européenne ont plus affaibli les nations et les nationalismes que la négation de la dimension nationale à l'intérieur de l'empire soviétique et le contrôle des États de l'Est par l'Armée rouge. Dans l'Europe occidentale, qui les vit naître, même si les « égoïsmes nationaux » demeurent, les nations ont appris à collaborer, à pratiquer l'art du dialogue et du compromis démocratiques. En revanche, dès que la rigueur du totalitarisme s'est atténuée, les revendications nationales des Lituaniens, des Arméniens ou des Azéris ont fait éclater l'union imposée par la domination tout ensemble du Parti communiste et des Russes. Les nations de l'Europe centrale et orientale ont immédiatement manifesté leur conscience nationale, restée aussi vivante que lors de leurs révoltes contre les Empires russe, turc ou austro-hongrois. Elles ont retrouvé, conformément à l'opposition mise en lumière par Hans Kohn entre le nationalisme occidental et oriental, des revendications fondées plus sur la conception ethnique que sur la pratique démocratique.

Mais cet affaiblissement prend un sens différent selon les traditions. La France a sans doute été la plus politique des nations européennes. La statocratie y est poussée plus loin, le lien national y est resté la forme privilégiée du lien social. Au contraire, l'instabilité et les défaillances de l'État national, le développement récent des ligues qui, dans le Nord, s'opposent aux transferts du Nord au Sud n'entravent pas la vitalité et l'efficacité de la vie régionale et de la société civile en Italie. C'est avec leur civilisation, leur province ou leur cité que se sont identifiés les Italiens, non avec l'idée nationale et l'État central. La séparation du peuple allemand en deux États distincts (sans compter l'Autriche), entre 1945 et 1989, n'a pas paralysé la vie économique et culturelle. La dimension nationale n'est pas plus affaiblie en France que dans les autres pays européens. Mais son histoire n'est pas celle de la Suède, où, grâce à la vitalité des communautés locales, la vie publique peut se transformer en une sorte d'entreprise géante, menée selon les normes de la qualité technique, du rendement commercial et des négociations collectives caractéristiques du monde de l'entreprise[1]. Sans l'État, la société française, dont Jacques Le Goff souligne le « caractère tardif ou fragile », n'a pas les mêmes ressources. En Espagne, en Italie ou dans la République fédérale d'Allemagne, les régions ont une vitalité que la loi de décentralisation ne suffit pas à assurer à la France : le développement des instances régionales et, d'autre part, la construction de l'Europe constituent une épreuve

---

1. P. GUILLET DE MONTHOUX, « Le modèle suédois », *in* D. SCHNAPPER et H. MENDRAS (éd.), *Six Manières d'être européen*, Gallimard, 1990, pp. 67-92.

particulière pour un pays où le projet politique a toujours été au cœur de l'identité nationale.

La France, d'autre part, a été longtemps exceptionnelle non seulement par la violence des dissensions politiques, mais par le fait que celles-ci portaient sur la nature même du régime et sur le principe de la légitimité politique. Ouvert par la Révolution, le conflit ne s'est terminé qu'avec la Seconde Guerre mondiale. Il conduisait à une instabilité, que Tocqueville n'a pas été le dernier à déplorer, en la comparant à l'efficacité de la vie parlementaire britannique, où deux partis se succédaient au pouvoir pour apporter des solutions voisines aux problèmes du moment. Mais cette interrogation collective et conflictuelle sur l'identité et le sens de la nation a toujours eu aussi une fonction d'intégration. Depuis la fin des illusions sur le communisme soviétique, chinois ou même cubain, auxquelles les Français avaient participé avec plus de chaleur et de lyrisme que les autres Européens, à l'exception des Italiens, la vie politique semble plus consensuelle et, en même temps, dépourvue de projet clairement défini. L'Espagne entretient l'ambition de se faire pleinement reconnaître comme une démocratie moderne, en évacuant définitivement le souvenir de la guerre civile et du régime franquiste, et en résolvant, par sa participation à l'Europe, les problèmes que lui posent les revendications d'autonomie régionale. La République fédérale d'Allemagne n'avait pas été construite par l'idée de nation, mais par celle de liberté, la République démocratique allemande par la volonté de l'Union soviétique, appuyée par l'Armée rouge, de construire une société communiste. Aujourd'hui, malgré le coût économique que mesurent les Allemands de l'Ouest et les réticences de l'intelligentsia de l'Est, humiliée devant ses «compatriotes» plus efficaces, plus riches et plus libres, le chancelier Kohl nourrit le grand dessein de reconstituer une seule Allemagne démocratique, au sens occidental du terme. Mme Thatcher a eu pour programme de ranimer l'économie et la société britanniques, qu'elle jugeait asphyxiées par une social-démocratie pesante, elle s'efforçait de reconstruire une société plus libérale. Elle a privatisé une part non négligeable de l'économie britannique et diminué le pouvoir des collectivités locales, suscitant des débats idéologiques passionnés. En France, le

dernier projet de société, au nom duquel, en 1981, le Parti socià-
liste est arrivé au pouvoir, a échoué, parce qu'il était inadapté
aux réalités économiques et politiques d'une démocratie moderne.
Depuis le changement de politique en 1983, le débat idéologique semble évacué. Les mesures libérales prises par le gouvernement de Jacques Chirac ne l'ont pas ranimé. Le consensus est
désormais plus grand qu'en Grande-Bretagne. Même le souvenir du génocide vendéen n'a pu occuper la scène politique ou
médiatique de 1989 sur le modèle toujours inégalé de l'affaire
Dreyfus. Que le problème des nationalisations ou celui de l'école
privée ne conduisent plus à des oppositions de principe entre
les citoyens de l'époque moderne apparaît comme un heureux
progrès. Mais, étant donné son histoire, que devient la nation
française, qui se fondait sur une haute idée de sa grandeur et de
sa singularité, si elle n'entretient ni ambition ni débat politiques?

N'est-elle pas devenue exceptionnelle en ce qu'elle continue
à manifester, plus que les autres pays européens, un fort attachement sentimental et historique à l'idée de nation, alors que
la réalité nationale est, plus qu'ailleurs, menacée par la modernité?

TROISIÈME PARTIE

L'INTÉGRATION
AUTOUR D'UN PROJET POLITIQUE?

QUATRIÈME PARTIE

« QU'EST-CE QU'UNE NATION » EN 1990?

Table   367

DU MÊME AUTEUR

Aux Éditions Gallimard

L'ITALIE ROUGE ET NOIRE, hors série, 1971.

JUIFS ET ISRAÉLITES, Idées, 1980.

L'ÉPREUVE DU CHÔMAGE, Idées, 1981.

SIX MANIÈRES D'ÊTRE EUROPÉEN, ouvrage collectif sous sa direction et celle d'Henri Mendras, Bibliothèque des sciences humaines, 1990.

LA FRANCE DE L'INTÉGRATION. SOCIOLOGIE DE LA NATION EN 1990, Bibliothèque des sciences humaines, 1991.

BIBLIOTHÈQUE DES SCIENCES HUMAINES

Volumes publiés

GEORGES DUMÉZIL : *Fêtes romaines d'été et d'automne,* suivi de *Dix Questions romaines.*

GEORGES DUMÉZIL : *Les Dieux souverains des Indo-Européens.*

GEORGES DUMÉZIL : *Apollon sonore* et autres essais.

GEORGES DUMÉZIL : *La Courtisane et les seigneurs colorés* et autres essais.

GEORGES DUMÉZIL : *L'Oubli de l'homme et l'honneur des dieux.*

LOUIS DUMONT : *Homo hierarchicus.*

LOUIS DUMONT : *Homo aequalis.*

LOUIS DUMONT : *Homo aequalis,* II.

LOUIS DUMONT : *La Tarasque.*

A. P. ELKIN : *Les Aborigènes australiens.*

E. E. EVANS-PRITCHARD : *Les Nuer.*

E. E. EVANS-PRITCHARD : *Sorcellerie, oracles et magie chez les Azandé.*

ANTOINE FAIVRE : *Accès de l'ésotérisme occidental.*

JEANNE FAVRET-SAADA : *Les Mots, la mort, les sorts.*

MICHEL FOUCAULT : *Les Mots et les choses.*

MICHEL FOUCAULT : *L'Archéologie du savoir.*

PIERRE FRANCASTEL : *La Figure et le lieu.*

NORTHROP FRYE : *Anatomie de la critique.*

J. K. GALBRAITH : *Le Nouvel État industriel* (nouvelle édition).

J. K. GALBRAITH : *La Science économique et l'intérêt général.*

MARCEL GAUCHET ET GLADYS SWAIN : *La Pratique de l'esprit humain. L'Institution asilaire et la révolution démocratique.*

MARCEL GAUCHET : *Le Désenchantement du monde.*

CLIFFORD C. GEERTZ : *Bali. Interprétation d'une culture.*

E. H. GOMBRICH : *L'Art et l'illusion.*

LUC DE HEUSCH : *Pourquoi l'épouser?* et autres essais.

LUC DE HEUSCH : *Le Sacrifice dans les religions africaines.*

J. ALLAN HOBSON : *Le Cerveau rêvant.*

GERALD HOLTON : *L'Imagination scientifique.*

SIR JULIAN HUXLEY : *Le Comportement rituel chez l'homme et l'animal.*

M. IZARD ET P. SMITH : *La Fonction symbolique. Essais d'anthropologie.*

FRANÇOIS JACOB : *La Logique du vivant.*

PIERRE JACOB : *De Vienne à Cambridge.*

ABRAM KARDINER : *L'Individu dans la société.*

ROBERT KLEIN : *La Forme et l'intelligible.*

THOMAS S. KUHN : *La Tension essentielle. Tradition et changement dans les sciences humaines.*

PAUL LAZARSFELD : *Philosophie des sciences morales.*

EDMUND LEACH : *L'Unité de l'homme* et autres essais.

CLAUDE LEFORT : *Les Formes de l'histoire. Essais d'anthropologie politique.*

MICHEL LEIRIS : *L'Afrique fantôme.*

MAURICE LÉVY-LEBOYER ET JEAN-CLAUDE CASANOVA : *Entre l'État et le marché. L'économie française des années 1880 à nos jours.*

BERNARD LEWIS : *Le Langage politique de l'Islam.*

GILLES LIPOVETSKY : *L'Empire de l'éphémère.*

IOURI LOTMAN : *La Structure du texte artistique.*

ERNESTO DE MARTINO : *La Terre du remords.*

HENRI MENDRAS ET ALII : *La Sagesse et le désordre : France 1980.*

HENRI MENDRAS : *La Seconde Révolution française, 1965-1984.*

ALFRED MÉTRAUX : *Religion et magies indiennes d'Amérique du Sud.*

ALFRED MÉTRAUX : *Le Vaudou haïtien.*

WILHELM E. MÜHLMANN : *Messianismes révolutionnaires du tiers monde.*

GUNNAR MYRDAL : *Le Défi du monde pauvre.*

MAX NICHOLSON : *La Révolution de l'environnement.*

ERWIN PANOFSKY : *Essais d'iconologie.*

ERWIN PANOFSKY : *L'Œuvre d'art et ses significations.*

KOSTAS PAPAIOANNOU : *De Marx et du marxisme.*

DENISE PAULME : *La Mère dévorante.*

MARIA ISAURA PEREIRA DE QUEIROZ : *Carnaval brésilien. Le vécu et le mythe.*

KARL POLANYI : *La Grande Transformation.*

PHILIPPE PONS : *D'Edo à Tokyo.*

ILYA PRIGOGINE ET ISABELLE STENGERS : *La Nouvelle Alliance : métamorphoses de la science.*

VLADIMIR JA. PROPP : *Morphologie du conte.*

VLADIMIR JA. PROPP : *Les Racines historiques du conte merveilleux.*

HENRI-CHARLES PUECH : *En quête de la gnose,* I et II.

GÉRARD REICHEL-DOLMATOFF : *Desana. Le symbolisme universel des Indiens Tukano du Vaupés.*

LLOYD G. REYNOLDS : *Les Trois Mondes de l'économie.*

PIERRE ROSANVALLON : *Le Moment Guizot.*

GILBERT ROUGET : *La Musique et la transe.*

MARSHALL SAHLINS : *Âge de pierre, âge d'abondance.*

MARSHALL SAHLINS : *Critique de la sociobiologie.*

MARSHALL SAHLINS : *Au cœur des sociétés : raison utilitaire et raison culturelle.*

MEYER SCHAPIRO : *Style, artiste et société.*

CARL SCHMITT : *Théologie politique 1922-1969.*

DOMINIQUE SCHNAPPER : *La France de l'intégration. Sociologie de la nation en 1990.*

DOMINIQUE SCHNAPPER, HENRI MENDRAS ET ALII : *Six Manières d'être européen.*

JOSEPH A. SCHUMPETER : *Histoire de l'analyse économique. I. L'âge des fondateurs. II. L'âge classique. III. L'âge de la science.*

ANDREW SHONFIELD : *Le Capitalisme d'aujourd'hui.*

OTA SIK : *La Troisième Voie.*

GÉRARD SIMON : *Kepler astronome astrologue.*

ERNST TROELTSCH : *Protestantisme et modernité.*

VICTOR W. TURNER : *Les Tambours d'affliction.*

THORSTEIN VEBLEN : *Théorie de la classe de loisir.*

YVONNE VERDIER : *Façons de dire, façons de faire.*

LOUP VERLET : *La Malle de Newton.*

NATHAN WACHTEL : *Le Retour des ancêtres. Les Indiens Urus de Bolivie, xvᵉ-xviᵉ siècle.*

MAX WEBER : *Histoire économique. Esquisse d'une histoire universelle de l'économie et de la société.*

EDGAR WIND : *Art et Anarchie.*

PAUL YONNET : *Jeux, modes et masses. La société française et le moderne, 1945-1985.*

Composition Charente-Photogravure
Achevé d'imprimer par la
Société Nouvelle Firmin-Didot
à Mesnil-sur-l'Estrée, le 16 juillet 1993.
Dépôt légal : juillet 1993.
1er dépôt légal : mars 1991.
Numéro d'imprimeur : 24437.

ISBN 2-07-072174-4/Imprimé en France

66129